政治卷

新青年
LA JEUNESSE

张宝明 主编　张　剑 副主编

1

新文化元典
丛书

河南文艺出版社

图书在版编目(CIP)数据

新青年. 政治卷/张宝明主编. —郑州:河南文艺出版社,2016.5(2025.1重印)

(新文化元典丛书)

ISBN 978-7-5559-0350-5

Ⅰ.①新… Ⅱ.①张… Ⅲ.①期刊-汇编-中国-民国 Ⅳ.①Z62

中国版本图书馆 CIP 数据核字(2015)第 286574 号

总 策 划　王国钦
策　　划　王淑贵
责任编辑　王淑贵
美术编辑　吴　月
责任校对　陈　炜
装帧设计　张　胜

出版发行　河南文艺出版社
本社地址　郑州市郑东新区祥盛街 27 号 C 座 5 楼
承印单位　河南省四合印务有限公司
经销单位　新华书店
纸张规格　640 毫米×960 毫米　1/16
印　　张　23
字　　数　256 000
版　　次　2016 年 5 月第 1 版
印　　次　2025 年 1 月第 5 次印刷
定　　价　41.00 元

版权所有　盗版必究
图书如有印装错误,请寄回印厂调换。
印厂地址　焦作市武陟县詹店镇詹店新区西部工业区凯雪路中段
邮政编码　454950　　电话　0391-8373957

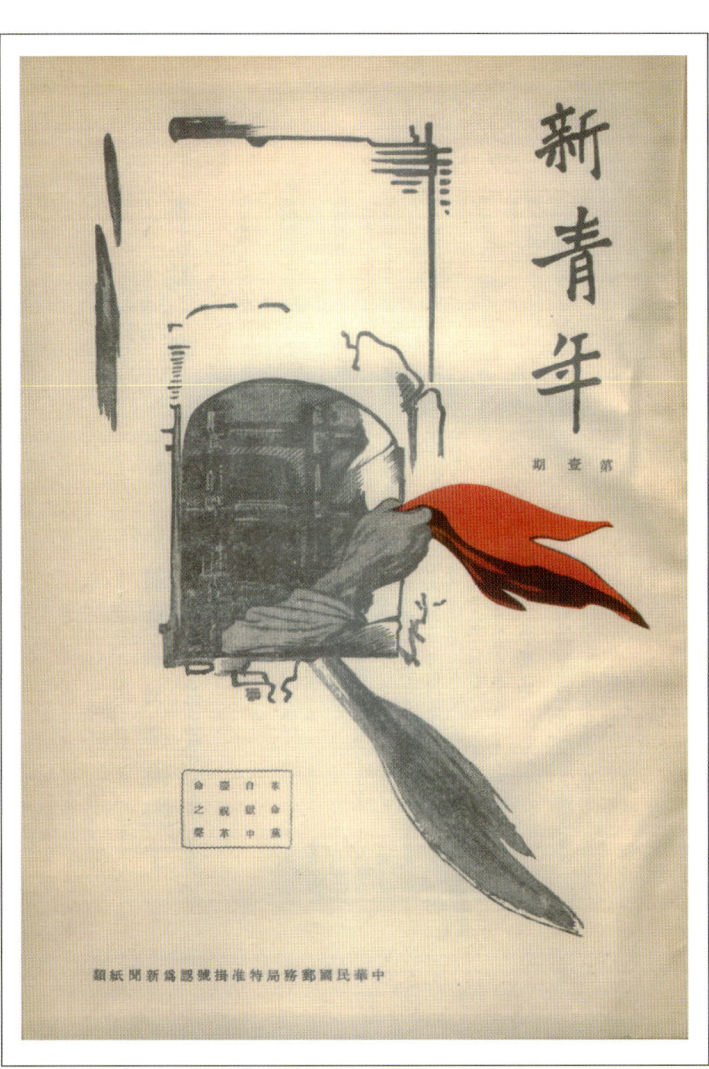

出版说明

一、为纪念《新青年》(原名《青年杂志》)创刊100周年,本社特别策划出版"新文化元典丛书"。

二、本丛书由著名学者张宝明主编并提供稿本,由本社分"平装普及"与"精装典藏"两个版本先后出版。"普及版"以大众阅读为目标,分为"政治卷""思潮卷""哲学卷""文学创作卷""文学批评卷""文字卷""翻译卷""青年妇女卷""文化教育卷""随感卷"10卷;"典藏版"以学者研究为指归,延续了本社1998年版《回眸〈新青年〉》的版本形式,分为"哲学思想卷""社会思潮卷""语言文学卷"3卷。

三、本丛书在编辑过程中,对文章内容(包括当时特殊的语言、语法使用,习惯性虚词、数字、异体字用法,对外文中人名、地名的个性化翻译等)及作者署名均以其原貌呈现。为方便今天读者阅读,本次出版对原文中的繁体字进行了简体转换,对可以确定的技术性错讹进行了订正,对个别的标点符号用法进行了相对规范。对错讹较多的英语、俄语等外文,特邀有关专家进行了认真校订。

四、"随感卷"内容选自《新青年》原版各卷中的"随感录"。因原文发表时大部分并无标题,本次专卷出版的标题为主编所加。

五、本丛书的策划出版,也是我们对2019年"五四"运动100周年的一次提前纪念。

河南文艺出版社
2016年5月

回眸:唯以深情凝望……(代序)

张宝明

  1492年10月11日,克里斯托弗·哥伦布看见海上漂来一根芦苇,欢呼雀跃地宣布了被称为"救世主"之新大陆的发现。

  1915年9月,《青年杂志》创刊。这就是那个日后易名为《新青年》的月刊,她从此成为一代又一代青年人心目中拨云见日的精神新大陆。

  饶有情趣的是,无论是彼岸还是此岸的"新大陆",其发现过程都需要有敢于冒险的勇气、勇于担当的气魄、胸怀天下的责任。500年前,哥伦布想方设法说服了西班牙女王得以扬帆;100年前,陈独秀费尽口舌让出版商动心,在那出版业凋敝、萧条的时代,主编那"让我办十年杂志,全国思想全改观"的信誓旦旦背后多少有些心酸。

  一个世纪过去了,重温百年历史记忆,翻阅那一页页泛黄的纸张时,我无法用编选或剪辑来保存这样一个精神存照。

  作为20世纪一轮最为壮丽的精神日出,《新青年》以其鲜活的时代性入世,演绎了一台精彩纷呈的思想史专场。她已经在百年的风雨沧桑中固化为一尊灵魂的雕像、一座精神的丰碑。形而下的标本馆可以被肢解、分离,甚至拆卸为齿轮和螺丝钉,可谁若是声称复制出形而上的灵魂标本馆,我们不免顿生疑窦。因为灵魂的雕像和精神的丰碑只能内化于每一个人的心底,存贮于每一个人的心灵。

回望百年,再也没有这样的思想演绎更值得我们咀嚼了。仿佛,她就是我那无法用肉眼观看的神经末梢。岁月陶铸了文化的沧桑,年龄剪断了思想的记忆。"剪不断,理还乱。"因此,面对沧桑的文化记忆,面对凌乱的思想线团,我们无法用具象化的"编选"或"剪辑"称谓,更无法用当年文化先驱的启蒙来"普及"当下的启蒙。这里的思想静悄悄,这里的灵魂无眠,这里精神永远……我们最好的纪念就是无言面对,默默注目,深深凝望……

《新青年》,已经不是当代青年心目中的"新大陆";回眸《新青年》,无非是想通过那一代知识先驱心中流淌的文字为20世纪中国做一个有血有肉的注脚。发黄的纸张、右行竖迤的文字以及远离的先驱成为朦朦胧胧的追问,我们在回眸中分明看到了自己。我们在解读自己,也在解剖自己,更是在反省着自己。有时,我们又不能不拷问何以如此失去自己。这不是多愁善感,而是因为风雨沧桑的生命之旅招惹了我们的思绪:《新青年》不是一个尘封的历史遗存,而是一个活生生的对象,一段可以触摸的历史,更是一曲跌宕的纸上声音:说你,说他,说我……

风流,不会像诗中说的那样总被雨打风吹去。昔日的倜傥,同样可以因我们的自觉而获得立体的再现。多年之后,长征之后落定延安的毛泽东对埃德加·斯诺吐露心声说:在1916年,我和几个朋友成立了新民学会……许多团体大半都是在陈独秀主编的《新青年》的影响下组织起来的。而我在师范学校读书时,就开始阅读这本杂志了,并且十分崇拜陈独秀和胡适所做的文章。他们成了我的模范,代替了我已经厌弃的康有为和梁启超。青年时代的毛泽东,有很长一段时间都在翻阅、谈论、"思考《新青年》所提出的问题"。1918年2月,读到《新青年》的周恩来在日记中奋笔疾书:晨起读《新青年》,晚归复读之。于其中所持排孔、独身、文学革命诸主义极端赞成。恽代英从武昌写来肺腑之言,盛赞《新青年》的思想价值:我们素来的生活,是在混沌的里面。自从看了《新青年》,渐渐地醒悟过来,真是像在黑暗的地方见了曙光一样。我们对于做《新青年》的诸位先生,实在是表不尽的感激。当时在陆军第二预备学校读书的叶挺也热情洋溢地表达过对《新青年》的仰慕和膜拜:空谷足音,遥聆若渴。明灯黑室,觉岸延丰。最后并以急不可待的心情期盼着"思想界的明星"(毛泽东语)。陈独秀指点迷津:吾辈青年,坐沉沉黑狱中,一纸天良,不绝于缕,亟待足下明灯指迷者,当大有人在也。

热血的政治青年对此刊有一种天然的偏爱,在校读书的文学青年对此更是欢喜。北大学生杨振声曾这样回忆说:像春雷初动一般,《新青年》杂志惊醒了整个时代的青年。冰心也这样评论《新青年》:"五四"运动前后,新思潮空前高涨,新出的报纸杂志像雨后春笋一样,目不暇接。我们都贪婪地争着买,争着借,彼此传阅。其中我最喜欢的是《新青年》里鲁迅先生写的小说,像《狂人日记》等篇,尖锐地抨击吃人的礼教,揭露着旧社会的黑暗和悲惨,读了让人同情而震动。凡此种种,举不胜举。

热血青年如是说,引导"新青年"的当事人更是引以为豪。胡适就曾在20世纪30年代为重印《新青年》激动不已,并挥毫题词:《新青年》是中国文学史和思想史上划分一个时代的刊物。最近二十年中的文学运动和思想改革,差不多都是从这个刊物出发的。胡适为重印《新青年》的广而告之及定位,与其在1923年写给"新青年派"高一涵、陶孟等同人的信中表述一脉相承:二十五年来,只有三个杂志可代表三个时代,可以说创造了三个新时代:一是《时务报》,一是《新民丛报》,一是《新青年》。《民报》与《甲寅》还算不上。题中之意还在于:《新青年》创造了一个崭新时代,永远不会被遗忘和尘封。鲁迅作为"新青年派"的中坚,也曾在为《中国新文学大系》所作的序言中鼓与呼:凡是关心现代中国文学的人,谁都知道《新青年》是提倡"文学改良",后来更进一步号召"文学革命"的发难者。从学术"象牙塔"走向办杂志、发议论的公共空间,从学问家到舆论家,"新青年派"知识群体经历了一个艰难的选择里程。这里,我们不难从鲁迅心灰意冷的"钞古碑"到满怀激情地"听将令"之转变窥见同人们的"一斑":但是《新青年》的编辑者,却一回一回的来催。催几回,我就做一篇。这里我必得纪念陈独秀先生,他是催我做小说最着力的一个。

....

我们知道,在世界文明史上,18世纪的法国因其启蒙运动的舆论力量留下盛名,并产生了一批以伏尔泰为精神领袖的舆论之王。当作为社会良知化身的知识分子以公共面目出现时,就获得了舆论家的声誉。胡适这位现身说法的当事人这样用英文将其正名为"Journalist"或者"Publicist",而且对"意中舆论家"有这样的诉求:有"笔力"、懂国内外"时势"、具"远识",其中"公心"和"毅力"最不可或缺——这是胡适1915年1月尚在美国留学时日记中记下的夙愿。回国任职北京大学后,学问家的身份反被舆论家的名声所掩盖,他走了一条"一发不可收"的不归路。从此,思想史上的胡适而不是学术上的胡适,成为声名鹊起的一代思想骄子。

《新青年》创刊于上海,兴隆于北京,终结于广州。在这一平台上汇聚起来的"新青年派"同人,学术凹陷,思想凸显;学问淡出,舆论立言。"五四"新文化运动的天空中,最耀眼的是那一抹以"民主""科学"为主调的绚丽彩虹。舆论的彰显与张扬,拉动着中国现代性加速转型。1905年科举的终结,让传统士人走向边缘,而舆论家的身份意识和担当情怀重新将他们推向时代的浪尖和话语的中心。这里,"新青年派"同人不再是书斋里"钻牛角"、翻故纸的学术把玩者,而是一批"执牛耳"、观天下的社会现实参与者。行走于风雨故园中的时代先驱们,可以不是理性、冷静的审慎思考者,却是理想在前、激情在身的担当者。一百年后回眸《新青年》,我们可以为他们的急不择言、话不留余的语言暴力保持一份反思的态度,但毋庸置疑的是,他们留下的文本却为我们读懂20世纪以及当下的中国提供了弥足珍贵的思想路径。从这里,走进历史现场;在这里,读懂近世中国。的确,在享受这一新文化运动元典阅读快感之际,无论如何都无法阻止我们的心跳。

这里,不但有"妙手"写下的"文章",更有"道义"担当的"铁肩"。《新青年》寻求真理、坚持真理的使命感与历史同在,历历在目;新文化运动敢于担当、勇于担当的责任感与日月同辉,常读常新。听其言——陈独秀在文学革命的战车上立下过"愿拖四十二生的大炮为之前驱"的誓言,还有那振聋发聩之守护"民主""科学"的承诺:西洋人因为拥护德、赛两先生,闹了多少事,流了多少血,德、赛两先生才渐渐从黑暗中把他们救出,引到光明世界。我们现在认定:只有这两位先生,可以救治中国政治上、道德上、学术上、思想上一切的黑暗。若因为拥护这两位先生,一切政府的压迫、社会的攻击笑骂，就是断头流血，都不推辞。信誓旦旦，掷地有声。观其行——1919年6月8日，陈独秀为声援和欢迎"五四"运动中被捕出狱的学生撰写的《研究室与监狱》就是一篇激情四溢、气势磅礴的短平快舆论：世界文明发源地有二：一是科学研究室，一是监狱。我们青年要立志出了研究室就入监狱，出了监狱就入研究室，这才是人生最高尚优美的生活。从这两处发生的文明，才是真正的文明，才是有生命有价值的文明。陈独秀雄于言、力于事的个性和品格，在舆论抛出三天之后"知行合一"。被胡适誉为"一个有主张的'不羁之才'"的陈独秀，在经过三个月的监禁后，成为中国共产党的创始人。

　　无独有偶，作为《新青年》主力的舆论家胡适向来以性格稳健、思想"健全"著称。即使如此，他在"新青年派"同人营造的公共空间里丝毫不减锐气，文风堪称犀利直接、所向披靡。如同我们看到的那样，当《民国日报》记者邵力子以北洋政府下令"取缔新思想"之舆情发难胡适，并"三十六计，走为上计"揣测其生病住院时，当事人严正地在《努力周报》上发布公告：我是不跑的，生平不知趋附时髦；生平也不知躲避危险。封报馆，坐监狱，在负责任的舆论家的眼里，算不得危险。然而，"跑"尤其是"跑"到租界里去唱高调：那是耻辱！那是我决不干的！这就是"新青年"那一代知识先驱的共同心声和承诺。知其言，观其行。新文化运动的舆论家就是这样直面着人生、关注着社会、履行着诺言、担当着责任。胡适很早就认识到"舆论家之重要"并"以舆论家自任"。应该说，无论是陈独秀还是胡适，尽管在北京大学地位显赫，但真正"暴得大名"并在中国政治史、思想史、文化史上留下重要的影响，依靠的不是作为学问家的"学术"志业，而是以不安本分的"舆论家"起家。在《新青年》周围,一个知识群体为国家、民族的现代性演进而不遗余力地万丈激情挥洒自如。不甘于自处出世、超然的边缘,而要走向中心,有所担当的"家国""天下"情怀体现得淋漓尽致。

百年回眸,在演出那场思想史专场的新文化思想舞台上,海归们给沉寂的中国注入了前所未有的生机。陈独秀、胡适、周作人、鲁迅、李大钊、钱玄同、刘半农、高一涵、沈尹默……"新青年派"同人扬鞭策马、奋笔疾书。本来,学术是他们的安身立命之本,学问家应该是他们原汁原味的角色担当。但是,归国后面对中国的现实,让他们有一种坐不住、不安分的冲动,携带着西方文明的种子,他们很快从一身长衫的学问家华丽转身为西装革履的舆论家,成为指点江山、激扬文字的中心人物……

百年回眸,新文化元典已经走过了一个世纪。在"知识分子到哪里去了""知识分子还能感动中国吗""人文学还有存在的必要吗"之追问不绝于耳的今天,重读《新青年》是那样的情真意切。只要启蒙还没有"普及",只要"五四"先驱设计的目标还没有抵达,只要"中国梦"还在路上,我们就不能不读《新青年》!百年回眸,那是一个渐行渐远的大时代。我们只有以这样的方式默行注目礼……

百年回眸,《新青年》同人打造的"金字招牌"历历在目。当我们手捧10卷本"普及版"的时候,其实我们是在"提高"着对自我与这个时代的认知。本来,"普及"和"提高"就是一个问题的两个方面,无法化约,采用这样的划分完全是为了阅读的需要。我们深知,其中的每一卷都是一个个精神的制高点、诗意心灵的停泊站:"政治卷""思潮卷""哲学卷""文字卷""文学创作卷""翻译卷""文学批评卷""随感卷"的单打以及"青年妇女卷""文化教育卷"

的组合,都能够给读者带来无限的遐想。一杯茶,或一杯咖啡,在原汁原味的隽永文字中咀嚼、品味、思考,唯有这样的互动才能使我们徜徉于心旷神怡的天地。或浓烈,或淡雅,或遥远,或温馨,思想的滋味本来如此……

目 录

近世国家观念与古相异之概略 …………………… 高一涵 1
民约与邦本 ……………………………………… 高一涵 12
国家非人生之归宿论 …………………………… 高一涵 19
读梁任公革命相续之原理论 …………………… 高一涵 27
自治与自由 ……………………………………… 高一涵 36
吾人最后之觉悟 ………………………………… 陈独秀 40
我之爱国主义 …………………………………… 陈独秀 45
驳康有为致总统总理书 ………………………… 陈独秀 52
宪法与孔教 ……………………………………… 陈独秀 56
军国主义 ………………………………………… 刘叔雅 62
袁世凯复活 ……………………………………… 陈独秀 71
一九一七年预想之革命 ………………………… 高一涵 74
对德外交 ………………………………………… 陈独秀 79
俄罗斯革命与我国民之觉悟 …………………… 陈独秀 84
旧思想与国体问题 ……………………………… 陈独秀 87
时局杂感 ………………………………………… 陈独秀 90
儒家主张阶级制度之害 ………………………… 吴　虞 94
复辟与尊孔 ……………………………………… 陈独秀 98
近世三大政治思想之变迁 ……………………… 高一涵 103
驳康有为《共和平议》 ………………………… 陈独秀 107

今日中国之政治问题	陈独秀	128
关于欧战的演说(三篇)		132
庶民的胜利	李大钊	132
劳工神圣	蔡元培	135
欧战以后的政治	陶履恭	136
BOLSHEVISM 的胜利	李大钊	138
非"君师主义"	高一涵	145
我们政治的生命	陶履恭	151
和平会议的根本错误	高一涵	161
吃人与礼教	吴　虞	165
实行民治的基础	陈独秀	170
由经济上解释中国近代思想变动的原因	李大钊	181
洪水与猛兽	蔡元培	189
"五一"May Day 运动史	李大钊	191
劳动者的觉悟	陈独秀	207
谈政治	陈独秀	210
对于时局的我见	陈独秀	221
国庆纪念的价值	陈独秀	223
实行社会主义与发展实业	周佛海	228
社会主义与中国	李　季	242
从科学的社会主义到行动的社会主义	〔日本〕山川均	253
讨论社会主义并质梁任公	李　达	258
太平洋会议与太平洋弱小民族	陈独秀	276
评第四国际	李　达	281
二十七年以来国民运动中所得教训	陈独秀	290

列宁主义与中国民族运动 ················ 陈独秀 299
孙中山与中国革命运动 ················ 瞿秋白 306
国民革命运动中之阶级分化 ············ 瞿秋白 323
世界革命与中国民族解放运动 ·········· 陈独秀 347

近世国家观念与古相异之概略

高一涵

一涵曰：伯伦智理（Bluntschli），德意志瑞士之秀里人也。于千八百五十二年，崭然特起。创《原国》一书，论者至拟之为希腊亚里士多德。学风所被，论政之士，几无一不受其熏陶。诚近世公正、坦白之评政家也。其书去今五六十年矣，而精义入神之处，犹为觇国者之所宗。此篇为《原国》中一节，征古今立国之大经大法，条举骈列，存而不议。令读者一开卷间，自得其变化迁流之积，恍然悟人事演进不主故常之道焉。比年以来，吾国论政之士，多拘泥史积，未观其通，不悟吾国生机停滞。令之现状，方诸西土，仅当其千百年前之故辙，乃谓中西殊途，不可强合。方将守此终古，识者惧焉。士君子读史原在籀古今变迁之往例，测将来人事演进之所趋。天演之运，脱故谋新，迤逦前驰，永无退转。若认作循环，谓继今而往，凡百变迁，皆由古为重规叠矩，则一乱一治之局，终不可逃，是何说哉！今移译是篇，世有君子，读其文，寻其变，原始要终，探其演进相沿之程序，庶几会通进化之理而不为史积所迷欤！

太古国家观念与近世国家观念之差异：

（一）公认人权

向也，国家剥夺人权，因亦讳言小己之自由，国民多为无权利之奴隶。所谓自由公民，仅少数耳。农工商贾，多委诸奴隶之手。职此之故，贱视勤劳，凡奔走服役之夫，绝无毫黍价值。奴隶无关于国，仅托庇主人以联络于国家而已。无与闻国事之权，无父母兄弟之邦，人格之权剥蚀殆尽。习惯奉行胜于法典，虽至善者亦无定局，而日趋于恶焉。奴隶谋叛时，有所闻而莫不同遭酷遇者。

今也，国家一视同仁，凡属人类均享人权。废奴隶之阶，视为不道，即附土农奴、世传仆役，亦视为背乎人身天然之自由。人之身体为享有权利之主，不得视同器皿附属于人。勤劳之事，珍重期待，一任自由。各级人民均有与闻政事之资格。选举之制，扩充至普，甚至奔走服役之子亦界之而不遗。奴隶谋叛，于今弗睹。国基于民，故根深蒂固，安若泰山。

一涵曰：吾国贵贱阶级，方诸西土，似不若彼之酷。布衣而为卿相，匹夫而作帝王者，比比皆是。是乃自始而然，非群化演进，悟而革之者也。至享有人权、与闻政事、国基于民诸事，方之彼邦，将类其近世之制，抑类其太古之制欤？识者当能辩之。天国为人而设者也，国家权利即以人民权利为根基。自由人格全为蕲求权利之阶梯，而权利又为谋达人生归宿之凭借。人生归宿还在人生，非一有国家便为归宿。之所以人民为国家之牺牲品，若主人之豢畜、犬、豕、麋、鹿然，视人若物，剥尽其权。此太古国家之盛衰兴废所以视政府之智愚贤不肖，而其应如响也。今者，国本在民之理大阐明于西方,举国家全力,保护人民之权利。人智日启,即国家之文化日高。国家文明,因人演进,自今以往,日新月盛,将永绝一治一乱、突兴突败之局,而立不退转之文明。然则保障人权,其今日立国之神髓也欤!

(二)国家措施之范围

向也,国家行为,于人生事业总括无遗。举宗教、典章、道德、技艺、学术、文化,一听国家之措施。祝宗之职,即为布政之官,小己之精神自由亦多为其所否认。

今也,国家自悟限制其权力而为法律政治之社会。宗教信仰之管辖,均委之教会及小己之自为。祝宗之职专为司教之官,科学技艺脱离国权之干涉,而质疑建说之自由又举为国家所珍卫焉。

一涵曰:立宪国家之第一要义,即在限制其政权,而范围之于法律之中。国家违法与人民违法厥责维均。盖国家、人民互相对立,国家权力仅能监护人民之举动,防其互相侵害无间。于物质精神,国家均不能以自力举行之。国家可高悬奖励学术、技艺之典章,而不能以其权力自图其发展;国家可颁布奖励生产企业之命令,而不能自任勤劳、自冒危险。其所能者,则立于人民之后,赞助人民自为之耳。质疑建说之自由,乃人民自为之凭借,所以瀹灵答智,俾充发其本然独立之能者也。今者,吾国政权,其有所限制欤?质疑建说,果得自由欤?世有君子,举吾国政纲,层层抉剥,必有以知其近于近世,抑近于太古者矣!

（三）小己自由及私法

向也，握有权利者，仅公民耳。希腊公私两法，杂然混淆。罗马虽区分其原理，然私法之行，犹全恃人民与国家之意向。小己自由为其与国家抵触也，亦痛恶而深讳之。

今也，小己举有权利，私法、公法画然判分。然私法之事乃国家所认许，非国家所创制；乃国家所保护，非国家所指挥。人民自由独立发展不为国家所侵蚀，行使权利举由一己之意志而不为国权之所拘。

一涵曰：约翰·弥尔氏谓自由为缮心瀹性，锻炼人生特操异撰之资。柏哲士谓国愈文明，则自由之范围愈广。盖维皇降衷各有异秉，非随异而之充发至尽，则无由展其天能。故自由尚焉，国家之文明愈高，自由之界域愈广；实则自由之界域愈广，国家之文明始克愈高耳！今者，吾国小己，即梦寐犹不得自由，束缚驰骤，较之希腊、罗马，且万万有加焉。而鼎鼎文名之子，且公然著论，拾赫胥黎之片语，驳卢梭之真诠，引物理家言，证明天壤间绝无所谓自由之事。盖自忘其前日盛称约翰·弥尔书时，曾作何言语也！

（四）统治权

向也，国家统治权绝对独立。

今也，国家统治权乃立宪以自制。

一涵曰：近日留东法政学生，颇拾东人牙慧，倡国权无限之说，然东人崇德学，不读伯伦智理之书乎？

（五）直接政治代表政治

向之国权、主权者，直接运用之在古代共和国家，凡为公民齐集国民议会，以直决主要之公务。

今则代议制兴，代表机关由公民进举者组织之，以代表齐民之意向，核定国典运用政权，则今之代表机关之能力实视古代为尤优焉。

（六）都城民族

希腊为都城国家，罗马则扩张之而为世界国家。

近世以民族国家为最要，都城仅国中之社会，非为国家之中心。

（七）分职

向也，国家之运施，虽因性质主旨而异，然常以同一机关举行。各种之职务，立法、行政、司法等职，时执行于同一议会、同一官员。

近世则设官分职，各种事务畀诸各种机关。昔之因权力之旨而分者,今则转因人身之职务而分矣。

(八)国际关系

古代国家之受制于外也,仅为他国所抗拒,而不受普通国际法之制裁。罗马且悍然以辖治世界之力,为己国之特权。

近世国家举认国际法以限制其国权,借之保全其民族之生存,及国家之自由,而不许一国高张国权加诸他国之上。

中古国家观念与近世国家观念之差异:

(1)源于上帝及源于人生。

中世思想,以国家及国家之治权为由神降,而国家制度乃神所指挥创造者焉。

近世国家,则为人类所建筑。立于人类性情之上,乃公共生活之一制度创设。运用于含灵秉气之人生,由之以蕲人类之归宿者也。

一涵曰:神权国家之说,以元首直接代宣神意,天威尊严,懔然不可干犯。其弊也,小己对抗政府之权利扫地尽矣。近世乃一反其说,而谓国家为人类所创造,以求人生之归宿者。而国家人民,始同处于法律之中,而有平等对抗之资格。小己权利,乃于以蔚然振兴。郅治之基,方定于此。吾国古虽以神道设教,称"元首"曰"天子",然论政之书,其迷信神权,未尝如西土之笃。乃今者于古无神权之国中,倏有祭天典礼,比隆于古之帝王。某氏贤者也,竟有《郊天典礼与政治思想之关系》一篇皇皇大文,载之京报。盛称神权政治,且谓外国学者不知我国政治之大本,呜呼!是何说哉?

吾国人其狂易邪！何以国家思想,固犹在太古以上也！最近政象之支离,岂尽执政之咎哉？曲学阿世之士,盍自反乎？

(2)神学及科学。

中古国家观念举为神学原理所统制。回教认国土为上帝之王国,而托之于苏丹(Sultan)。耶教则明认国家与教会之二重主义,但信上帝有二道：一圣,一俗；一托诸法王,一托诸皇帝。新教讳言神道,仅认国家之大权,惟君主权力,降自上帝。故欲坚握国权,必准乎宗教观念。

近世国家,根本原则为人类哲学、史学所制定。而政治之学首以人生理论诠明国家之性质。有谓国家为小己社会联合而成,以卫其安宁自由者；有谓以民族为本位,缔合以成者。国家观念不迷于宗教,亦不反乎宗教；国家不恃宗教信仰,而亦不讳言维皇降衷之事及政府信教之为。至于政治,则蔚成科学不羼杂神道,但殚力诠明国家为人类创造之制度焉！

(3)神政。

中古国家之观念与东方民族迥殊,东方民族为直接神政,西方则间接神政,而主治之人即为上帝之代表。

近世国家,一切神政均屏诸民族之政治,良能而外。国家为人类创设之制度,国家治权为公法所限定。而政治蕲向诠以人性之理,运以人类之力,以求民族之公安。

(4)宗教。

中古国家全凭社会之信仰,而要求统一之信条。信根浅薄者流及旁门外道之子,举剥夺其政权,迫胁驱除,俾无噍类其最上者,则仅容忍之。

近世国家,举不以宗教为法典之条件。公法、私法均脱教旨而独立,且为之保护信教之自由,俾异教之徒互相和结。即有背教不信之子,亦禁其横加迫胁之行。

(5)教会。

中古耶教之徒谓教会为精神之事,故高尚;国家为肉体之事,故卑下。此掌教之主,所以高立于国王之上,而僧侣亦首出于常人,以享有宽免租税之惠及特别大权。

近世国家,自拟人身,举其精神、肉体而一以贯之。(精神即民族精神,肉体即宪法也。)独立以与教会相对峙,且积人为体含蕴质,力主有至高之权,驾乎教会之上。国家法权,四民同享。僧侣之高贵,既非所认,即许免及特权之事亦并举而废之。

(6)教育。

中古教会,掌有教育青年之权。科学之事,亦运行于其权力之下。

近世国家,仅以宗教教育,畀诸教会。至学校,乃国家之学校。科学则离教权而自由独立。其自由之事,国家则专司保护焉。

(7)公法及私法。

公私两法无所区分,领土权视同物权,为国王之所私有,国王权力即其家族权利焉。

公法、私法画然判分,公共权利一变而为公共义务。

(8)割据主义及统一主义。

中古封建制兴,国权分裂递嬗递降,由神及王,由王而公侯、而武士、而都邑,法律之制定极其万殊。

近世国家为民族所部勒,用其国权保持统一。国基奠于民族之上,愈张愈广,法度、典章适于民族、人道而一视同仁。

(9)代议制。

中古代表限于阶级,僧徒、贵族最占其势力。法度、典章亦因身份财产而异。

近世国家,必赖人民代表,四民平等,绝无差异。国家大权掌于多数人民之手,而其根基毕奠于齐民之上,各级平权,同为公民。法度、典章全国人民一体待遇。

一涵曰:今世国家原理,在以国家为全体人民之国家,非为主政者一人之私产。无间君主共和,皆取惟民主义。国属于民之特征,即在与人民以参政权一事。故代表制之设立,即明示国家为公,宣布人民总意,即为国家施政之准则。俾各党、各派、各级、各流之意见、感情、希望、痛苦得以如量宣泄,相剂相调,铸成萨威棱帖(Sovereignty)。民情舒则国基固,长治久安之道,肇于是矣!今者,吾国之萨威棱帖,既不许合人民总意以铸成,则即有代表机关亦聋哑者之口耳!具文而已,绝非宣示人民意见、感情、希望、痛苦者。矧并此具文而犹欲绝之哉,固不若谓为中古国家,或竟曰部落,犹似名称其实也。

(10)自由。

列侯贵族自由之权大张,致国家权力旁落下堕,村农贫氓之自由权剥夺殆尽,使终拘于不自由之天。近世国家,公民之自由展至各级全体,国民均服从于国权之下。

(11)国家措施之范围。

中古国家,固亦有法,然裁判之事有所督厉,致人民不能维持其权利,政府行政均甚衰弱,且毫无发达之可期。

近世国家,为其立宪也,故亦为法制国,惟同时从事于生计文化,而以政治统系一切焉。政府强固,行政亦殚精进展,而以求民族社会之治安为归。

（12）无意而然之习惯及精心创制之立法。

中古国家,鲜有精心卓识经营缔造之事,多随自然及大势之所趋,人人所知惟在天然之发育,而习惯之事即其典章制度之大源。

近世国家几无一事不由意匠费营,其所措施皆有物有则,根于法理而不因其天然,人为之法乃其典章制度所由生。

一涵曰：统观伯氏之说,则国家观念由浑之画、由虚而实、由迷信而真理。出治之权,亦由一阶一级,降而普及齐民。大例昭然,五洲万国,举莫能逃者也。乃回顾吾邦,事事反古,出死力以排除近世国家原理,似惟民主义能行万方者独不能行于吾国。非持数千年前陈言古义逆系人心,则其群必将立涣。凡其制为吾史乘中所未经见,即当视作异端左道百计驱除。一若国国皆循进化大势以前趋,独吾一国必遥立于天演公例而外,逆进化之大势而退转自由平权。人格权利在他国视为天经地义,倾国家全力以保护之者,在吾国必视为离经畔道,倾国家全力以铲除。之他国已入于一治不乱之时者,吾国必永罹一治一乱之劫,犹曰此吾国历史之特征也。此先王之微言大义深入人心也！此亚洲民俗不能强合欧美也！囚心于虞夏商周,定睛在三皇五帝,迷身于一朝一代历史现象之中。举其比例参勘观察,会通之官能屏而不用,则迷于一国史迹,更何待言！苏子曰："不识庐山真面目,只缘身在此山中。"吾国君子,得毋同病此欤？欲知妍媸,在于取镜自览。移译此篇,取镜之义也。

(第一卷第二号,一九一五年十月十五日)

民约与邦本

高一涵

往古政治思想，以人民为国家而生；近世政治思想，以国家为人民而设。而揭此大经大法，明告天下，俾拘故袭常、陈陈相因之人心政论别开新面。自其根本改图，以归正极者，是为"民约说"（Contract Theory）之殊勋。夫立国之始，必基于人民之自觉，且具有契合一致之感情、意志，居中以为之主。制作典章制度，以表识而显扬之，国家乃于是立。故国家之设，乃心理之结影，而非物理之构形。自觉心理，悬而非察。故国家本体，亦抽象而无成形，非凭一机关则不克行其职务。此机关之设，必与国家同时并生。以其直立于国家之后，执行国家之职务，其势常易于攘国家权力据为己有也。故文明各国，皆规定宪法以制之。宪法由国家主权而生，非以限制国家自身之权力，乃以限制国家机关之权力，即规画政府对于人民布政运权之范围者也。政府之设，在国家宪法之下。国家之起，见于人民总意之中。政府施设，认为违反国家意思时，得由人民总意改毁之，别设一适合于国家意思之政府，以执行国家职务。政府之权力，乃畀托而非固有。固有之主厥惟人民，是之谓"人民主权"（Popular Sovereignty）。古今国家观念之根本差异，即在此主权所在之一点。于此不明，纵政论盈箧，终为词费。"民约说"精一微言,即在贯彻此理。是说盛行,而国家基础,奠于人民,本根益牢固而不可拔。不佞谨摘其要旨,论厥大凡,俾关心国本者,得以观览焉。

"民约说"立论之本,皆肇自主权在民。而推演其流,其于政体也,乃由极端君主趋于极端民主。其于国家、政府之分也,乃由浑而之画;其于国家主权也,始则与人民权力划然判分,终则翕然丽合。考"民约说",夙分二派:曰行政契约(Governmental contract),曰社会契约(Social contract)。不佞所论,乃其后者。此派之首唱于欧洲大陆者,为奥塞秀(Johannes Althusius);唱于英伦者,为浩克尔(Richard Hooker)。而阐扬遗蕴、发挥光大,以改正国家根本问题,造成掀天震地之伟绩者,厥惟霍布斯(Hobbes)、陆克(Locke)、卢梭(Rousseau)三子。三子者,论据虽同,演绎之终不免互有出入。不佞谨探其真诠,以为误会者告焉。

霍布斯以洪荒初辟之始,即为人群战斗之天。生命财产之权,举无所有。弱肉强食,无一息之安,不得已,乃捐其天然自由之一部,相约而为群焉。一群之立,除一君(Sovereign)而外,余皆为民(Subject)。一经成约,则主权即为君主所固有,不得君主同意,人民绝不得撤回之。君主权力,独立无对。契约既成,则人民革命之权早已消归乌有。何也?君主所为,无不合法;民约之事,乃民与民相约,而非民与君相约也。此说之误即在混视国家政府而不明主权与君身之区别。谬以国家主权为属于国家机关,不识政府之权力为人民所托畀。夫人民之于国家,固不得任意毁坏者也。至政府之宜变更与否,则全视人民总意为转移。总意一去,则现存之政府,已应时瓦解,无复存立之余地。故主权所托,专视人民总意之所归,能托诸人者亦能取而反之。霍氏以主权为不能转易,设由此种政体变为彼种政体也,必先毁约破群而后可。不知政体之变迁,特政府之形式一转易间耳。于主权本体,夫固毫无亏损也。此则霍氏之误也。陆克特起,已开国家与政府区别之机。其第一要义,即在限制主权之行使。彼以为太初天下,人民之自由平等,得自天然。及相约为国,乃画定权力,若者托诸政府,若者仍留于人民。国家之存专以保护人民权利为职务。治权运行终不能超民权而独立。政府行使权力,设有所过人民得收而反之,以返真归朴,乐乎天然之自由。霍氏以为,就法律言,主权者无不合法之施舍;陆氏以为,就法律言,主权者无迫胁人民之理由。霍氏以为,主权者之权力,在法无所不能;陆氏以为,政府之权力,运用当有所限。盖陆氏之说较霍氏更进一步明察政府为国家之政治机关,官吏为人民之政治代表,而人民对于不良政府之革命权,虽未认为法律上之权利,已允为道德上之权利矣!综陆氏之说,有发明重要之点三:一、最高主权时为人民所保留;二、政府权力乃寄托而非固有;三、政府行动,缩纳诸定范常轨之中。自是而数千年来,窃权自恣,虽过无责,凭国为崇,莫敢谁何之不良政府,已失其护身之符。而施政方针,与夫人民总意乃互相接近,趋集一途。而为民建国,国本于民之观念,遂大昌明于天下。反背民意之虚构政府,已为群演所淘汰而破灭无遗。其永存不毁、巩若泰山者,则均建筑于民意上之政府。恶劣政府,绝迹人寰而淘汰。所遗之政府,其根基方自此固矣。

虽然陆氏之说升堂矣,而犹未入于室也。入室者,其惟卢梭乎?至卢氏,而人民主权,乃克建极,国家政府,判然划分。国家主权,几与人民之主权同视。政府为奉行国家意思之公仆,而绝不能发表国家之意思,立法之权永存于人民之手。何也?以权力可委托于政府,而意志则绝不能委托者也。人民自由与未约之初,其广阔之界盖无异处。对于事实上之政府,其服从也视其愿,初无丝毫拘束力焉,其拘束者,人民之总意耳!而此总意之发表,由人民直接集会票决之。故真正主权之人,惟属于人民全体。主权既在人民,断无自挟主权以迫胁人民自身之事。于是,凡为政府,即为奉行人民总意之仆。选仆易仆,无容动其声色。已举政府人民,迫胁抵抗,相持不下,痿胵万几之积弊,一扫而空。革新之事,日日流行。且政府之权,既有所制,无拘胁人民之力,无壅塞心理之能,民情宣泄,无患淳潴。故革命之惨,自可绝迹于天地之间。此则卢氏之功也。

　　顾有辨者、论者曰,由卢梭之言,则政府及政府权力之恒久性,已被破坏无余。陆克限制政府之权力,卢梭则毕举其权力而消灭之。(美儒 Willaughby 氏即持此说,见其所著《国家论》中。)曰,恶!是何言耶?自不佞观之。卢梭竭其全力,毕举革命之症结,破坏之、消灭之耳!其于政府之恒久性,不翅铸金城以捍之。由卢氏之说,虽谓终古无革命之事可也。夫人情喜宣而恶郁,尚通而惧塞。善治国者,知人民之意见、感情、希望、痛苦,必令如量以泄也,则致之于适宜之所,俾得调剂融和之知。一阶、一级、一党、一派之心思、念虑、好恶、利害,必令时得调和也,则致之于相安之域,俾得尽量流露之。此非防止革命之策,然革命之事,自拔本塞源,从其先天廓清之矣。盖一代大患之起,必先朝野壅塞,彼此情虑互捍格而不通。而强有力者,每以一己意志垄断他人之意志。是非之判,举以好恶、异同为标准,执一部分心理迫压各阶、各级、各党、各派之心理,此阶、此级、此党、此派之心理纾,则彼阶、彼级、彼党、彼派之心理郁。心理者,流通活泼,寻途前之,一遭顿挫,则萦回曲折,别寻他径以达之。人性不灭,此种心理,必灵通于大地之内,回环于人我之间。在求其感应,借感应之机,互相印证,证得公同所在,则发之为舆论,主之为公理,正义人道即此公同之所归。人类苟无此同情,则等于下劣动物,自生自死而已,绝不能成此世界。人情感发之和激,要以壅塞之久,暂为权衡,断无一遇挫折,终古屈而不伸之理。速发者其祸小,迟发者其祸烈,此革命往例。所以必在屈抑至极,无路可伸之时也。卢梭所谓"人民总意",盖即指此公同而言。主权质素,为此公同所构成。设此总意,见夺于一人,虽法令如毛,初不与人民之公同相涉。主权质素,设非此人民总意,此人民公同所结合,则主权精神,已离其躯壳而去。无精神之躯壳,焉有不日即腐坏之理?卢梭谓权力可托于政府,而意志绝不能委托者,以政府而劫夺人民之意志,蔽之、塞之、毁之、灭之,而不听其自用,强以一己意志代之,是犹移他人之精神强附诸吾人之躯壳。谓使之出死入生,是直行尸而走肉耳!犹得为人哉?故卢梭又曰:"人民一正当集会,以设主权团体,则政府统辖之权,即应时消灭。"何也?以离去人民总意,则政府凌空无据,迎风即仆。虽欲自持,以延残喘,不可得也。

　　然则欲防止革命之险,惟有听人民之总意流行,蔽之、塞之、毁之、灭之,是制造革命之媒也。世谓从卢梭之言,则革命终无可止之时;吾谓从卢梭之言,则革命将永无再见之日。古昔所扑灭之恶劣政府,果有一不显背卢梭之言者乎?今日永存之善良政府,果有一不符合卢梭之旨者乎?请以法兰西喻,法之民性,今固不异于昔也,何以当一千七百八十九年以后,不惮一再革命,至于数次而不已,迨自千八百七十五年至今,乃相安于一政府之下,而断尽革命之梦邪?谓昔日所扑灭之政府,为合于卢梭之言乎?抑今日现存之政府，为合于卢梭之言乎？若今日现存之政府，符合卢梭主权在民之旨；则昔日所扑灭之政府，必为背弃卢梭之旨也明矣。谓从卢梭之言，则政府恒性破坏无余；则不从卢梭之说者，其政府必巍然终古也又明矣。信斯言也，则法兰西昔日之政府，当终古无恙；而今日之政府，当倏建倏亡。乃何以适得其反？昔日政府，竟一仆再仆，朝建设而夕已崩颓；今日政府，反日固一日，绝无动摇之虑耶？且不独法兰西然也，如韦罗贝（Willoughby）氏之言，则民约之说，早大行于德意志，英、美政治，亦莫不靡然向风。美国宣布独立，联邦宪法且明采民约之说，规定于条文之内。何以英美德诸国乃不闻有一次革命之举，而革命相续、鸡犬不宁之事反叠见？于排斥卢说，诋为异端，视若蛇蝎之邦，然则卢梭之功罪要亦不烦言而解矣！设淫词以助之攻，宁非自制革命、自取灭亡耶？

　　人事，演进者也；民情，流通者也。欲其循常轨而之，必因势利导，不激其流；区别条理，不壅其机。否则郁之久者宣必激，抑之甚者扬必高。凡力以其一冲击其一，必有反动之力以应之。冲力弥甚，抗力弥强，此无间于人情物理，莫不皆然者也。欲销除革命，惟有不挑激革命已耳！扼人民之心理，禁其流通；夺人民之意志，强之同我。人至于有良心而不能发表，有意志而不能径行，其神明所感受之痛苦必较之奴隶牛马万万有加。侪人民于奴隶牛马，是剥夺人民之人格也。夫人民对于国家，可牺牲其生命，捐弃其财产，而不得自毁其自由，斫丧其权利。国家对于人民，得要求其身体，不得要求其意志；得要求其人生，不得要求其人格。卢梭谓意志不可委托于政府，即保重人格之第一要义。盖意志乃自主权之动因，所以别于奴隶牛马者，即在发表此意志得以称心耳！一为政府所夺，他事不可知，先令失其自主权矣。自主权失，尚何人格之足言？

人格丧失，宁非耻辱之尤者乎？愚民之政，固令人痛恶不堪；辱民之策，尤令人愤恨莫忍！天下难忘之事，孰有过于耻辱？最易逼起反抗之事，又孰有过于耻辱？吾读卢梭之言，吾心怦怦，吾神凛凛，吾欲使吾辈青年，知永弭革命之道也。乃于是乎书之。

(第一卷第三号，一九一五年十一月十五日)

国家非人生之归宿论

高一涵

今吾国之主张国家主义者,多宗数千年前之古义,而以损己利国为主,以为苟利于国,虽尽损其权利以至于零而不惜。推厥旨归,盖以国家为人生之蕲向,人生为国家之凭借。易词言之,即人为国家而生,人生之归宿,即在国家是也。人生离外国家,绝无毫黍之价值。国家行为,茫然无限制之标准,小已对于国家,绝无并立之资格,而国家万能主义,实为此种思想所酿成。吾是篇之作,欲明正国家蕲向之所在,以证明此说之自相矛盾。世有君子,幸正教焉。

关于国家蕲向一事,至十九稘初叶以前,纷纷聚讼,几为政治学议论汇萃之区。迨近世,且有谓为无置论之必要者,又因国家官品之说兴,多谓国家如自然物,其生长发育,皆因其有自然主体。主体而外,绝无蕲向之可言。殊不知国家为人类所创造之一物,其实有体质,即为人类所部勒之一制度,用为凭借,以求人生之归宿者也。故一国之建也,必有能建之人,与夫所建之旨。能所交待,而国家乃生、乃存、乃发达、乃垂久,固非漫无主旨,而自然生成也者。国家为事而非物,一事之起,必有其所以起之因。事客而所以起之因乃为主,至于物则不然。一物之生长,其有所以生长之因乎? 其生其长,乃因其自然,无所谓当然。于自体而外,一无所为,非如事之有为而为也。故攻物理学家,常以事实变理想,不以理想变事实。因物推理,无所容心。若治人事学者,则凡为经营缔造之事,必有所以经营缔造之旨,存乎其先。即事而言,则所经营缔造之事,即为所以经营缔造之旨之凭借,用为达其所以经营缔造之旨之方法。即人而言,则所以经营缔造之旨,即为所经营缔造之事之蕲向,主之以作所经营缔造之事之归宿。质言之,即事为人之凭借,人为事之蕲向是已。国家之学,人事学也。当其建国之始,必有所以建国之因。所建者国家,而所以建者则为人生自身之问题。故国家蕲向,即与人生之蕲向同归。此学者所以多反捂国家官品说,而主张国家必有蕲向之微旨也。

顾国家既有蕲向矣,又不可不明国家蕲向论,在政治学上,其为重要若何也? 格芮曰:"欲定国家措施之正当范围,必先定国家之蕲向①。"盖政治之事,有鹄焉,有术焉。鹄者根本大则;术则本此大则,达诸实行者也。以言其经,则国家蕲向为政鹄,政府之职务为政术;以言其用,则政府之职务为政鹄,政府之政策为政术。故国家蕲向为大经大法之所主,主定则发号施令,皆得准此而行。非先明正国家蕲向之所在,则政府之适当职务,必游移荡漾而无着。或起而强定之,岐其途径,则所行之政,必将与所蕲之旨僻驰。此国家蕲向论之所以为重要也。

自政治学说发达以来,关于国家蕲向一事,歧议横生,莫衷一是。日人小野冢曰:"国家蕲向论,自古为政治学中之重大宿题。其歧议之横生,亦随历史而愈进②。"见日本法学博士小野冢喜平次《政治学大纲》国家之目的节。柏哲士曰:"关于此旨,议论丰富,然皆参差背戾,极不相调,且又多非充满之论③。"其故何欤？非以人事之学,因时变化,不主故常,非若物理之学一成不变者哉？日人浮田和民曰:"国家之实际蕲向,因时势、境遇及其实力之如何而异其旨。随人民之自觉,应时世之要求,以变其趣者也④。"盖国家为人类所部勒,利用之为求人生归宿之资。其职务之均配,必视所建设者当时之缺憾所在,合为群力,以弥缝而补救之也。故国家之措施,设不应时世之急需,与夫人民之缺点,以变通尽利之,则反人民之蕲向。反人民蕲向之国家蕲向,斯为不适于人群之制度。制度而不适于人群,斯直无可存之资格,终亦必亡而已矣。且反背人民之蕲向以建国家,则国家人民之旨趣,莫由调和,莫由一致,将损人民之权利以益国家乎！离外有权利之人民,以创一有权利之国家,则国家权利,将附着何所？夫一物之含有某性也,任碎其分子,至于微尘,所含之性,必不异于全体之物性,何也？以全体之性,即此微尘分子所合而成者也。总集人民之权利,虽不能即成国家之权利,然建筑国家之权利,必端赖握有权利、富有自治能力之人民。以人民必先能确保一己权利者,乃能高建国家权利也。今欲以剥尽权利之国民(分子),结成一权利张皇之国家(全体),是犹聚群盲以成离娄,集群聋以为师旷也。故背戾人民蕲向之国家蕲向,微特不可,抑又不能。人民蕲向,应时势、境遇而异其趣,绝无终古不变之事,故学者又分为国家相对蕲向及绝对蕲向焉。

古今倡国家绝对蕲向者,约言之,可得两派:即道德幸福说与保护权利说是也。希腊之柏拉图、德国之海格尔,皆以道德说为国家之绝对蕲向,亚里士多德以幸福为国家之绝对蕲向。继此而惩前说之弊者,缩定国家蕲向之范围,以限制国家对于人民之干涉,但以确定小己权利及以法律维持秩序等事,为国家唯一之蕲向,如陆克、康德、韩鲍德⑤、斯宾塞尔等，其最著者也。陆克谓国家之蕲向，在保护人民之生命、财产及自由；康德谓国家以发扬光大人类之权利为主旨；韩鲍德谓人类最高之祈求，即在完全发扬其能力；斯宾塞尔之说，略与韩同。要皆借国家之力，为一种方法，以发扬鼓舞群伦之权利者也。

此外则有画分国家蕲向以应次施行者，略可当相对蕲向之目。其中著名者，为德人郝尊道⑥。彼谓国家蕲向有三，要皆相需相待，相剂相调，而依其施行之、序列之，曰国力、曰小己自由、曰人类文化⑦。伯伦智理承郝氏之绪余，而以公安说为最要，分国家蕲向为直接、间接二者。前者关系国家自体，总括增进国力、完全民生于其中；后者关系小己自身，兼含维持自由、治安于其内⑧。美人柏哲士分国家蕲向为始、次、终三者，谓终极蕲向，在人道之完全及世界之文化；次在充发民族之特性及演进其民质、民生；始在有政府与自由⑨。格芮以维持人人之平和、秩序、安宁、公道为原始祈向，次在图人类之公共治安，终在振兴人类之文化⑩。日人小野冢氏亦分原始、终局蕲向二者。前包国力、国法之施设运用，后包发达人民之身心，演进社会之文化⑪。此外作者，尚指不胜屈。要皆以国家之蕲向，为循序渐进，始奠国家生存之本基，继求小己社会之自由之权利，终则鼓舞振兴世界人类之文明者也。

吾人欲统观诸说，籀其公同，折衷一是，必先解剖各说之奥，会其通。而穷探其利弊，由纷纭歧异之中，寻其合辙同归之旨，而绝不敢擅断焉。顾于未评诸说之先，首当申明吾旨曰：国家者，非人生之归宿，乃求得归宿之途径也。人民国家，有互相对立之资格。国家对于人民有权利，人民对于国家亦有权利；人民对于国家有义务，国家对于人民亦有义务。国家得要求于人民者，可牺牲人民之生命，不可牺牲人民之人格；人民之尽忠于国家者，得牺牲其一身之生命，亦不得牺牲一身之人格。人格为权利之主，无人格则权利无所寄。无权利则为禽兽、为皂隶，而不得为公民。故欲定国家之蕲向，必先问国家何为而生存，又须知国家之资格与人民之资格相对立，损其一以利其一，皆为无当。吾将持此观念，评前引诸家之说焉。

道德幸福之说，固皆各有所主，特欲见诸实行，则不免侵害小己之自由。何也？前者以实行道德之理想为界说，后者以求最大多数之最大幸福为格言。若者为道德，若者为幸福，皆无至当之畛域。以道德幸福之责，托诸国家，则国家权力，泛然无所限制。古今万国，凡国权过大，而无一定之界限者，未有不侵及民权。此说如行，则凡人民对于国家之行动，举莫逃出道德、幸福之范围者，即举莫逃出国家之干涉，势必损人民之自由，以为国家之刍狗。国权、人格互相对立之第一要义，即在各有限制，各正其适当运施之封域，相调相剂，而不相侵。道德幸福之说，不得不谓为背此要义也[12]。其最能辟脱此说之弊，而着眼于明定国权行动范围者，厥惟保护权利说。夫权利亦非人生之归宿，仅人生欲达归宿必由之一途。至国家实行上之终极蕲向，则不得不止于此。盖国家蕲向，有实行、理想之别[13]。国家可赞助人民，使求终极之蕲向，而不能自代人民以求之。凡人为之发现于外者，国家可加以制裁，至蕴于心意中之思想、感情、信仰，虽国家亦无如之何。以国家之权力，仅及于形式，而不能及于精神。国家可颁布一切制度，以奖励人民之行为，不能代人民自行、自为之。国家可以权力鼓舞文化、学术之动机，不能自行进展文化、学术之事。盖精神上之事，国家仅能鼓其发动之因，不能自收其动作之果。且不独精神界然也，即关于实物界,如人口之事然,国家但能筹发展民族之途,布卫生除害之令,使生养居处之适宜,不能自行繁衍人口,自使人民康强逢吉也。如生计之事然,国家但能颁布善良政策,助起产业之昌盛,鼓励勤劳者之心神,至生产企业投资、服役之事,亦非国家所能自行也[14]。故国家职务,在立于亿兆之间,以裁判其相侵、相害之事实,调和其相需、相待之机宜;奖励其自由,所以发其自治之动因;保护其人格,所以期其独立之结果。人民求其归宿,必取径于权利之一途。国家惟立于人民之后,持其权力,鼓舞而振起之,以杜其害,以启其机,足矣!管子曰:"毋代马走,使尽其力。毋代鸟飞,使弊其羽翼[15]。"此则保护权利说之真正价值也。

至于相对蕲向诸说,虽所见略有不同,综籀其微,盖出一辙,如郝氏之国力及小己自由,伯氏之维持公安,柏氏之政府自由,格氏之原始、第二两项,小野冢氏之原始蕲向。或以维持国家自身之生存,或以资助小己一身之活动,皆如人生之于衣服、饮食然,乃为遂其归宿之凭借,而非即其归宿所在也。于是诸说所余者,皆仅其最终蕲向之一点,而要莫不归宿于人道之完全及世界之文化。前者为实行之蕲向,此则为理想之蕲向,皆足为保护权利说之臂助,而与其旨有互相发明者。盖保护权利,即自尽其实行蕲向之责,以助人民自求此理想蕲向耳。然则国家蕲向,殆即以保护人民权利为归欤。

或曰:保护权利之说,缩小国家行动之范围,而限制过严,推其极也,必令国家供人民之牺牲。要知国家者,乃一国人之总业,如农贾然,非实有也。实谓之人,业谓之农贾,如家市、乡曲亦然,有土、有器、有法。土者人所依,器与法者人所制,故主之者曰人[16]。天下有业而能不为主所用者乎?有创造于人之物,不为创造者所凭借，而创造者反为所创造者之凭借乎？鲍因哈克曰："漠视小己之权利，没收于国家之中者，古代之国家思想，已绝迹于今日者也。盖人在天地间，有最高之蕲求，国家为人而存者，故国家以人生之蕲求为蕲求[17]。"浮氏田曰："置人民于度外，而视玄相之国家及宪法为神圣者，政治之迷信也……以理想之国家可崇拜，而现实之国家不可崇拜者也。漫然崇拜之，凡事皆仰政府及现在多数者之鼻息，终为一种卑劣之像偶教而已[18]。"然则国家为人而设，非人为国家而生。离外国家，尚得为人类；离外人类，则无所谓国家。人民，主也；国家，业也。所业之事，焉有不为所主者凭借利用之理？浮田氏又曰："小己之发达，为国家蕲求之一部。若小己而不发达，则国家断无能自发达之道[19]。"是故无人民不成国家，无权利不成人民，无自由不成权利。自由、权利、国家，均非人生之归宿，均不过凭之借之，以达吾归宿之所耳。人民借自由、权利以巩固国家，复借国家以保护其自由、权利。自国家言，则自由、权利为凭借；就自由、权利言，则国家为凭借；就人民言，则国家、自由、权利举为凭借。人民借自由、权利以求归宿，不谓自由、权利供人民之牺牲，至凭国家以求归宿，独恐其供人之牺牲，其有当于名学之律否耶？此牺牲国家之驳议，所以不足累保护权利说之真价也。

于是可知吾人爱国之行为，在扩张一己之权利，以撯拄国家。牺牲一己之权利，则反损害国家存立之要素，两败俱伤者也。小己人格与国家资格，在法律上互相平等。逾限妄侵，显违法纪。故国家职务，与小己自由之畛域，必区处条理，各适其宜。互相侵没，皆干惩罚。美其名曰"爱国"，乃自剥其人格，自侪于禽兽、皂隶之列，不独自污，兼以污国。文明国家，焉用此禽兽、皂隶？为古代人民，若希腊、罗马、日本，大抵皆以国家为人生之归宿。若离国家，则无价值。故不惮尽其所有,以供牺牲。而古代国家,亦绝不与小己以方寸自由之界域。摩西古法,并小己饮食、衣服、起居之宜,悉受裁制。此为数千年前之古制,久为近世学者所排斥,安有二十稘之国家,反溯其源流,奉为圭臬之理? 格芮曰:"近世之政治思想,仅以国家为创设之一制度,为发动之因力,为致用之媒介,借之以求社会公共之蕲向,而非以己身为蕲向者也[20]。"吾诵斯言,以终吾篇焉。

(第一卷第四号,一九一五年十二月一五日)

①Garner's "Introduction to Political Science." Ch. X, P. 311. ②Burgess, "Political Scienceand Constitutional Law." Vol. I, P. 83. ④见日本法学博士浮田和民《政治原论》国家之目的章。⑤Humboldt ⑥Holtzendorff. ⑦der nationale Machtzweck, der Freiheits – oder Rechtszweck, der Gesellschaftliche Culturzweck. ⑧J. K. Bluntschli, "Allgemeine Staatslehre," Bk. V, Ch. 4. ⑨同前③ Vol. I, P. 85. ⑩同前① Ch. X, P. 316. ⑪同前②。⑫参观浮田和民《政治原论》国家之目的章第二节。⑬见 Holtzendorff, "PrincipienderPolitik"。⑭参观英译伯伦智理之 "TheTheoryoftheState" 中 LimitationsofStateaction 节。⑮见《管子·心术上》。⑯章太炎先生《国故论衡·辨性下》。⑰Bornhak, "AllgemeineStaatslehre"。⑱同前④。⑲同前④。⑳同前① Ch. X, P. 312. 原文曰:"It considers the state to be simply an institution, an agency or instrutality by means of which the collectiveends of society may be realized, instead of itself being the end."

读梁任公革命相续之原理论

高一涵

朔风告急，警变时传。眷怀故都，余心戚戚。寄学异邦，频遭激刺。国有佳音，闻之而情舒色喜者，每视在国时为尤切。予自留东以来，每日课余，必检读此邦新闻三数种，凡记载之关吾国事者，必尽览而不遗。顾所谓佳音，恒万不一遇，而所为心惊胆裂者，则在传吾国革命之一事。彼辈用心，专为造言惑我，本无足论之价值。顾吾人何以睹之而惊惶？国内何以闻之而戒惧？岂其国经一度革命而后，遂日日居于临深履薄、战战兢兢之天，而永无再免革命之理欤？偶于故纸堆中，得梁任公《革命相续之原理及其恶果》读之（《庸言报》第一卷第十四号），见其大书特书。开宗明义之言曰："历观中外史乘，其国自始未尝革命，斯亦已耳。既经一度革命，则二度、三度之相寻相续，殆为理势之无可逃避。"又曰："革命复产革命，殆成为历史上普遍之原则。"其终复有最可惊骇之词曰："革命只能产出革命，革命决不能产出改良政治。"读罢置书，神魂若丧。辗转绅绎，窃有未安。遂不得不特操斧斤，汗颜血指，造班门而一弄之。

顾余于未著议之先，首当申明者二事。任公之所以危言耸听者，其心在求免革命相续之惨祸，此吾辈所同情者也。人非狂惑，未有欲其国之革命频生者。又任公之论，在"泛论常理，从历史上归纳，而得其共通之原则"，此亦吾辈所同情者也。何则以涉及时政，非本志范围之所许。故本篇即本此二点以立言，所欲论列者，在明革命之正当观念，欲于此中求革命之真解则可，至其事之为美为恶，决不为之置一辞。盖论事而杂以欣喜厌恶之情于其中，则往往失其事之真相，非余所敢取也。此旨既申，余论乃作。欲求革命之正当观念，宜先严革命之界说。革命本吾国历代君主易姓之称，以之译英文 Revolution，本非确诂。英文 Revolution，含有转环之意。用之于天文，则凡日月各球，由曲线轨道（in a curved line or orbit），运行一周，复归元极者，以是名之。用之于几何，凡点、线、平面之由中心点、线而之他，运点作成曲线，运线作成平面，运平面作成主体者，亦以是名之。此皆别有所译，惟用之于政治，以之训谋变法而成功，及政府宪法之倏尔变迁、激烈变迁、完全变迁者，乃以革命译之，故欧洲政治书中所用革命一语，殆无不训为政治根本上之变迁。由此义以推，凡"逐利""啸聚""裹胁""架罪""构陷""叱咤""煽动"云云（凡括弧内单词片语，皆引用任公原文。本篇以后均仿此），苟不牵动政治根本问题，求之吾国文字，曰叛曰乱，求之英文，曰 Rebellion，Revolt 云云，不曰 Revolution. 反之，苟牵动政治根本问题，即不"逐利""啸聚"……云云，亦得字之曰革命。如鼐尔孙（Nelson）《百科辞典》，举革命之例，而以法国千八百四十八年之第二共和与千八百五十一年之路易拿破仑自帝，同类并列。柏哲士谓英国《宪法》所以底于今形者，乃由三度革命而成。所谓三度革命，即以千二百十五年、千四百八十五年、千八百三十二年之役当之。（Burgese' "Political Science and Constitutional Law." Vol. I, Bk.

111,p.91—7.）然则所变之政，无论由君主而贵族而共和，抑由共和而贵族而君主，所由之法，无论为平和，为激烈，凡为变至骤，为事迁及政治根本者，举为革命字义之所包。是变迁政治根本，乃革命字义中所含最重之要素，亦犹非具最高性，则不成主权之名辞，非有主权，则不能冒国家之称号也。今为区别之便，准伯伦智理国体演进始而君主，继而贵族，继而共和之例以推，字由君主而贵族而共和者，曰顺进革命；字由共和而贵族而君主者，曰逆动革命。此则革命之界说也。

革命之界说既明，于是应推求肇起革命之真因。夫改革政治，非以革命为归宿，革命特改革政治之一方法耳。故必有改良政治之计划确立于先，不得已一由此法，期以达诸实行。其方法在扫除现政治，其蕲求则在建设新政治。设仅取此方法，而不具此蕲求，则应锡以他名，不得以革命之名假之。此正名之法，即所以正用也。至其为用，按历史通例，凡政治由改良而渐进者，局于久成之事实，每为改革之障碍，令不能尽符乎理想；由革命而骤变者，其民众理想之制度，常足以涤濯积习，不致再局于现象。故福禄特、卢梭之学说，非经法国大革命之锻炼，必不能骤见诸施行；贵族僧侣之特权，非经法国大革命之扫削，必不能一举而铲除殆尽。严复曰："旧有干局，既坚且完，其改制沮力，亦以愈大，而革故鼎新皆难，其物乃入于老死，此不易之公例也。"盖习之既久，则国拘政惑，情瞀智絿，为改革之梗。设非变之至骤，则委靡不振之人心，终患无由振作，此满清末世所以不可施药也。且宇内万力，莫不具有爱拒二面，相推相挽以系之，乃克趋循常轨，如月球之绕地是已。夫政见之冲突生于拒，政见之调和成于爱。欲政局之不离常轨，必使爱拒二力，相抵相冲，保其中度，剂其停匀。乃克互相摩荡，得其用而不腐其机；互相权衡，执其中而不走其极。苟其中有一力腐其用，而任他力奔至极端，则此力之辟散，为势至优，彼力之禽聚，为效无睹。政局为独力所鼓荡，斯其国中利害感情，必无一处不形其抵触，颠播殒越之虞，即时有所见。若再此方成骑虎之势，彼方有维谷之形，则革命之事，必真为"理势之无可逃避"。此则革命所以肇端之真因也。

既得革命之界说，与其所以肇端之真因，乃于是转入正论。引任公之说以衡之，任公之言，最乖名实者，即在"革命决不能产出改良政治"一语。夫曰"改之"云者，苟余诠之不谬，则必由甲种国体政体，变为乙种国体政体者，始足以当之。即不然，必于同种国体之下，而变易其政体；抑于同种政体之下，而易其出政之方者，乃足以当之。若此者岂非所谓政治根本之变迁乎？曰"良之"云者，如余解之不岐，则必能谋最大多数之最大幸福者，始足以副之。即不然，亦必适于国情历史者，乃足以副之。此改良政治之界说也。至于革命一语，即如萧尔孙《百科辞典》所列之路易拿破仑自帝之例，亦何尝不移易政治根本。此在余论，谓之逆动革命。然犹曰："凡逆动革命，谓为改政治则可，谓为改良政治则未也。"引此证革命之必为改良政治，以折任公，任公必不服。味任公全文，似不认逆动革命为革命。以逆动革命，为疾视顺进革命者行之，多非以"革命为第二天性"，非"失业之民"，非"退伍之兵"，非"初次革命有功之人"，非视"革命成为一种职业"者故也。任公所蛇蝎视者，即此顺进革命。今将以顺进革命之例证之。查欧洲政治史，凡称顺进革命，绝无一不由君主贵族国体，而改为共和；或由专制政体，而改为立宪；抑由阶级政治，而改为惟民主义之政治。其由于激烈，若法若美之由君主或殖民地变为共和者，固彰彰明矣。其由于平和，若英国之革命，亦无一次不迁及政治根本者。如柏哲士言，则其千二百十五年之革命，乃由君主宪法，变为贵族宪法；其千四百八十五年之革命，乃国家政权，由贵族而迄及平民；至其千八百三十二年之役，论者多以革新"Reformation"名之，柏氏考其情形，推其结果，而必字之以革命。盖英国众议院（The house of Commons）之得二重位置，一面为国家主权机关，一面为立法院者，即此千八百三十二年一役之结果故也。（同前，194页至95页）然则和平、激烈，非革命字义中必需之条件，其至重条件，惟在变迁政治根本问题耳。若美若法若英之革命，其为关于政治问题，固卓然共见。其由君主而共和，由殖民地而共和，由君主宪法而贵族宪法，政权由贵族而平民，众议院由立法院而为国家之主权机关，其确足以当得一改字，又卓然共见矣。至谓之良，其路易专制，妄用其权为良乎？抑人权宣言以后，平等自由，特权阶级均废法律一视同仁为良乎？此法制也。至如美，其忍受英国专制之殖民政策，禁工抑商，横征暴敛为良乎？抑自建政府，国号共和，最高主权出自平民为良乎？至如英，其国权听君主独裁为良乎？抑由平民公议为良乎？吾知即三尺之童，亦必皆以后者为良矣。改云、良云、政治云，一举法、美、英三国革命之例，则无一字不完全做到，而偏曰"革命决不能产出改良政治"，其意何居？要知革命字义之成立，即在"变迁政治根本"数字。不改良政治，而偏名之曰革命，是谓不词。此任公取名弃实之过也。设革命而但能"逐利""啸聚"……云云，然则白狼之蹂躏数省，马贼红胡之出没掠财，最近某省之三合会，高张旗帜，自称为帝，亦将锡以革命之嘉名乎？恐即搜破万卷书，亦寻不出革命字解中，果含有此种义蕴也。任公篇末有最得意之笔曰："请遍翻古今中外历史，曾有一国焉，缘革命而产出改良政治之结果者乎？试有以语我来。"余敢曰：请遍翻古今中外历史，除逆动革命外，曾有一不产出改良政治之结果，而可谓之革命者乎？试有以语我来。

任公复曰"革命复产革命，殆成为历史上普遍之原则"，曰"革命只能产出革命"。夫革命纯为改良政治而起，凡一国革命告终，而议及建设问题，则已入于政治范围，不得仍谓为革命时代。何则以革命与破坏同其命运？建设一始，则破坏告终。破坏告终，则革命之能事已尽。此其界判若鸿沟，何能混视？故建设之时，纯为政治问题。政治之建设不得其当，由是而肇起革命则有之，谓革命本身有以召之，史例绝不吾许。揆诸事实，苟一次革命而后，制度典章，巩然确立，运得其中。不久激成逆动革命，则所谓二次、三次革命，即无端可得而肇。至云"二次革命之主动者，恒为初次革命有功之人"，此显然指顺进革命而言，其间必经一次逆动革命，乃任公之所未见。何则以顺进革命之再见，必初次革命之制度典章，人物策略，皆自其根本扑灭之者，乃得借端而起？苟"初次革命有功之人"，无逆动革命排之，使离去政局，初次革命后之制度，无逆动革命芟夷蕴丛，绝其本根，则"二次革命之主动"，其将对于一己之身再行之乎？抑对于手创之制度，而复手自破坏之乎？任公所引之例曰法兰西，曰墨西哥云云，夫法兰西自大革命后，苟非王党之阴谋，拿破仑之自帝，则何至有二次、三次之事？墨西哥非爹亚士之横暴，阴柔伪善，排斥异己，俾国内利害，莫得调和，又何至有迭见兵端之事？故法、墨之革命屡起，为政治势力趋入一端之所召，于革命本身，若风马牛之不相及。今不罪王党拿破仑、爹亚士等之逆动政治，乃专蔽罪于革命本身，虽文成天口，舌若悬河，辩则辩矣，理则未也。何也？历史中凡第二次顺进革命，纯为逆动改革所酿成。逆动改革，又纯为初次顺进革命后，政治建设之失当，致爱拒二力，莫由平衡，乃相激相感，而召成是果，与初次顺进革命之本身，完全无涉。史例具在，安得挟好恶之情以淆之？此征之于例，革命不能产生革命之证也。

余于是再求夫理，革命之兴，既由于政治矣。一云政治问题，则吾人应特别注意于爱拒二力之调和，各方利害之适当。俾各党各派之感情意见，好恶利病，饶有自由余地，得施其斡旋融汇之功，不使政局偏于一力一方，久为独占。论者谓法兰西"后乎千八百七十五年，未尝一革命，乃明于政力向背之道。掌力者务使两力相待，各守其藩。由是一党既兴，决不过用其力以倒他党，他党以能尽其相当之分，遂乃共趋一的，而永纳其国于平和有序之中"，即此理也。至美国自一次革命以后，绝不再见革命者，由蒲徕士之言以推，则"英国《宪法》，有两优点，较然分明。一则制宪之时，社会中所存向背二力，悉量衡之，铢两靡遗，且坦然认定离心力之存在，而任其自然发展。当其收合所有向心力，施以准绳，制为规则，亦惟以不久惹起分崩之逆动为限。匠心所至，并使联邦与非联邦两党，皆踌躇满志以归，以是向心力转增高度"。美国所以再免革命之道，端系乎此。此皆完全为政治问题，何尝混入初次革命之关系？然则革命真因，专在政治。政治之根本不良，即为产生革命之母。美人察其真因之所在，而先事预防，故革命相续之惨，绝不见于彼土。任公求之美例，而不能通，乃字之曰"例外"。不知即此一例外，已足证明革命复产革命之非。又曰"美国乃独立而非革命"，美自脱离英絷，由殖民属土，一变为共和国家，政治根本，全然迁易。此而不谓之革命，将更锡以何名？就美国对英关系而言，诚为"独立"；就其内政之建设言，则纯为革命。况"American Revolution"一语，稍检西籍，即睹是名者乎。至任公曰"英国统治权不能完全行于美境",统治权不可分者也,何有完全不完全之别?又曰"美之独立,实取其固有之自治权扩张之巩固之耳",自治权任扩张巩固,至于何度,终不能名曰最高权,以自治权为统治权所赋予故也。英之统治权既行脱去,而犹曰自治权,是谓无根;且自治权为地方团体所行使之权力,而非国家所行使者,有自治权而无最高权,是曰不国;非统治权所赋与,而犹曰自治权,是谓不词。此又本论以外之枝叶语,因其抹煞美国革命名称,以自圆其说也,姑并及焉。

虽然,任公,学者也。余于辩论既尽,敢献一言于吾辈学者之前曰:治心犹治水也,在利导不在抑塞;在宣之使流,不在激之使溃。凡事既能波谲云涌,鼓动人心,趋赴之者万亿人,厉行之者数十纪,传播之者数十国,则其事必有所以吸收人心之一道。固不得目为无意识者也,既为有意识之事,补救之法,惟有顺其意识而利道之,致之于相当之域,乃克奏绩。革命之事,其一端也。任公曰革命"成一种美德",视为"神圣",夫事之美恶,在实不在名。其实果恶,虽誉之以神圣,不能强人人之心理而悦服也;其实果美,虽疾之若蛇蝎,亦不能蔽人人之知觉而盲从也。故免除革命,不必问其能革之主体奚若,要当问其所革之客体为何。神圣视、蛇蝎视,均无益也。苏子曰:"智勇辩力,此四者皆天民之秀杰者也。……区处条理,(使)各安其处,则有之矣。锄而尽去之,则无是道也。"夫欧人自十五世纪以来,要求立宪,民情汹汹,卒以君主诸国让出政权,始得相安者比比,不闻诛戮宪党,令其绝迹也。同盟罢工,资本、劳力两家,皆蒙不利,两败俱伤者也。欧洲生计学者,欲免除此弊,乃使双方调剂,一方令资本家增加薪金,一方令劳力者减少晷刻,不闻施愚工之策,布虐工之令,而迫胁禁锢之也。女子参政权之运动,喧传各国。英国政治学者,欲弥缝其缺,方广设女学,增其智识，养成其参政能力，不闻其毁废女校，吝施教育，加以愚辱之策也。欧人今日，政局常固，革命不生者，安有一国不行此原则？其有不谙此理，倒行逆施者，又安有一国能逃革命相续之惨？革命肇起，既由政治问题，非由天运，安得谓无预防之策？恃感情以诅咒之，不独劳而无功，或转激而加速。学者论事，或出乎此，甚非所以巩固国基之道也。

（第一卷第四号，一九一五年十二月十五日）

自治与自由

高一涵

以我克我曰自治,不以他克我曰自由。鲍生葵曰:"自治者,勉小己(Individual)以赴大己(Greater Self)、克私利群之谓也。自由者,事由己决,不为物制之谓也。"(见 Bosanquet's the philosophical theory of the state 第六章　自由之概念篇)前者必用限制之力,后者则与限制之力绝不相容。睹其名义,二者固若水炭之相克。推其致用,则实有相反相成之功。小己者何？离群独具之身,偏颇奇特之用,孤立而外于群者也。大己者何？由历史以观,即立国以来世世相承之民族性;由人道以观,则人类众生心心相印之公同。礼法谣俗,政教学艺,举由民性公同所孕形。我我相承,性性相续,显见表征,影留史迹者,乃至于今。固非本有客观之自体,予吾人可以观察抚触者也。故历史为吾人心性相连之表见,国情即吾人心性相印之特征。留见既往者,心性之影焕耀将来者。心性之光,非影非光,而真实可凭,变化由己者,则惟现在。古往今来宇宙间之一切现象,何一非由现在之我所造成？息息以现在之我,脚踏实地,定小己之趋。俾唯大己是向,与天演相战,与他族之人事相战,与一己离群独秉之私欲相战,举夫固有民性,发挥尽致,我我相待,团结之力自坚,几反乎人治之自然。侵凌吾人之外族,举可一扫而空,得以自由生存于大地之内,是之谓自治,是之谓自由。

举凡大地民族,其最能享受自由之福者,自治之力必最强。反之,则终不得入自由福境之一步。二者比衡,丝毫不爽。人生之始,本无性善、性恶之分,常徘徊于可善、可恶之界,故一自含生而后,方寸之内,即为交兵对垒之场。一身之间,常具勤、惰二力,相推相挽,以分主、奴之门。鲍生葵曰:"持大己以运化联络小己,扩张之,激刺之,必用强力。大力之行,又必与精神之怠惰相终始。"然则自治之道,在自用勤力,以战胜吾惰性而已。今者举国上下,昏昏终日,疲癃恇怯,麻木僵残,嗒然魂丧,颓然心灰,腐坏停滞之机,触目皆是。岂国情所遗,民性所秉,得诸先天者而然哉?论者恒曰:中国民性薄弱。为问强、弱之因,果由天地所诞降,抑由人力所造成?设曰由于后者,则吾国之上下昏昏,但当归咎人力之不振,不当归咎民性之不完。论者恒曰:中国国运衰颓。为问运会之事,果有客观之具体物,抑为民族精神所构形?设曰由于后者,则吾国之上下昏昏,但当蔽罪于精神之斫丧,不当误指为运会之流行。盖生性所含,勤、惰相杂。吾人若排去惰性,而伸张其勤力,则身心间应时而清明、而壮健,振兴之象应之;若将迎其惰性,委弃其勤力,则身心间应时而颓散、而衰朽,弱亡之象应之。吾国今者所以有朝不保夕、得过且过之象,岂人人伸张其勤力,而犹不足挽回者所致哉?特皆苟且迁就,充分发挥其惰性,相染相积,演成此疲癃恇怯、麻木僵残、嗒然魂丧、颓然心灰之见象也。民用云乎哉?国运云乎哉?

心理学家谓人生惰性,根于先天,亦犹无明真如,同时并有。然则吾人不贵无惰,而贵克惰,不必问先天之赋畀,惟当问后天之人工。人类所以超越下生,即在能以自力,造成安身立命之所。勤之真诠,惟曰自强不息。乾坤之运行,人生之业举,莫非勤之一字所积成。偶有所间,惰即乘之。人生若无惰性,则勤之一字,转为不词,何也? 以无惰性以与勤争,则无所用其兢兢业业之念。以强行自治之功,精神心志,均无所施,则无惰之惰,乃大惰矣。且惰非特精神心志之敌也,不事勤劳,则血液之循环缓顿,脑浆之络脉板滞,细包松散,筋肉之结构不坚,饮食起居之能,举失常度,肉体之感觉,已麻木不仁。精神欲勤,已为肉体所制,不得自由。惰之主乐,复操之于惰。一张一弛,一消一息,俱惟肉体自然之动作是听,非外境之降虏,直自身之降虏耳,即欲自侪于下生,且不可得,自由云乎哉?

　　且勤则借助甚殷,惰则排斥必烈;勤则惟日不足,惰常日永如年,何则? 大群非独力所能支持,民族特性非一人所能表显。人欲胜物,必先合群,欲表扬民性,必心心相印,向同一之方面齐趋。勤者有此经验,故殷殷望助之情,愈激刺而愈形恳挚。国人至互相望助,相依为命,则感应之敏捷,亲爱之肫诚,其度必继长增高。团结之力,安得不固? 至于惰则反之。尔我之间,无资将伯,即有所资,两皆不足以相辅畀。由相轻之念,酿成相侮之端。由相侮之端,激起相排之果。国人至于相排,则中伤、倾陷、架(嫁)祸、构诬诸恶德,安得不相集而来? 恒见国人之旅居外国者,每于街衢电车中一遇,多掉首他顾,若将浼焉者。栖处异域且然,他自可知。亡国之征,孰显于此。且人生多不满百,以人计时,安有暇晷? 惟日不遑给之人,或得多所成就,何也? 以时日之长,只有此限,其暇者人自为暇,非晷刻本身之有暇也。乃返(反)瞻吾国,几半为优游暇预之人,虑日月之不暮也,则曰消遣时日,非岂燕居逸处,无所事事,精神逸散,百无聊奈(赖)之征欤! 消遣之名词一立,卒之国家万事,举销沉败坏于逍遥游宴、奔走周旋、醇酒妇人、呼卢喝雉之顷,遂养成今日游民遍国之见状。呜呼!孰知惰之恶德,稍一联想,竟至于斯极矣乎?

吾言及此,流入悲观,大违立言之本旨,乃极力镇定,以反吾初。吾所以以"自治与自由"命题者,欲以明自由之福,匪可幸致。设不尽自治之功,即无由享自治之报耳。弥尔者,诠自由之名家也。顾谓自由之道,在于人人相关之界,寻得空间以行之。鲍生葵谓其以他人为主,属于消极,终不合为所欲为之旨,乃于一己之中,分治者与被治者二面,治者大己,被治者小己。盖谓社会为吾人精神所放大,合群胜物,以人胜天,乃人生之天职,故国家盛衰之度,全视团结力之强弱以为衡。团结力之强弱,又举以自治力之强弱为标准。宇宙间天行之事,莫不反乎人治,而与之相反相仇。自由者即超脱乎天行之障碍,径谋夫吾心之所安,不为外物、外力所降逼。自治者,就一己言,以勤力战惰性;就一群言,以大己战小己;就人道言,则以人治战天行。自由乃自治之归宿,自治实自由之途径。二者常相得相用,而不可相离。舍自治以求自由,自奴而已矣,自缚而已矣。北辙而南其辕,宁有能达之时邪?

(第一卷第五号,一九一六年一月十五日)

吾人最后之觉悟

陈独秀

人之生也必有死,固非为死而生,亦未可漠然断之曰为生而生。人之动作,必有其的,其生也亦然。洞明此的,斯真吾人最后之觉悟也。世界一切哲学、宗教,皆缘欲达此觉悟而起。兹之所论,非其伦也。兹所谓最后之觉悟者,吾人生聚于世界之一隅,历数千年,至于今日,国力文明,果居何等?易词言之,即盱衡内外之大势,吾国吾民,果居何等地位,应取何等动作也?故于发论之先,申立言之旨,为读者珍重告焉。

吾华国于亚洲之东,为世界古国之一,开化日久。环吾境者皆小蛮夷,闭户自大之局成,而一切学术政教,悉自为风气,不知其他。魏、晋以还,象教流入,朝野士夫,略开异见。然印土自己不振,且其说为出世之宗,故未能使华民根本丕变,资生事之所需也。其足使吾人生活状态变迁,而日趋觉悟之途者,其欧化之输入乎?欧洲输入之文化,与吾华固有之文化,其根本性质极端相反。数百年来,吾国扰攘不安之象,其由此两种文化相触接、相冲突者,盖十居八九。凡经一次冲突,国民即受一次觉悟。惟吾人惰性过强,旋觉旋迷,甚至愈觉愈迷,昏瞶糊涂,至于今日。综计过境,略分七期。第一期在有明之中叶。西教、西器初入中国,知之者乃极少数之人，亦复惊为"河汉"，信之者惟徐光启一人而已。第二期在清之初世。火器、历法见纳于清帝，朝野旧儒，群起非之，是为中国新旧相争之始。第三期在清之中世。鸦片战争以还，西洋武力，震惊中土，情见势绌，互市局成。曾、李当国，相继提倡西洋制械练兵之术，于是洋务西学之名词发现于朝野。当时所争者，在朝则为铁路、非铁路问题，在野则为地圆地动、地非圆不动问题。今之童稚皆可解决者，而当时之顽固士大夫，奋笔鼓舌，哓哓不已，咸以息邪说、正人心之圣贤自命。其睡眠无知之状态，当世必觉其可恶，后世只觉其可怜耳。第四期在清之末季。甲午之役，军破国削，举国上中社会，大梦初觉。稍有知识者，多承认富强之策，虽圣人所不废。康、梁诸人，乘时进以变法之说，耸动国人，守旧党尼之，遂有戊戌之变。沉梦复酣，暗云满布，守旧之见，趋于极端，遂积成庚子之役。虽国几不国，而旧势力顿失凭依，新思想渐拓领土，遂由行政制度问题，一折而入政治根本问题。第五期在民国初元。甲午以还，新旧之所争论，康梁之所提倡，皆不越行政制度良否问题之范围，而于政治根本问题去之尚远。当世所诧为新奇者，其实至为肤浅。顽固党当国，并此肤浅者而亦抑之，遂激动一部分优秀国民，渐生政治根本问题之觉悟，进而为民主共和、君主立宪之讨论。辛亥之役，共和告成，昔日仇视新政之君臣，欲求高坐庙堂、从容变法而不可得矣。第六期则今兹之战役也。三年以来，吾人于共和国体之下，备受专制政治之痛苦。自经此次之实验，国中贤者，宝爱共和之心，因以勃发；厌弃专制之心，因以明确。吾人拜赐于执政，可谓没齿不忘者矣。然自今以往，共和国体果能巩固无虞乎？立宪政治，果能施行无阻乎？以予观之，此等政治根本解决问题，犹待吾人最后之觉悟。此谓之第七期，民国宪法实行时代。

今兹之役,可谓为新旧思潮之大激战。浅见者咸以吾人最后之觉悟期之,而不知尚难实现也。何以言之？今之所谓共和、所谓立宪者,乃少数政党之主张,多数国民不见有若何切身利害之感而有所取舍也。盖多数人之觉悟,少数人可为先导,而不可为代庖。共和立宪之大业,少数人可主张,而未可实现。人类进化,恒有轨辙可寻,故予于今兹之战役,固不容怀悲观而取卑劣之消极度态,复不敢怀乐观而谓可踌躇满志也。故吾曰：此等政治根本解决问题,不得不待诸第七期吾人最后之觉悟。此觉悟维何？请为我青年国民珍重陈之。

（一）政治的觉悟。吾国专制日久,惟官令是从。人民除纳税、诉讼外,与政府无交涉。国家何物,政治何事,所不知也。积成今日国家危殆之势,而一般商民,犹以为干预政治,非分内之事。国政变迁,悉委诸政府及党人之手。自身取中立度态,若观对岸之火,不知国家为人民公产,人类为政治动物。斯言也,欧美国民多知之,此其所以莫敢侮之也。是为吾人政治的觉悟之第一步。吾人既未能置身政治潮流以外,则开宗明义之第一章,即为决择政体良否问题。古今万国,政体不齐,治乱各别。其拨乱为治者,罔不舍旧谋新,由专制政治,趋于自由政治；由个人政治,趋于国民政治；由官僚政治,趋于自治政治。此所谓立宪制之潮流,此所谓世界系之轨道也。吾国既不克闭关自守,即万无越此轨道、逆此潮流之理。进化公例,适者生存。凡不能应四周情况之需求而自处于适宜之境者,当然不免于灭亡。日之与韩,殷鉴不远。吾国欲图世界的生存,必弃数千年相传之官僚的、专制的个人政治,而易以自由的、自治的国民政治也。是为吾人政治的觉悟之第二步。所谓立宪政体,所谓国民政治,果能实现与否,纯然以多数国民能否对于政治自觉其居于主人的、主动的地位为唯一根本之条件。自居于主人的、主动的地位，则应自进而建设政府，自立法度而自服从之，自定权利而自尊重之。倘立宪政治之主动地位属于政府而不属于人民，不独宪法乃一纸空文，无永久厉行之保障，且宪法上之自由权利，人民将视为不足重轻之物，而不以生命拥护之，则立宪政治之精神已完全丧失矣。是以立宪政治而不出于多数国民之自觉、多数国民之自动，惟日仰望善良政府、贤人政治，其卑屈陋劣，与奴隶之希冀主恩、小民之希冀圣君贤相施行仁政，无以异也。古之人希冀圣君贤相施行仁政，今之人希冀伟人大老建设共和宪政，其卑屈陋劣，亦无以异也。夫伟人大老，亦国民一分子，其欲建设共和宪政，岂吾之所否拒？第以共和宪政，非政府所能赐予，非一党一派人所能主持，更非一二伟人大老所能负之而趋。共和、立宪而不出于多数国民之自觉与自动，皆伪共和也、伪立宪也，政治之装饰品也，与欧美各国之共和、立宪绝非一物。以其于多数国民之思想人格无变更，与多数国民之利害休戚无切身之观感也。是为吾人政治的觉悟之第三步。

（二）伦理的觉悟。伦理思想，影响于政治，各国皆然，吾华尤甚。儒者三纲之说，为吾伦理政治之大原，共贯同条，莫可偏废。三纲之根本义，阶级制度是也。所谓名教，所谓礼教，皆以拥护此别尊卑、明贵贱之制度者也。近世西洋之道德政治，乃以自由、平等、独立之说为大原，与阶级制度极端相反。此东西文明之一大分水岭也。吾人果欲于政治上采用共和立宪制，复欲于伦理上保守纲常阶级制，以收新旧调和之效，自家冲撞，此绝对不可能之事。盖共和立宪制，以独立、平等、自由为原则，与纲常阶级制为绝对不可相容之物，存其一必废其一。倘于政治否认专制，于家族社会仍保守旧有之特权,则法律上权利平等、经济上独立生产之原则,破坏无余,焉有并行之余地?自西洋文明输入吾国,最初促吾人之觉悟者为学术,相形见绌,举国所知矣;其次为政治,年来政象所证明,已有不克守缺抱残之势。继今以往,国人所怀疑莫决者,当为伦理问题。此而不能觉悟,则前之所谓觉悟者,非彻底之觉悟,盖犹在惝恍迷离之境。吾敢断言:伦理的觉悟,为吾人最后觉悟之最后觉悟。

(第一卷第六号,一九一六年二月十五日)

我之爱国主义

陈独秀

伊古以来所谓为爱国者（Patriot），多指为国捐躯之烈士，其所行事，可泣可歌，此宁非吾人所服膺所崇拜。然我之爱国主义则异于是。

何以言之？世之所重于爱国者何哉？岂非以大好河山，祖宗丘墓之所在，子孙食息之所资，画地而守，一群之所托命，此而不爱，非属童昏。即欲效犹太人流离异国，威福任人已耳。故强敌侵入之时，则执戈御侮，独夫乱政之际，则血染义旗，卫国保民，此献身之烈士所以可贵也。今日之中国，外迫于强敌，内逼于独夫（兹之所谓独夫者，非但专制君主及总统，凡国中之逞权而不恤舆论之执政，皆然）。非吾人困苦艰难，要求热血烈士为国献身之时代乎？然自我观，中国之危，固以迫于独夫与强敌，而所以迫于独夫强敌者，乃民族之公德私德之堕落有以召之耳。即今不为拔本塞源之计，虽有少数难能可贵之爱国烈士，非徒无救于国之亡，行见吾种之灭也。世有疑吾言者乎？试观国中现象，若武人之乱政，若府库之空虚，若产业之凋零，若社会之腐败，若人格之堕落，若官吏之贪墨，若游民盗匪之充斥，若水旱疫疠之流行，凡此种种，无一不为国亡种灭之根源，又无一而为献身烈士一手一足之所可救治。外人之讥评吾族,而实为吾人不能不俯首承认者,曰"好利无耻",曰"老大病夫",曰"不洁如豕",曰"游民乞丐国",曰"贿赂为华人通病",曰"官吏国",曰"豚尾客",曰"黄金崇拜",曰"工于诈伪",曰"服权力不服公理",曰"放纵卑劣"。凡此种种,无一而非亡国灭种之资格,又无一而为献身烈士一手一足之所可救治。一国之民,精神上、物质上如此退化,如此堕落,即人不我伐,亦有何颜面,有何权利,生存于世界?一国之民德、民力在水平线以上者,一时遭逢独夫强敌,国家濒于危亡,得献身为国之烈士而救之,足济于难。若其国之民德、民力在水平线以下者,则自侮自伐,其招致强敌独夫也,如磁石之引针,其国家无时不在灭亡之数,其亡自亡也,其灭自灭也。即幸不遭逢强敌独夫,而其国之不幸乃在遭逢强敌独夫以上,反以遭逢强敌独夫,促其觉悟,为国之大幸。夫所贵乎爱国烈士者,救其国之危亡也,否则何取焉?今其国之危亡也,亡之者虽将为强敌为独夫,而所以使之亡者,乃其国民之行为与性质。欲图根本之救亡,所需乎国民性质行为之改善,视所需乎为国献身之烈士,其量尤广,其势尤迫。故我之爱国主义,不在为国捐躯,而在笃行自好之士,为国家惜名誉,为国家弭乱源,为国家增实力。我爱国诸青年乎,为国捐躯之烈士,固吾人所服膺、所崇拜。会当其时,愿诸君决然为之,无所审顾。然此种爱国行为,乃一时的而非持续的,乃治标的而非治本的。吾之所谓持续的治本的爱国主义者。

曰勤 《传》曰:"民生在勤,勤则不匮。"今日西洋各国国力之发展,无不视经济力为标准。而经济学之生产三要素:曰土地,曰人力,曰资本。夫资本之初源,仍出于土地与人力。土地而不施以人力,仍不得视为财产,如石田童山是也。故人力应视为最重大之生产要素。一社会之人力至者,其社会之经济力必强;一个人之人力至者,其个人之生计,必不至匮乏,此可断言者也。晳族之勤勉,半由于体魄之强,半由于习惯之善。吾华惰民,即不终朝闲散,亦不解时间上之经济为何事,可贵有限之光阴,掷之闲谈而不惜焉,掷之博弈而不惜焉,掷之睡眠宴饮而不惜焉。西人之与人约会也,恒以何时何分为期,华人则往往约日相见;西人之行路也,恒一往无前,华人则往往瞻顾徘徊于中道,若无所事事。劳动神圣,晳族之恒言;养尊处优,吾华之风尚。中人之家,亦往往仆婢盈室。游民遍国,乞丐载途。美好丈夫,往往四体不勤,安坐而食他人之食。自食其力,乃社会有体面者所羞为,宁甘厚颜以仰权门之余沥。呜呼!人力废而产业衰,产业衰而国力隳,爱国君子,必尚乎勤!

曰俭 奢侈之为害,自个人言之,贪食渔色,戕害其生,奢以伤廉,堕落人格。吾见夫世之倒行逆施者,非必皆丧心病狂。恒以生活习于奢华,不得不捐耻昧心,自趋陷阱。自国家社会言之,俗尚奢侈,国力虚耗。在昔罗马、西班牙之末路,可为殷鉴。消费之额,不可超过生产,已为经济学之定则。况近世工商业兴,以机械代人力,资本之功用,卓越前世。国民而无贮蓄心,浪费资财于不生产之用途,则产业凋敝,国力衰微,可立而俟。吾华之贫,宇内仅有。国民生事所需,多仰外品。合之赔款国债,每岁正货流出,穷于计算。若再事奢侈,不啻滴尽吾民之膏血,以为外国工商业纪功之碑,增加高度。人人节衣省食,以为国民兴产殖业之基金,爱国君子,何忍而不出此?

曰廉 呜呼!金钱罪恶,万方同慨。然中国人之金钱罪恶,与欧美人之金钱罪恶不同,而罪恶尤甚。以中国人专以造罪恶而得金钱,复以金钱造成罪恶也。但有钱可图,便无恶不作。古人云:"文官不爱钱,武官不怕死,则天下治矣。"不图今之武官,既怕死又复爱钱。若龙济光、张勋辈,岂真有何异志与共和为敌。只以岁蚀军饷数百万,累累者不肯轻弃,遂不恤倒行逆施耳。袁氏叛国,为之奔走尽力者遍天下,岂有一敬其为人或真以帝制足以救国者,盖悉为黄金所驱使(严复明白宣言曰:余非帝制派,惟有钱而无不与耳)。袁氏殁,其子辈于白昼众目之下,悉盗公物以去。视彼监守边郡,秘窃宝器者,益无忌惮矣。夫借债造路,丧失利权,为何等痛心之事,只以图便交通,忍而出此。乃竟有路未寸成,而借款数千万悉入私囊者,人之无良,一至于此!又若金州画界、胶州画界,利敌贿金,蒙蔽溢与,其罪恶更有甚焉!至于革命乃何等高尚之事功,革命党为何等富于牺牲精神之人物,宜不类乎贪吏矣!而恃其师旅之众,强取横夺,满载而归者,所在多有。此外文武官吏,及假口创办实业之奸人,盗取多金,荣归乡里,俨然以巨绅自居者,不可胜数,社会亦优容之而不以为怪。甚至以尊孔尚德之圣人自居者,亦复贪声载道。呜乎!"贪"之一字,几为吾人之通病。此而不知悔改,更有何爱国之可言!

曰洁 西洋人称世界不洁之民族,印度人、朝鲜人与吾华鼎足而三。华人足迹所至,无不备受侮辱者,非尽关国势之衰微。其不洁之习惯,与夫污秽可憎之辫发与衣冠,吾人诉之良心而言,亦实足招尤取侮。公共卫生,国无定制;痰唾无禁,粪秽载途;沐浴不勤,臭恶视西人所畜犬马加甚;厨灶不治,远不若欧美厕所之清洁。试立通衢,观彼行众,衣冠整洁者,百不获一。触目皆囚首垢面,污秽逼人,虽在本国人,有不望而厌之者,必其同调。欲求尚洁之皙人不加轻蔑,本非人情。然此犹属外观之污秽,而其内心之不洁,尤令人言之恐怖。经数千年之专制政治,自秦政以讫洪宪皇帝,无不以利禄奔走天下,吾国民遂沉迷于利禄而不自觉。卑鄙龌龊之国民性,由此铸成。吾人无宗教信仰心,有之则做官耳,殆若欧美人之信耶稣,日本人之尊天皇,为同一之迷信。大小官吏,相次依附,存亡荣辱,以此为衡,婢膝奴颜,以为至乐。食力创业,乃至高尚至清洁适于国民实力伸张之美德,而视为天下之至贱,不屑为也。农弃畎亩以充厮役,工商弃其行业以谋差委,士弃其学以求官,驱天下生利之有业者,而为无业分利之游民,皆利禄之见为之也。闻今之北京求官谋事者,数至二十万众。此二十万众中,其多数本已养成无业游民之资格,吾知其少数中未必无富有学识经验之人,可以自力经营相当事业者,而必欲投身宦海,自附于摇尾磕头之列,毋亦利禄之心重,而不知食力创业为可贵也。不能食力者,必食他人之食;不思创业者,自绝生利之途。民德由之堕落,国力由之衰微。此于一群之进化,关系匪轻,是以爱国志士,宜使身心俱洁。

曰诚 浮词夸诞,立言之不诚也;居丧守节,道德之不诚也;时亡而往拜,圣人之不诚也。吾人习于不诚也久矣。以近事言之,袁氏之称帝也,始终表里坚持赞成反对者,吾皆敬其为人。乃有分明心怀反对者也,而表面竟附赞成之列。朝犹劝进,夕举义旗,袁氏不德,固应受此揶揄,而国民之诈伪不诚,则已完全暴露。其上焉者谓为从权以伺隙,其下焉者诡曰逢恶以速其亡。吾心固反对帝制者也,不知若略迹论心,即筹安六人,去杨、刘外,何尝有一人诚心赞成帝制?惟其非诚心赞成而赞成之者,其人格远在诚心赞成而赞成之者之下,明知故犯,其罪加等。此何等事,而云从权逢恶,则一旦强敌压境夺国,不知其从权逢恶也,更演何丑态、作何罪孽?此外人所以谓法兰西革命,为悲剧的革命。而华人革命,乃滑稽剧也。若张勋、倪嗣冲、陈宧、汤芗铭、龙济光、张作霖、王占元辈,本诚心赞成帝制者也。乃袁势一去，或叛袁独立，或仍就共和政府之军职，视昔之称扬帝制、痛骂共和也，前后竟若两人。孙毓筠非供奉洪宪皇帝之御容，称以今上圣主万岁者乎？乃帝制取销时，与其友书，竟有袁逆之称。其他请愿劝进之妄人，今又复正襟厉色以言民权共和者，滔滔皆是，反复变诈，一至于斯，诚不知人间有羞耻事也。呜乎！不诚之民族为善不终，为恶亦不终。吾见夫国中多乐于为恶之人，吾未见有始终为恶之硬汉。诈伪圆滑，人格何存？吾愿爱国之士，无论维新守旧，帝党共和，皆本诸良心之至诚，慎厥终始，以存国民一线之人格。

曰信 人而无信，不独为道德之羞，亦且为经济之累。政府无信，则纸币不行，内债难得，其最大之恶果，为无人民信托之国家银行，金融大权，操诸外人之手。人民无信，则非独资无由创业。当此工商发达时代，非资本集合，必不适于营业竞争。而吾国人之视集资创业也，不啻为骗钱之别名。由是全国资金，皆成死物，绝无流通生长之机缘。以视欧美人之资财，衣食之余，悉贮之银行，经营产业，息息流通，递加生长也。其社会金融之日就枯竭，殆与人身之血不流行，坐待衰萎以死，同一现象。是故民信不立，国之金融，决无起死回生之望。政府以借债而存，人民以盗窃而活，由贫而弱，由弱而亡，讵不滋痛！

之数德者，固老生之常谈，实救国之要道。人或以为视献身义烈为迂远，吾独以此为持续的治本的真正爱国之行为。盖今世列强并立，皆挟其全国国民之德智力以相角，兴亡之数，不待战争而决。其兴也有故，其亡也有由。唯其亡之已有由矣，虽有为国献身之烈士，亦莫之能救。故今世爱国之说与古不同，欲爱其国使立于不亡之地，非睹其国之亡始爱而殉之也。夫国亡身殉，其义烈固自可风。若严格论之,自古以身殉国者,未必人人皆无制造亡国原因之罪。故爱其国使立于不亡之地,爱国之义,莫隆于斯。

(第二卷第二号,一九一六年十月一日)

驳康有为致总统总理书

陈独秀

南海康有为先生,为吾国近代先觉之士,天下所同认。吾辈少时,读八股,讲旧学,每疾视士大夫习欧文谈新学者,以为皆洋奴,名教所不容也。后读康先生及其徒梁任公之文章,始恍然于域外之政教学术,粲然可观,茅塞顿开,觉昨非而今是。吾辈今日得稍有世界知识,其源泉乃康、梁二先生之赐,是二先生维新觉世之功,吾国近代文明史所应大书特书者矣。厥后任公先生且学且教,贡献于国人者不少,而康先生则无闻焉。不谓辛亥以还,且于国人流血而得之共和,痛加诅咒。《不忍》杂志,不啻为筹安会导其先河。天下之敬爱先生者,无不为先生惜之!中国帝制思想,经袁氏之试验,或不至死灰复燃矣。而康先生复于别尊卑、重阶级、事天尊君、历代民贼所利用之孔教,锐意提倡,一若惟恐中国人之"帝制根本思想"或至变弃也者。近且不惜词费,致书黎、段二公,强词夺理,率肤浅无常识,识者皆目笑存之,本无辩驳之价值。然中国人脑筋不清,析理不明,或震其名而惑其说,则为害于社会思想之进步也甚巨,故不能已于言焉。惟是康先生虽自夸,"三周大地,游遍四洲,经三十国,日读外国之书",然实不通外国文,于外国之伦理学、宗教史、近代文明史、政治史,所得甚少,欲与之析理辩难,知无济也。曷以明其然哉！原书云："今万国之人，莫不有教，惟生番野人无教。今中国不拜教主，岂非自认为无教之人乎？则甘认与生番野人等乎？"按台湾生番及内地苗民，迷信其宗教，视文明人尤笃。则人皆有教，生番、野人无教之大前提已误，不拜教主，且仅指不拜孔子，竟谓为无教之人乎？则不拜教主即为无教之小前提又误。大小前提皆误，则中国人无教与生番野人等之断案，诉诸论理学，谓为不误可乎？是盖与孟子"无父无君，是禽兽也"之说，同一谬见。故知其不通论理学也。欧美宗教，由"加特力教"（Catholicism）一变而为"耶稣新教"（Protestantism），再变而为"唯一神教"（Unitarianism），教律宗风，以次替废。"唯一神教"，但奉真神，不信三位一体之说。斥教主灵迹为惑世之诬言，谓教会之仪式为可废，此稍治宗教史者所知也。德之倭根，法之柏格森，皆当今大哲，且信仰宗教者也（倭根对于一切宗教皆信仰，非只基督教已也）。其主张悉类"唯一神教派"，而教主之膜拜，教会之仪式，尤所蔑视。审是西洋宗教，且已由隆而之杀。吾华宗教，本不隆重，况孔教绝无宗教之实质（宗教实质，重在灵魂之救济，出世之宗也。孔子不事鬼，不知死，文行忠信，皆入世之教。所谓性与天道，乃哲学非宗教）。与仪式，是教化之教，非宗教之教。乃强欲平地生波，惑民诬孔，诚吴稚晖先生所谓"凿孔栽须"者矣！君权与教权，以连带之关系同时削夺，为西洋近代文明史上大书特书之事。信教自由，已为近代政治之定则。强迫信教，不独不能行之本国，且不能施诸被征服之属地人民。其反抗最烈，影响最大者，莫如英国之"清教徒"，以不服国教专制之故，不惜移住美洲，叛母国而独立。康先生蔑视佛、道、耶、回之信仰，欲以孔教专利于国中，吾故知其所得于近世文明史、政治史之知识必甚少也。然此种理论，必为康先生所不乐闻,即闻之而不平心研究,则终亦不甚了了。吾今所欲言者,乃就原书中,指陈其不合事实、缺少常识、自相矛盾之言,以告天下,以质之康先生。

康先生电请政府拜孔尊教,南北报纸,无一赞同者。国会主张删除宪法中尊孔条文,内务部取消拜跪礼节,南北报纸,无一反对者,而原书一则曰"当道措施,殊有令国人骇愕者"。再则曰"国务有司所先行,在禁拜圣令,天下骇怪笑骂"。吾知夫骇愕笑骂者,康先生外宁有几人?乌可代表国人,厚诬天下?此不合事实者一也。欧洲"无神论"之哲学,由来已久,多数科学家,皆指斥宗教之虚诞,况教主耶?今德国硕学赫克尔,其代表也。"非宗教"之声,已耸动法兰西全国,即尊教信神之"唯一神教派",亦于旧时教义教仪,多所吐弃。而原书云:"数千年来,无论何人何位,无有敢议废拜教主之礼,黜教主之祀者。"不知何所见而云然?此不合事实者二也。吾国四万万人,佛教信者最众。其具完全宗教仪式者,耶、回二教,遍布国中,数亦匪鲜。而原书云:"四万万人民犹在也,而先自弃其教,是谓无教。"又云:"今以教主孔子之神圣,必黜绝而力攻之,是导其民于无教也。"以不尊孔即为无教,此不合事实者三也。原书命意设词,胥乏常识。其中最甚者,莫若袭用古人极无常识之套语,曰以《春秋》折狱,曰以"三百五篇"作谏书,曰以《易》通阴阳,曰以《中庸》传心,曰以《孝经》却贼,曰以《大学》治鬼,曰以半部《论语》治天下,吾且欲为补一言,曰以《禹贡》治水,谅为先生所首肯。夫《春秋》之所口诛笔伐者,乱臣贼子也。今有狱于此,首举叛旗,倾覆清室者,即原书所称"缁衣好贤宵旰忧劳"之今大总统,不知先生将何以折之?(辛亥义师起,康先生与其徒徐勤书,称之曰贼、曰叛,当不许以种族之故,废孔教之君臣大义也)所谓以《大学》

治鬼者，未审与说部《绿野仙踪》所载齐贡生之伎俩如何？所谓半部《论语》治天下，不识"民可使由之，不可使知之"，"天下有道，则庶人不议"等语，是否在此半部中也？呜乎！先生休矣。先生硁硁以为议院、国务院，无擅议废拜废祀之权，一面又乞灵议院，以"以孔子为大教"，编入宪法，要求政府"明令保守府县学宫及祭田，皆置奉祀官"（以上皆原书语）。夫无权废之，何以有权兴之？然此犹矛盾之小者也。孔教与帝制，有不可离散之因缘。若并此二者而主张之，无论为祸中国与否，其一贯之精神，固足自成一说。不图以曾经通电赞成共和之康先生，一面又推尊孔教。既推尊孔教矣，而原书中又期以"不与民国相抵触者，皆照旧奉行"。主张民国之祀孔，不啻主张专制国之祀华盛顿与卢梭，推尊孔教者而计及抵触民国与否，是乃自取其说而根本毁之耳，此矛盾之最大者也！

吾最后尚有一言以正告康先生曰：吾国非宗教国，吾国人非印度、犹太人，宗教信仰心，由来薄弱。教界伟人不生此土，即勉强杜撰一教宗，设立一教主，亦必无何等威权，何种荣耀。若虑风俗人心之漓薄，又岂干禄作伪之孔教所可救治？古人远矣！近代贤豪，当时耆宿，其感化社会之力，至为强大，吾民之德敝治污，其最大原因，即在耳目头脑中无高尚纯洁之人物为之模范，社会失其中枢，万事循之退化（法国社会学者孔特，谓人类进化，由其富于模仿性，英雄硕学，乃人类社会之中枢，资其模仿者也）。若康先生者，吾国之耆宿，社会之中枢也。但务端正其心，廉洁其行，以为小子后生之模范，则裨益于风俗人心者，至大且捷，不必远道乞灵于孔教也。

（第二卷第二号，一九一六年十月一日）

宪法与孔教

陈独秀

"孔教"本失灵之偶像,过去之化石,应于民主国宪法,不生问题。只以袁皇帝干涉宪法之恶果,天坛草案遂于第十九条,附以尊孔之文,敷衍民贼,致遗今日无谓之纷争。然既有纷争矣,则必演为吾国极重大之问题,其故何哉?盖孔教问题、不独关系宪法,且为吾人实际生活及伦理思想之根本问题也。余尝谓:"自西洋文明输入吾国,最初促吾人之觉悟者为学术、相形见绌、举国所知矣。其次为政治。年来政象所证明,已有不克守缺抱残之势。继今以往,国人所怀疑莫决者,当为伦理问题。此而不能觉悟,则前此之所谓觉悟者,非彻底之觉悟,盖犹在惝恍迷离之境。"(见本志前卷六号《吾人最后之觉悟》篇中)盖伦理问题不解决,则政治学术,皆枝叶问题。纵一时舍旧谋新,而根本思想,未尝变更,不旋踵而仍复旧观者,此自然必然之事也。孔教之精华曰礼教,为吾国伦理政治之根本。其存废为吾国早当解决之问题,应在国体宪法问题解决之先。今日讨论及此,已觉甚晚。吾国人既已纷纷讨论,予亦不得不附以赘言。

增进自然界之知识,为今日益世觉民之正轨。一切宗教,无裨治化,等诸偶像,吾人可大胆宣言者也。今让一步言之,即云浅化之民，宗教在所不废。然通行吾国各宗教，若佛教教律之精严，教理之高深，岂不可贵？又若基督教尊奉一神，宗教意识之明了，信徒制行之清洁，往往远胜于推尊孔教之士大夫。今蔑视他宗，独尊一孔，岂非侵害宗教信仰之自由乎？（所谓宗教信仰自由者，任人信仰何教，自由选择，皆得享受国家同等之待遇，而无所歧视。今有议员王谢家建议，以为倘废祀孔，乃侵害人民信教之自由，其言实不可解。国家未尝祀佛，未尝祀耶，今亦不祀孔，平等待遇，正所以尊重信教自由，何云侵害？盖王君目无佛耶，只知有孔，未尝梦见信教自由之为何物也。）今再让一步言之，或云佛、耶二教，非吾人固有之精神，孔教乃中华之国粹。然旧教九流，儒居其一耳。阴阳家明历象，法家非人治，名家辨名实，墨家有兼爱、节葬、非命诸说，制器敢战之风，农家之并耕食力，此皆国粹之优于儒家，孔子者也。今效汉武之术，罢黜百家，独尊孔氏，则学术思想之专制，其湮塞人智，为祸之烈，远在政界帝王之上。今再让一步言之，或谓儒教包举百家，独尊其说，乃足以化民善俗。夫非人是己，宗风所同，使孔教会仅以私人团体，立教于社会，国家固应予以与各教同等之自由。使仅以"孔学会"号召于国中，尤吾人所赞许。西人于前代大哲，率有学会以祀之。今乃专横跋扈，竟欲以四万万人各教信徒共有之国家，独尊祀孔氏，竟欲以四万万人各教信徒共有之宪法，独规定以孔子之道为修身大本。呜乎！以国家之力强迫信教，欧洲宗教战争，殷鉴不远。即谓吾民酷爱和平，不至激成战斗，而实际生活，必发生种种撞扰不宁之现象（例如假令定孔教为国教，则总统选举法，及官吏任用法，必增加异教徒不获当选一条。否则异教徒之为总统官吏者，不祀孔则违法，祀孔则叛教，无一是处。又如学校生徒之信奉佛道耶回各教者，不祀孔则违背校规，祀孔则毁坏其信仰,亦无一是处),去化民善俗之效也远矣。以何者为教育大本、万国宪法、无此武断专横之规定。而孔子之道适宜于民国教育精神与否,犹属第二问题。盖宪法者,全国人民权利之保证书也,决不可杂以优待一族、一教、一党、一派人之作用。以今世学术思想之发达,无论集硕学若干辈,设会讨论教育大本,究应以何人学说为宗,吾知其未敢轻决而著书宣告于众。况挟堂堂国宪,强全国之从同,以阻思想信仰之自由,其无理取闹,宁非奇谈!

凡兹理由,俱至明浅,稍有识者皆知之。此时贤之尊孔者,所以不以孔教为宗教者有之;以为宗教而不主张假宪法以强人信从者有之。此派之尊孔者,虽无强人同己之恶习,其根本见解,予亦不敢盲从。故今所讨论者,非孔教是否宗教问题,且非但孔教可否定入宪法问题,乃孔教是否适宜于民国教育精神之根本问题也。此根本问题,贯彻于吾国之伦理政治、社会制度、日常生活者,至深且广,不得不急图解决者也。欲解决此问题,宜单刀直入,肉薄问题之中心。其中心谓何?即民国教育精神果为何物,孔子之道又果为何物,二者是否可以相容是也。西洋所谓法治国者,其最大精神,乃为法律之前,人人平等,绝无尊卑贵贱之殊。虽君主国亦以此为立宪之正轨,民主共和,益无论矣。然则共和国民之教育,其应发挥人权平等之精神,毫无疑义。复次欲知孔子之道,果为何物。此主张尊孔与废孔者,皆应有明了之概念,非可笼统其词以为褒贬也。今之尊孔者,率分甲乙二派。甲派以三纲五常,为名教之大防,中外古今,莫可逾越。西洋物质文明,固可尊贵,独至孔门礼教,固彼所未逮。此中国特有之文明,不可妄议废弃者也。乙派则以为三纲五常之说,出于纬书,宋儒盛倡之,遂酿成君权万能之末弊,原始孔教,不如是也。持此说之最有条理者,莫如顾实君。谓宋以后之孔教，为君权化之伪孔教，原始孔教，为民间化之真孔教。三纲五常，属于伪孔教范畴，取司马迁之说，以四教（文、行、忠、信）、四绝（毋意、毋必、毋固、毋我）、三慎（斋、战、疾）为原始之真孔教范畴（以上皆顾实君之说，详见第二号"民彝"杂志《社会教育及共和国魂之孔教论》）。愚则宁是甲而非乙也。三纲五常之名词，虽不见于经，而其学说之实质，非起自两汉唐宋以后，则不可争之事实也。教忠（忠有二义：一对一切人，一对于君。与孝并言者，必为对君之忠可知），教孝[吴稚晖先生，谓孝为古人用爱最挚之一名词，非如南宋以后人之脑子，合忠孝为一谈。一若言孝，而有家庭服从之组织，隐隐寓之于中。又云孝之名即不存，以博爱代之。父与父言博爱，慈矣；子与子言博爱，孝矣（以上见十月九日中华新报说孝）]，倘认人类秉有相爱性，何独无情于骨肉？吴先生以爱代孝之说尚矣。惟儒教之言孝，与墨教之言爱，有亲疏等差之不同，此儒墨之鸿沟，孟氏所以斥墨为无父也。吴先生之言，必为墨家所欢迎，而为孔孟所不许。父母死三年，尚无改其道，何论生存时家庭服从之组织？儒教莫要于礼，礼莫重于祭，祭则推本于孝（祭统云："凡治人之道，莫急于礼。礼有五经，莫重于祭。"又云："祭者，所以追养继孝也。"），儒以孝为人类治化之大原，何只与忠并列？祭统云："忠臣以事其君，孝子以事其亲，其本一也。"《孝经》云："资于事父以事君而敬同。"又云："孝莫大于严父。"又云："父母之道，天性也，君臣之义也。"又云："要君者无上，非圣人者无法，非孝者无亲，此大乱之道也。"审是忠孝并为一谈，非始于南宋，乃孔门立教之大则也。吴先生所云，毋乃犹避腐儒非古侮圣之讥也欤？教从（郊特牲曰："妇人，从人者也。幼从父兄，嫁从夫，夫死从子"），非皆片面之义务，不平等之道德，阶级尊卑之制度，三纲之实质也耶？"不仕无义，长幼之节，不可废也，君臣之义，如之何其废之"；"挞之流血，起敬起孝"；"妇人者，伏于人者也"；"夫不在，敛枕箧簟席、襡器而藏之"，此岂宋以后人尊君、尊父、尊男、尊夫之语耶？纬书，古史也，可以翼经，岂宋后之著作？董仲舒、马融、班固，皆两汉大儒。董造《春秋繁露》，马注《论语》，班辑《白虎通》，皆采用三纲之说，朱子不过沿用旧义，岂可独罪宋儒？愚以为三纲说不徒非宋儒所伪造，且应为孔教之根本教义，何以言之？儒教之精华曰礼，礼者何？《坊记》曰："夫礼者，所以章疑别微，以为民坊者也。故贵贱有等，衣服有别。"又曰："天无二日，土无二王，家无二主，尊无二上，示民有君臣之别也。"《哀公问》曰："民之所由生，礼为大。非礼无以节事天地之神也，非礼无以辨君臣上下、长幼之位也。"《曲礼》曰："夫礼者，所以定亲疏，决嫌疑，别同异，明是非也。"又曰："君臣上下，父子兄弟，非礼不定。"《礼运》曰："礼者，君之大柄也。"《礼器》曰："礼之近人情者，非其至者也。"《冠义》曰："责成人礼焉者，将责为人子，为人弟，为人臣，为人少者之礼行焉。"是皆礼之精义（晏婴所讥盛容繁饰，登降之礼，趋详之节，累世不能殚其学，当年不能究其礼，此犹属仪文之末）。尊卑贵贱之所由分，即三纲之说之所由起也（三纲之义，乃起于礼别尊卑，始于夫妇，终于君臣，共贯同条，不可偏废者也）。今人欲偏废君臣，根本已摧，其余二纲，焉能存在？而浏阳李女士，主张夫妻平等，以为无伤于君父二纲（见本年第五号妇女杂志社说）是皆不明三纲一贯之根本精神之出于礼教也。此等别尊卑、明贵贱之阶级制度，乃宗法社会封建时代所同然，正不必以此为儒家之罪，更不必讳为原始孔教之所无。愚且以为儒教经汉宋两代之进化，明定纲常之条目，始成一有完全统系之伦理学说。斯乃孔教之特色，中国独有之文明也。若夫温良恭俭让信义廉耻诸德，乃为世界实践道德家所同遵，未可自矜特异，独标一宗者也。使今犹在闭关时代，而无西洋独立平等之人权说以相较，必无人能议孔教之非。即今或谓吾华贱族，与晰人殊化，未可强效西颦，愚亦心以为非而口不能辨。惟明明以共和国民自居，以输入西洋文明自励者，亦于与共和政体、西洋文明绝对相反之别尊卑、明贵贱之孔教，不欲吐弃，此愚之所大惑也。以议员而尊孔子之道，则其所处之地位，殊欠斟酌。盖律以庶人不议，则代议政体，民选议院，岂孔教之所许？（《礼运》所谓天下为公，选贤与能，乃指唐虞之世，君主私相禅授而言。略类袁氏金匮石室制度，与今世人民之有选举权，绝不同也。）以宪法而有尊孔条文，则其余条文，无不可废。盖今之宪法，无非采用欧制，而欧洲法制之精神，无不以平等人权为基础。吾见民国宪法草案百余条，其不与孔子之道相抵触者，盖几希矣，其将何以并存之？

吾人倘以为中国之法，孔子之道，足以组织吾之国家，支配吾之社会，使适于今日竞争世界之生存，则不徒共和宪法为可废。凡十余年来之变法维新，流血革命，设国会，改法律（民国以前所行之大清律，无一条非孔子之道），及一切新政治新教育，无一非多事，且无一非谬误。应悉废罢，仍守旧法，以免滥费吾人之财力。万一不安本分，妄欲建设西洋式之新国家，组织西洋式之新社会，以求适今世之生存，则根本问题，不可不首先输入西洋式社会国家之基础。所谓平等人权之新信仰，对于与此新社会、新国家、新信仰不可相容之孔教，不可不有彻底之觉悟，勇猛之决心，否则不塞不流，不止不行。

(第二卷三号，一九一六年十一月一日)

军国主义

刘叔雅

太空中有无数星云，某星云偶起旋涡，内自凝结，外相摄引，以成此太阳系；某处物质较密，内自凝结，外相摄引，以成此圆舆。此圆舆凝而未固，动摇震荡以成此海陆山川，提封万里之国。比之圆舆，数十分之一也；圆舆比之太阳系，千万分之一也；太阳系比之恒河沙数世界，更太仓之稊米也。今于其间强分疆域，命曰国家。吾人生此国中，又强欲葆此疆域为已有而持军国主义，直庄子所谓蛮氏、触氏之争也。然则以何因缘而道军国主义？曰："以求生意志故"（Wille zum leben）。盖众生由求生意志而生，互争其所需之空间、时间、物质，而竞存争生之事遂起。人类在众生为最进化，其争亦最烈。个人争之不胜，乃合群以争之，此既合群，不得不与他群争。进化既久，遂成国家。邦国交哄，杀人盈野，实起于匹夫之弯弓；匹夫之弯弓，又起自爪牙之相搏。求生意志乃世界之本原，竞存争生实进化之中心。国家者，求生意志所构成；军国主义者，竞存争生之极致也。往者，世界列国限于山海，接触甚鲜，各有其土，各保其民，自非土壤相接，竞争犹不甚烈。近世交通之利，十百倍于古代，列国之接触愈多，经济愈膨胀，竞争亦愈剧烈，而军国主义遂应此时世而兴起。国于今之世界，苟欲守此疆域，保我子孙黎民,舍军国主义无他道。生于今之世,苟欲免为他人之臣虏,舍持军国主义无他法。今日之天下,军国主义之天下也。呜乎!彼蛮氏既日以其巨炮、飞机、潜艇、毒弹相陵铄,将灭吾国而夷吾种,则吾舍自居触氏与彼奋斗力争之外,复何策可以自全?此记者所以大声疾呼,乞吾青年之觉悟也。

中华民国者,世界列邦中最不尚军国主义之国也。稽之史册,吾先民武功彪炳征伐四克之日,虽亦恒有,然被征服于异族之事,则更史不绝书。近世西力东渐,吾国对外历史遂无一页而非屈辱,无一字而非失败。有清之世,犹为战败之国民。民国既建,乃更一落万丈,化为不战而屈伏之民族。试观今日之域中,秉钧当国者不解军国主义,故尽智索能于调和敷衍,研精覃思以排挤异己,处心积虑以恢弙其逆乎?世界潮流之势力,宁甘分崩离析种类为夷之祸,而余凶剩孽不可不肆其饕餮,恶直丑正不可不逞其奸回。军人不解军国主义,故诸藩镇州将不惟不肯为国家之干城心膂,甚且阻恃其众,跋扈恣睢,日销磨其精神于集会联盟、干涉政治、残贼生民、侵盗公帑、扶植势力、保全权位诸事。外人哀的美敦书来,则俯首帖耳,不敢出气,而并不觉有丝毫羞耻。政党不解军国主义,故但知驰骛追逐,营巧竞利,甚且为大盗权奸供奔走、执贱役,而于国家大计鲜有建树,致为国民所疾视,不复认为近世列邦之所谓政党,而与甘陵汝南东林复社同科。商人不解军国主义,故但知鬻良杂苦,饮羊欺诈,以博不正当之利得,而不求所以与人并驱争先之道。工人不解军国主义,故至今犹不脱锁国时代之遗风。纵有一二高瞻远瞩之徒,亦唯知购人机械,模仿学制最简单之物品,而于立国根本之化学工业,曾无人敢于一试,卒致国人于日光空气及农产物外,无不仰给于人。文人不解军国主义,故但著尘羹土饭之文字，诲盗诲淫之小说，以谋些微之稿费而糊其口，甚且修劝进之表，或为权奸大盗办机关报，拟忍心害理之电稿，以弋禄秩。其能尽发蒙振聩勖励国民之天职者，万无一焉。学子不解军国主义，故游惰废学，耽于淫乐。或则以校中课程为敲门砖，卒业证书为获官符，无论所习何科，所治何学，而殊途同归，皆以作官为最终目的。不特治法律、政治、经济者，不肯终为法学家、政治学者，即学文学、美术、医工者，亦必辗转请托，求入教育。内务农商部以充课员技正，卒之一行作吏，素衣化缁，进无裨于国计，退无绩于简编，横舍化为科场。科学等于八股，而国家强盛之机亦绝。凡此诸端，在吾国人我行我素，绝不见其可异，而在力行军国主义之民族观之，吾知其惊愕之情，必有如逢奇魅，如见怪兽者。丑者不自知其丑，引镜自鉴，则必恚怒惭恨，扑镜于地。德意志者，军国主义之产地而吾国之镜也。记者不敏，敢述其大略。愿吾青年鉴焉。

德意志帝国，天下莫强焉。今日言强国者，殆无不联想及于德意志者也。开战以来，一战而灭比利时，再战而破法兰西，三战而蹶露西亚。处四战之地，抗天下之师，而能战胜攻取，亟摧敌国。自汉堡以至特理埃斯特，由阿斯丁德迄于巴格达德，占领数千万里之地，奴虏三千万之民，奥大利、土耳其、布加利亚之帝王皆执鞭提鼓以从凯撒之戏下。英法俄意诸强国丧师失地，覆败相寻，悉率其赋，仅能自守，其丰功伟烈真书契以来所未有也。然而德意志国家也，我中华民国亦国家也；日耳曼人丈夫也，吾汉人亦丈夫也。同此霜露所均，同此日月所照，其土地寒荒硗确，远不若吾土之尽膏腴；其壤地甚小，又远不如吾封域之广，何以彼能兴隆大好，冠冕万邦，而吾则衰微不振，有亡国灭种之惧乎？此无他，德意志人倡军国主义而我则自侮自伐也，夫使造物之加惠德人为独厚。天雨金而地涌巨炮，则其席卷全欧之烈，曾何足称？其世界政策（Weltpolitik）之雄，岂容学步？然试一稽史乘。一世纪以前，其贫弱衰微殆有甚于今日之中国。入其国者，但见寒村而无都会，接其人则但有哲学家与农夫而鲜工商业者。拿破仑之雄师劲卒驰骋于其国中，逐之极北之地。路易兹后北面长跪，以乞哀于拿破仑前，而终不能邀战胜者之垂怜。忍气吞声以为谛尔西特城下之盟，丧其版图人口之半，偿金一万三千万法郎。限制常备军数不得逾四万二千人，遵奉其无理之条例，其耻辱、痛苦、损失十倍甲午庚子之和约。苟非俄帝为之乞请，则拿破仑固早灭其国为法兰西之郡县矣！此若在吾国，则苟安怀佚，禽视鸟息，以为战胜者之臣虏而已。纵有二三激昂慷慨之士，亦唯发无数极长之通电，或演出储金救国等滑稽剧耳。乃德意志经此巨创深痛之后，君臣上下卧薪尝胆，必欲以十年生聚、十年教训昭法兰西而洒斯耻。路易兹后制钤章，文曰"不禁涕零"，以志不忘。深知强国之基在乎教育，于彼播越颠沛之中创立柏林大学。爱国哲学家斐希特氏为之校长，一意作育人材（才），以植兴复之基。故哲人辈出，民族精神发扬振起。谛尔西特城下之盟缔于千八百七年，及千八百十三年，普将布留赫尔将军已董统鹰扬，霆击电扫，破灭拿破仑之军队，恢复侵地，以奏欧罗巴独立之伟勋，其间相距才七年耳。其后蹶奥大利，破法兰西，遂举德意志帝国复兴之祝典于法兰西之王宫，为圜舆第一强国矣。其统一复兴所以若是之神速者无他，军国主义而已。

　　开战以前之德意志，其学术之精微深邃，其工艺之振兴发达，其商业之突飞猛进，夫人而知者也。开战以后之德意志，其军队之强器械之巧，又世人所赞叹不置者也。凡此诸端，苟欲详述之，将成巨帙，然若考其原因则片言可蔽之。曰军国主义之赐而已。德意志之军人、政治家、学者、工商业家、文人、艺术家，品类虽至不齐，然而百致一虑，殊途同归，莫不以军国主义为旗帜，实力政治、世界政策为标榜。笃信德意志负有统一世界之天职，明认世界被德意志人征服为幸福。凯撒维廉二世之雄心，全国军人之主战，实其民族精神之表现，决非一人或一阶级社会之好大喜功也。试即其各方面之代表人物之言论观之。柏林大学史学教授特莱谛开氏之言曰："无论个人国家，其最强者即其实力最充足者也。实力者，统御一切社会者也。凡一切政治罪恶中，其最可鄙贱者未有如'弱者'之甚者也。'弱者'之一观念，其害足以陷国家于腐败，堕国家之声威，斯实对于上帝之罪恶也。"前宰相彪罗公爵宣言曰："战争者固不祥物也，国家之当尽力防止战争。此何待言，然亦仅在无碍于国家之荣誉利益时为然耳。倘竟有关国家之荣誉利益，则战争亦实无可避免。所谓永久和平者，特理想而已，梦呓而已。"主战论之著者彼龙哈之将军之言曰："武力者，无上之权利也。苟有权利之竞争，则战争而外，实无他途可以解决。故战争者，所以解决权利之最后胜负者也。"开战之初，德意志宰相贝特曼·何尔维希氏在其帝国议会宣言曰："德意志帝国今日之境况，事不得已，事不得已则尚何法律之可言乎？我师既侵卢森堡，又占领比利时之境土，夫侵犯中立国之为违反国际法，此何待论？然而吾国今日实非所顾也，盖我苟多一日之顾虑，多稽迟一日，则彼法兰西兵即将攻入我之境土矣。故我国对于卢森堡比利时政府之正当抗议，置之不省。进击如故者，不得已也。世或能谓此为不义之举．即我辈亦不惮明认其为不义，惟俟他日军事上目的既达之后，当能有相当之辩解耳。"此犹其军人、政治家与历史学家之言也。更就其哲学家、文学家之言论观之，则彼高谈仁义道德之鲍铮氏之言曰："德意志国民之为诗人、为思想家,此国人所以之自豪者也。然不可不知吾德意志国民,又实勇而能斗之国民也。"耶那大学教授哲学名家倭根氏之言曰:"吾德意志之强盛,英人嫉之久矣。故英人处心积虑,欲于吾羽毛未丰之际,加我以巨创,将来孰胜孰败,实世界争霸之大问题也。吾德意志苟蹉跎岁月,不制机先,则必为英人所破灭无疑。故德意志国民为自卫计,为权利及正义计,皆不可以不战。完全维持人类之生存者,乃他国民所仰赖吾德意志人之任务也。德意志国民以有知识之国民雄飞至今,而尽其全力于科学之研究,宗教之信念,人格之养成者也。德意志之如是努力者,即所以行此统御世界之任务也。"大戏曲家豪普特曼氏之言曰:"我国民世界主义之思想,根柢甚深,非仅在政治上为然也,即在文艺、哲学思想亦莫不然。彼嫉视吾人之仇敌,欲以铁环箍吾人之胸,吾人之胸不可不更扩张,则不能不寸断此铁环,否则吾人之呼吸将止矣。吾人不肯自止其呼吸者也,故寸断此环,实吾人自卫之权利。"

综观诸人之言论,可以觇德意志国民之心理矣。其军国主义,决非发自凯撒一人之野心,决非由于其国军人之渎(黩)武,亦非其国政治家之好大喜功,实日耳曼之民族精神也。其皇室持军国主义,故历代帝王卧薪尝胆以济统一复兴之大业;其政治家持军国主义,故忠贞体国以修政理;其军人持军国主义,故将帅研精覃思以治戎画策,士卒则奋勇死绥,咫尺无却;其学者持军国主义,故艰苦力学,勇猛精进,以其所得贡献于国家社会;其工商业者持军国主义,故尽智极能以殖产兴业;其思想家、文人持军国主义,故摘藻振翰以发扬民族之精神,启迪国民之思想。军国主义者,德意志强盛之总因也。稽之其国历史,其国步愈益艰难,则其民之孟晋自疆之心愈益炽盛。故虽以三十年战争之祸,分崩离析,民坠涂炭,百有余载,而民族之雄心不衰。谛尔西特议和时,国之不亡,间不容发,而不及十年,遂能复仇洒耻,光复旧物。今兹之战,微论德军尚居优势,即果如协约诸国所期,直抵柏林,迫之为城下之盟,然军队战舰从可覆败,民族精神必难消灭。他日十年生聚,十年教训,必有卷土重来之日,无可疑也。

军国主义非仅为德意志人之信条已也。近三十年以还,此主义实弥漫于圆舆。有国于今之世界者,为国家之生存发展,有不得不宗此主义之势。欧洲战争既开,其事乃益显著。其事之与此主义相僢者,但有我中华民国耳。英吉利者,非世所称为政党政治之典型者耶?今自由党内阁乃不得不与保守党相提携,以组织混合内阁矣。募兵主义,非其历世相传之成法耶?今乃不得不行征兵制矣。自由贸易,非其国是耶?今乃不得不讲保护政策矣。法兰西非笃信博爱主义,而反对军国主义者耶?怵于德人之鹰瞵虎视,乃不得不大修军备,奋起直追,以谋自保矣。至于北美合众国,则更以平和主义为标榜,门罗主义为国是者也。近以日本之剑及履及,咄咄逼人,乃不得不投亿万金资以扩充其海军。其深识远虑之士,更鼓吹全国皆兵主义,施行军事教育,以谋兴强大陆军矣。至若比利时则本以工商立国之小邦,又有永久中立之保障,宜若可以不置一兵,不筑一垒矣。乃既拥十二万五千之常备陆军,复有里爱巨、纳米尔、安都厄尔比三大要塞。其国人犹以为未足,更于开战之前二年,通过军备扩充案,期以五年之间,加增兵力二倍,改筑最新式要塞,不幸设施未完,战争骤起。使比人能早三四岁从事于此,则陆军可得五十万人,旧式要塞,悉已改筑,则德人从肆其侵暴,比之兵力,必能久守以待英法之援师,比民所受荼毒,何至若斯之惨烈哉?世有迷信和平,昧于时势者,妄冀其梦境幻想可以实现。谓他日欧战终局,德意志人一败涂地,军国主义亦将随之而灭,世界和平可以自兹永保。不知欧洲纵得一时之伪和平,何有于吾衰微不振之东洋民族?盖东洋民族中,复有步武德意志,力行军国主义之国日伺吾傍。纵晰种能扫清军国主义,力保和平,吾国则舍此何以救死?持斯说真聋昧之下科,其可悲悯,殆不异游鼎之鱼,巢幕之燕也。

或曰军国主义,诚救国之良药。然德意志之军国主义,乃发于其民族之根性,吾诸华有笃爱和平之天性,与军国主义不相容。民族性如斯,岂人力所能改造。不知好战乃人类之本性,进取实立国之原则。吾诸华既为人类,又葆有国土历数千年,其间捍拒异类,讨灭敌国之事,无代无之本能。纵麻痹于一时,决非汨没已尽,徒以受毒于腐败政治过久,民族精神,无由发扬,遂有今日之衰颓。苟荡涤其瑕秽,洒扫其积垢,则发扬蹈厉,必能为人类历史增其荣光。日本非新兴之强国耶?非以武功焜耀大地者耶?然其维新以前,承平日久,人民不见兵革。又以封建时代,军旅之事,专之武门,齐民但知锄耒。故美将普莱之战舰一入下田,而江户之民仓皇奔避,其怯弱卑劣为何如?其后施行征兵制,论者犹谓农商子弟服兵役,是驱市人而战。然曾几何时,柔弱之民化为剽悍,北蹶强俄,遂霸亚洲。往日对黑船而战剽者,今乃向美人挑衅矣。司知天下无不能战争之民族,在高瞻深识者鼓舞提倡而已。但吾青年昆弟,能自觉己身之责任,扩观世界之潮流,深知军国主义为立国根本,救亡之至计,振作精神则吾诸华未必不能化为世界最强毅之民族,中夏犹可兴也。或谓中国今日已患武人之恣睢,更倡军国主义,必至政出武人。生民之自由幸福危,而共和政体亦将不保,此尤不通之论也。今日之佩文虎章带剑而御黄色衣者,岂得谓之军人?此辈之乘资逞暴,与他国之军人专政,全然两事。今彼盐枭马贼巡防统领,招集数千无赖,购数千废枪,即敢于恣心任忒,无所忌惮者,正欺吾民皆怯弱卑劣,恋恋于伪和平耳。使吾国民能力行军国主义,坚贞刚毅如德意志之民,则四裔犹不敢不享,何此曹之足云?

(第二卷第三号,一九一六年十一月一日)

袁世凯复活

陈独秀

近来上海中西报纸，盛传袁世凯未死之说。闻者咸大惊异，而疑信参半。于是袁世凯果死与否之探讨，纷然以起。余则坚信袁世凯未死，且以此问题实无待探讨之必要也。吾耳日闻袁世凯之发言，吾目日见袁世凯之行事，奈何痴人果以为袁世凯之已死耶？

善哉！蔡先生孑民之言曰："袁氏之为人，盖棺论定，似可无事苛求。虽然，袁氏之罪恶，非特个人之罪恶也。彼实代表吾国三种之旧社会。曰'官僚'，曰'学究'，曰'方士'。畏强抑弱、假公济私、口蜜腹剑、穷奢极欲，所以表官僚之黑暗也。天坛祀帝、小学读经、复冕旒之饰、行拜跪之仪，所以表学究之顽旧也。武庙宣誓、教会祈祷、相士贡谀、神方治疾，所以表方士之迂怪也。今袁氏去矣，而此三社会之流毒，果随之以俱去乎？"（见第三号《旅欧杂志》）由蔡先生之说，即"强谓肉体之袁世凯已死，而精神之袁世凯，固犹活泼泼地生存于吾国也"，不第此也。即肉体之袁世凯，亦已复活。吾闻其语矣，吾见其人矣。其人之相貌、思想、言论、行为，无一非袁世凯，或谓为袁世凯二世。呜呼！黄兴、蔡锷死矣，而袁世凯复活。吾思民国，不禁悲从中来。

昔始皇帝创无限专制君主制，其子二世亡之。拿破仑一世，破坏法兰西共和,帝制自为,身败名辱。其犹子拿破仑三世,仍明目张胆,蹈其覆辙。今堕地呱呱之中华民国,在朝之魔王袁世凯一世方死未死,而在野之瞀儒袁世凯二世方生。一何中外古今之史例巧合若斯也!袁世凯二世,酷肖袁世凯一世之点甚多。其身矮而胖也同;其口多髭须也同;其眸子不正,表示其心术也同;其风姿气味,完全一市侩,无丝毫清明之气也同;其自命为圣王,雄才大略也同;其贪财好色,老而不戒也同;其欲祭天尊孔以愚民也同;其爱冕旒,喜拜跪也同;其尊信文武圣人、求神、治鬼、烧香、算命、卜卦、看相也同;其主张复古,提倡礼教国粹也同;其左袒官僚,仇视民党也同;其重尊卑阶级,疾视平等人权、平民政治也同;其迷信官权万能,恶民权如蛇蝎也同;其主张高下从心之人治,恶法治害己也同;其主张小学读经,以维持旧思想也同;其怂恿军人,摇旗呐喊,通电拥护旧政教,排斥新人物也同;其口称德义,而负友辜恩也同;其自居为中国第一老资格,而国人亦以第一老资格目之也同;其对门生部属,有命令而无辩论也同;其主张荒谬,即上座党徒亦反面攻之也同;其利用国民弱点,投合旧社会之心理,增上其种种罪恶,以自攫权势也同。蔡先生谓"袁世凯代表吾国三种旧社会",余谓"此袁世凯二世则完全代表袁世凯,不独代表过去之袁世凯,且制造未来之无数袁世凯"。袁世凯之废共和复帝制,乃恶果,非恶因;乃枝叶之罪恶,非根本之罪恶。若夫别尊卑重阶级,主张人治,反对民权之思想之学说,实为制造专制帝王之根本恶因。吾国思想界不将此根本恶因铲除净尽,则有因必有果。无数废共和复帝制之袁世凯,当然接踵应运而生,毫不足怪。今袁世凯二世,竟明目张胆,为吾国思想界加造此根本恶因,其恶果可立而待也!袁世凯二世!袁世凯未死!袁世凯复活!此声也,不祥之声也,吾何忍作此声以扰国人之好梦！然黑越越中,实有老狯。呼之欲出。

　　呜呼！欧洲自力抗自由新思潮之梅特涅失败以来,文明进化,一日千里。吾人狂奔追之,犹恐不及。乃袁世凯以特别国情之说,阻之五年,不使前进。国人不惜流血以除此障碍矣。不图袁世凯二世,又以国粹礼教之说,阻吾前进,且强曳之逆向后行。国人将何以处之？法律上之平等人权,伦理上之独立人格,学术上之破除迷信、思想自由,此三者为欧美文明进化之根本原因,而皆为尊重国粹国情之袁世凯一世、二世所不许。长此暗黑,其何以求适二十世纪之生存？吾护国军人,吾青年志士,勿苟安！勿随俗！其急以血刃铲除此方死未死、余毒未尽之袁世凯一世,方生未死,逆焰方张之袁世凯二世。导吾可怜之同胞,出黑暗而入光明。

　　　　　　　　　　　（第二卷第四号,一九一六年十二月一日）

一九一七年预想之革命

高一涵

合纷然淆杂互相错综之生活状态,而组成社会。积判然各殊息息变迁之群众心理,而演成思潮。持现状以比衡往迹,数其递嬗递变厘然殊观之经历,而名之曰"进化"。构成社会之分子愈杂,则演成思潮之支派愈纷。纷之度达其极,则摩荡切劚,各成趋向。趋向愈歧,则变迁愈速,而进化之机乃愈灵。人群进化之原动力,宜万而不宜一,宜互竞于平衡而不宜统摄于一尊。道一同风之训,乃根诸专制思想而来,一群之众,其受专制之毒弥深,则梦想一尊之心思弥切。甚或从专制思想之中,籀出专制教育主义,至教育主义隶属于专制思想而下,则群众之心灵汩没,而进化之机息矣。

近日从专制思想中,演出二大盲说,必待吾人之力极廓清者。即于政治上应揭破贤人政治之真相,于教育上应打消孔教为修身大本之宪条是也。往岁之革命为形式,今岁之革命在精神。政治制度之革命,国人已明知而实行之矣。惟政治精神与教育主义之革命,国人犹未能实行。实行之期,其自一九一七年始。

曷言乎贤人政治,从专制思想演绎而出也。吾国专制思想,其延缘于人民脑襞者,垂四千余年。迄于清末,新旧互争。濡染欧化者流,群悟专制之非。而深中旧毒之士大夫,既知专制主义,与世界思潮相抵触，又不欲翻然改图，乃弃名取实，诡其词曰"开明专制"。迨民国成立，经二次政治革命而后，专制基础，扫荡无遗。不得公然以专制名词相号召，乃转饰其名曰"贤人政治"。今就二者比较以观，自不难立睹其真相。伯伦智理与黎白，皆谓专制与权力并存。何则政权公诸有众者也？欲以一部分人私有之，故必赖权力为人保障。贤人政治，亦将公有之政权，私之于一部分人士者也。故亦必借势力为护符，此与专制同者一。专制者，成于独而消于衡。无惟我独尊之心理，则不能决然行专制；亦无惟我独尊之心理，则不敢自任为贤人。此与专制同者二。专制既假权力而行，则专制无定主，惟视权力为转移。贤人亦无标准者也，欲强定其标准，亦惟视权力以为衡。权力愈大者，其贤亦愈大；权力最小及毫无权力者，则不得不降为不肖焉。此与专制同者三。专制之特性，在排斥异己，非排斥至尽，则专且不能，何有于制？贤人之名词，乃与不肖相对待。非指斥他部分为不肖，则不能显见此部分为贤人。何也？以一国皆贤，则无贤人之名可立故也。此与专制同者四。行专制者，必划分人民为治者与被治者二级。贤人政治，以贤人为治者，以不肖为被治者，亦分人民为两级者也。此与专制同者五。专制者之职务，在以一部分人代理全国人之事务，而不欲放任人民之自为。贤人之职务，亦代不肖者总理庶事，而不欲放任不肖者之自为也。此与专制同者六。专制者，想望一人首出庶物，建为元后，以子育人民。贤人政治亦想望一部分人首出庶物，立为人民师表者也。此与专制同者七。然则贤人政治，殆几与专制同其界说欤。

国家者，何乃自由人民以协意结为政治团体，借分功通力，鼓舞群伦，使充其本然之能，收所欲蕲之果。乃以自智自力，谋充各得其所之境，非借他人智力代为自谋者也。古者国家政治，其原动力在官；近世国家政治，其原动力在民。往者政治为人力车，近世政治为摩托车。故国家惟一之职务，在立于万民之后，破除自由之阻力，鼓舞自动之机能，以条理其抵牾，防止其侵越。于国法上公认人民之政治人格，明许人民自由之权利。此为国家惟一之职务，亦即所以存在之真因。谈贤人政治者，虽未见其明定国家之界说，然总观所论，则国家者由一部分贤人握有政权，以尽其指导扶持之责。借此部分人智力，代他部分人民谋充其各得其所之境者也。凡百行为，以贤人为原动，以人民为被动。于是国法上不能遍认人民均有政治人格与自由之权利矣。由斯义以推，第一与哈蒲浩"国家建筑于人民权利之上"之原则相反；第二与边心"最大多数之最大幸福"之主旨相违。此在贵族政体盛行时代，容或可行。若欲行于二十稘民权大张，群争自立之时，是反世界之趋势与进化之精神。不若仍明倡帝制，犹为直截了当也。论者岂不曰"由官治可进于民治欤？"然要知官治民治之根本原理，绝不相容。民治之精神，在先予以政治上之人格自由权利，借政治之力以自造于贤人之域，政治其因贤人其果。官治之精神则先夺其政治上之人格自由权利。俾托贤人之庇荫，安享政治之成。贤人其因政治其果，故一则养成富于自治自立之风，一则养成依赖他人之习，欲以依人为生之民，行自治自立之事，是命盲者视聋者听之类也。呜呼可哉！

再言教育。孔道应否为教育大本为一问题；教育大本应否由国家规定，是又别一问题。前者已为海内时贤所斥驳，后者则似尚付缺如。夫教育主义大别不外二种：一隶属于政治者，一超轶乎政治者。国家而以官治为中心，其制度含有专制性质者，往往以政治势力左右教育，故教育主义纯粹隶属于政治范围之中；国家而以民治为中心,其制度含有共和性质者,往往任人民自由选择,听其趋向,以为教育之方针。故教育事业,全超轶乎政治范围而外。军国民教育,实利主义教育,及公民道德教育,属乎前者;世界观教育,世道主义教育,属乎后者焉。

曷言乎世界观教育。世界之种类亦有二:一曰"现象世界",一曰"实体世界"。前者以谋现世幸福为鹄的,后者则以谋究竟幸福为鹄的;前者有空间时间之关系,后者则无空间时间之可言;前者由于感受,后者全恃直觉。政治者,由人类所感受之激刺,为一族一国之群众谋现世幸福之谓;教育者,由人类一己之直觉,为普遍世界之群众谋无终无极之究竟幸福也。故强使世界观教育,俾隶于政治范围而下。其违背教育主义者二:一为空间之限制,即缩小教育范围,使仅及于现象世界中一族一国之人;一为时间之限制,即减短教育功用,使仅谋现象世界之现在幸福也。人不能有生而无死,国家不能有存而无亡。现世幸福,随死亡以消灭。以不生不灭之人生,于无始无终之实体中,而仅仅以谋随死亡而消灭之现世幸福为鹄的。若而人生,若而世界,有何价值之足云。此世界观教育,所以为世界人生之最终蕲向,而超然于政治之表者也。

曷言乎世道主义之教育。夫合无始无终之时,无穷无极之世,与有生无生之物以成世界。则所谓世界,即非一时一地之有生物所得专焉者也。矧人类特有生物中之一种乎?论者动曰"人道主义,为世界之究竟"。不知人道主义,特以人类为范围,不过占世界生物中之一部。谓为人类之究竟,犹且不可。况谓为世界之究竟乎?教育者,以合宇宙万汇有形无形有生无生之全体为范围者也。限以有生有形,已嫌其偏,何况更限以人类?设再以政治之潮流为教育之标,则更以人类一种族一国家之事,为实体世界无始无终不生不灭之真实人生体也。此人道主义之教育，所以不若世道主义之教育尤为范围普遍，万汇咸周之道，而为教育主义之究竟也。

然此特言超轶乎政治之教育也。即隶属乎政治，若军国民教育，实利主义教育，及公民道德教育等，亦不宜束缚其趋向，尽纳诸政治潮流之中。教育之事，端在启瀹心灵，顺人类之特生异秉，使充其本然之能。其造诣之境愈杂，则心能之启发愈多，而学术之发明亦愈速。一道同风之说，乃汩没心灵之媒。况一之同之之标本，无能定可定者。欲以谋现世一部分幸福之政治主义，定为谋普遍世界无终极幸福之教育主义，其纰谬（缪）更何待言。故不特以孔道为教育大本，无有是处；即于孔道而外，别取佛道耶回之道或他宗学流为教育大本，以规定于宪法，亦无有是处。故今日所争者，为教育大本，应否规定之问题，非应否规定何人之问题也。无论何人，均不能以一教之力，束缚未来人类之心思，更何有于由专制思想演绎而出之孔道！

（第二卷第五号，一九一七年一月一日）

对德外交

陈独秀

国家存亡问题，国民发挥爱国心及能力品格之唯一机会。

此次对德外交问题，乃国家存亡问题，不可以寻常外交视之，此吾国民应有之觉悟也。加入协约与否，政府对德方针未决以前，国人应群起从事于利害是非之讨论，以促政府积极之进行，绝对不可袖手勿置可否也。愚之私意，绝对承认加入协约方面，则对内对外，于国家利多而害少。其理由如下：

一、白皙人种之视吾族，犹人类之视犬马。德意志人过用其狭隘之爱国心，尤属目无余子。在彼强大民族或确有其可以骄慢之理由，而自弱者被征服者之吾人之地位论之，当然不承认彼强者、征服者有天赋之权利，而竭力与之抗争。即抗争而失败，若比利时、塞尔维亚，其民族之荣誉，国家之人格，视不战而屈、苟安忍辱之懦夫犹胜万万。此次对德外交，果能全国一致，始终出以强硬态度，无论结果之成败如何，其最低成功，吾人服公理不服强权之精神，已第二次表示于世界（反对袁氏称帝为第一次），一改数百年来屈辱的外交之惯例。虽予以极大代价，所得不已多乎？

二、战争之于社会犹运动之于人身。人身适当之运动，为健康之最要条件。盖新细胞之代谢，以运动而强其作用也。战争之于社会亦然。久无战争之国，其社会每呈凝滞之态。况近世文明诸国每经一次战争，其社会、其学术进步之速，每一新其面目。吾人进步之濡滞，战争之范围过小，时间过短，亦一重大之原因。倘有机缘加入欧战，不独以黄奴之血，点染庄严灿烂之欧洲，为一快举。而出征军人所得之知识及国内因战争所获学术思想之进步，必可观也。

三、"维持现状"四字，为致吾国亡种促之唯一不祥语。以今之现状，乃国亡种，促之现状，绝对不可维持者也。欲易此现状，舍教育实业无由。然国家财政如此困难，教育实业将何以兴起？欲整顿财政，以今日群丑割据，野蛮军队遍国中，政府理财之策，无法可以施行。长此因循，待亡已耳。倘加入协约团体，为得财政之援助（若缓赔款、大借款、改正关税、输出军需之类），肃军纪、理财政、兴学奖业，国人倘能奋发有为，非千载一时之机会乎？失此机会，直可谓救亡无术矣。

四、新兴国家，党争自所不免。然党争逾轨，实为进步之障碍。倘有对外战争，各党贤者，食毛践土，具有天良，理当捐弃私愤，互相提携，以求达较远大之目的。南北军人，亦将以患难相依，泯其畛域，此事影响于国家安危，岂不甚巨？

以上四种利益，皆加入协约后应有之事实，似非假定之理想。然反对派所谓加入协约有害于国家者，亦举其词而正之。

一曰，加入利害藐不相关之欧战，以增国家之担负，非计也。愚则以为外以维持国家之"国际人格"，内以乘此整顿军政财政，虽增担负，其又奚辞？况吾国加入后应尽之义务，可以协约规定之，非绝无限度也。又况欧战之于吾国，非绝对无利害之关系乎？又况一方面国家固因加入协约加增担负，一方面政府商民非因加入而可获财政之救济乎？

一曰，吾国国际之生存，唯赖列强之均势耳。今加入协约，是自破均势，邻人将乘之，危道也。愚则以为欧洲自开战以来，世界大均势，业已破坏，无可维持。试观巴尔干半岛诸国，有何法可以利用均势维持中立而不为左右袒乎？若在远东，虽情势较缓，环吾国土者，皆协约国。世界大均势，亦无可言。强言有之，则列强在东方之均势耳。此项均势，即去德奥，亦未为破坏。盖英、美、日、俄对华政策，以利害不一致之故，仍属对抗的而非一致的也。故愚以为吾国对德问题，与列强均势问题，不发若何特别影响。邻人侵略与否乃国力问题，未必因加入协约与否，而生根本之变化。若虑其以加入为侵略之导火线，则天下无理取闹之事固多，能保其不以我反对加入协约为导火线乎？列强东方均势未全破坏，万目睽睽之下，岂容一国野心之独逞！决定加入以前，吾外交当局，周旋国际谈判，自有相当之防范，吾国民其勿过虑也。

一曰，吾国加入协约，德人必煽动西北回部以为吾患。愚以为此妄言耳。今之西北国民椎鲁而衣食足，耸令为乱，颇非易事。纵令小有蠢动，国家倘并此镇定兵力而无之，将何以国为？

一曰，加入协约乃政界之大阴谋，国民不可为其所欺弄。愚则以为此神经过敏之言也。所谓大阴谋，计有三种：一曰，军政界要人，假此以谋复辟也。此言不啻青天之霹雳。所谓军政界要人，其为无实力者乎，则其谋必无效。其为有实力者乎，此时尽可横行，何必汲汲假援于外？即令有之，列强均不利中国之纷扰，焉肯以此为加入协约之交换条件？且今之执政，虽非大贤，亦未必平地生波，一愚至此也。不观康南海亦反对加入协约乎，以此可知加入与复辟确无关系矣。二曰，段内阁以此巩固其地位，且将假戒严令以制异己也。夫现内阁之地位，未见其有若何危险，愚诚不解说者以何情由谓其必假外援始克巩固其地位。反之段氏以毅然决定加入协约之故，或招一部分军人及一部分议员之反对，使其地位稍形摇动，且不可知。彼若悍然不顾而出此，则先国后己之德，正自可钦，奈何疑其假外交以自固也。段氏在旧势力人物中，尚属最廉正者，非法戒严之事，无由预断其必有。不容异己，乃吾人之通病，何独段氏然耶？三曰，梁派假外交以夺政权也。夫以任公之政治知识，果能总揽政权，岂不愈于北洋军人万万。特以政象所趋，无论誉任公者毁任公者，均不信任公有组织一党内阁之魄力与野心。此时一党内阁既不能成，以任公之学识，且以代表其党之资格加入阁员，决无损于他党之权利，岂有假外交以夺政权之必要耶？愚故谓此三大阴谋者，皆神经过敏之言也。

一曰，无故开罪天下莫强之德国，后患之必至也。此说果无误也，第一必假定欧战结果，完全胜利必属德国。愚则以为两方将皆无绝对之胜利也。第二必假定德国完全胜利后，其实力即足以同时防备英、法，经营近东（侵略巴尔干半岛及小亚细亚乃德人之第一目的），征服远东。愚则以为德国战后，非休养十年，国力莫能恢复。弃远东而专力近东，尚恐不济，焉能悉师东征，效古人复仇思想乎（近世国家对外乃殖民主义非复仇主义）。第三必假定战，后世界外交，俄、德、日本三国同盟，以抗英、法、美，而处分中国。愚则以为日、俄之于英、法，经济之关系正深，能否遽然联德，岂非疑问。且外交方针，全以利害为转移，非一成不变者也。使吾国民稍稍振作，国力但在水平线以上，进行岂绝无活动之余地乎？总之，国家存在之原理，当以战斗力为唯一要素。吾人果能于欧战表示一二不可侮之成绩，印之欧人脑里，则莫敢轻于侮我。何独德意志人,国际交涉,有利害而无好恶,无所谓开罪与不开罪也。否则虽日日长跪于其前,彼世界最重强权且勇武可敬之德意志人,必不容吾不战而屈,苟安忍辱之懦夫栖息于人类。

(第三卷第一号,一九一七年三月一日)

俄罗斯革命与我国民之觉悟

陈独秀

自二月九日吾政府对德抗议以来，国人于政府外交政策，赞成、反对各极其盛。愚亦于前号本志发表赞同意见，贡诸国人。其后赞成抗德派渐得势，内阁获国会之同意，遂宣告与德绝交。自是以来，反对派所预言绝德后之危险，幸未一中。在理论上应现举国一致对外之象矣。而事实不尔者，有重大之原因三焉：一曰，失意之伟人，无论其事于人类之公理正义如何，于国家之利害关系如何，凡出诸其敌党段祺瑞、梁启超所主张者，莫不深文以反对之。虽牺牲其向日之主张进取、主张正义、不畏强权之精神，亦所不惜。虽与国蠹张勋、倪嗣冲、王占元、张怀芝同一步调，亦所不羞。某有力家遂利此以为攘夺政权之机会，虎踞南服，舆论因以从之。一曰，恶闻战争，乃吾国民之恶劣根性。今之"恐德病"亦自此根性所生。冯副总统威慑南方，一言九鼎，亦为诱发此病重大之外因。愚以为商会反对加入协约团体，与前此反对革命、主张拥护项城、维持现状，同一心理。一曰，同时俄罗斯发生革命事作也，吾国短视之人，误料俄罗斯革命，无论旧政府存续与否，必陷于与德国单独议和之地位。俄德和解，英、法必不支。英、法不支，日、俄、德同盟谋我之势成。此种见解，不独反对加入协约者言之确然，即赞成者亦不无怀疑而恐怖。以上之三因,日来吾国对德外交之所以沉滞也。前二因非由于误解,且非空言可喻,姑置不论。兹所欲正告吾国民以促其觉悟者,即俄之革命,将关于世界大势也如何,吾国民或犹在梦中,不闻吾言!

吾国民第一所应觉悟者,欧洲战争无意识者恒少,故战后而不改革进步者亦恒少。此次大战争,乃旷古所未有。战后政治学术,一切制度之改革与进步,亦将为旷古所罕闻。吾料欧洲之历史,大战之后必全然改观。以战争以前历史之观念,推测战后之世界大势,无有是处。

其次,吾国民所应觉悟者,此次欧战之原因结果,固甚复杂。而君主主义与民主主义之消长,侵略主义与人道主义之消长,关系此战乃至巨焉。使德意志完全胜利也,无道之君主主义,侵略主义,其势益炽,其运命将复存续百年或数十年未可知也。此物存续期间,弱者必无路以幸存。

又其次,吾国民所应觉悟者,吾可怜之中华,未能日久生存于均势之下也。一国家而生存于均势之下,非真生存。且均势自身,亦难历久而不变乎?吾华真能生存之运命操诸己者,适用近世文明,以固国力之发展。操诸人者,君主主义、侵略主义之失势耳。前者且听命于后者,以列强侵略主义不稍衰,吾人已无有发展国力之余地。

又其次,吾国民所应觉悟者,俄罗斯之革命,非徒革俄国皇室之命,乃以革世界君主主义、侵略主义之命也。吾祝其成功!吾料其未必与代表君主主义、侵略主义之德意志单独言和,以其革命政府乃亲德派旧政府之反对者,而为民主主义、人道主义之空气所充满也。吾料世界民主国将群起而助之,以与德意志战,且与一切无道之君主主义、侵略主义的国家战。国际今日之抗德,犹吾国前日之讨衰,非扑此獠,将难自保。力能胜否？义所不计。吾中华民国国民,以是非计,以利害计,均不应滑头中立,以图败则苟免,胜则坐享其成。

又其次,吾国民所应觉悟者,即令俄之新政府,以非战故与德单独言和,或德意志利用俄之纷扰,目前军事上获若干胜利,吾料新俄罗斯非君主、非侵略之精神,将蔓延于德、奥及一切师事德意志之无道国家。宇内情势,因以大变,此为益吾国,视君主侵略主义之俄罗斯战胜德意志也,奚啻万倍。奈何吾短视之国民,竟以俄罗斯革命之故而"恐德病"反加剧耶。

吾国民倘有上陈种种之觉悟,自应执戈而起,随列强之后,惩彼代表君主主义、侵略主义之德意志,以扶人类之正义,以寻吾国之活路。倘仍挟愤寻仇,或希图苟免,或拘拘计较吾国根本生存以次利害,以阻外交之进行,则今既不附同盟,又不联协约,且已非中立,遗世孤立,将何以图存乎？加入战团后,当然有列席和议之权。其时发言效力,固必极微,岂不愈于他国代表吾人,议定而责吾承受之乎？爱国君子,其洞观世界大势,平心思之,勿徒为意气之争也！

（第三卷第二号,一九一七年四月一日）

旧思想与国体问题

陈独秀

在北京神州学会讲演

今日本会开讲演会,适遇国会纪念日,鄙人不觉发动一种感想,所以选择此题。鄙人感想非他,即现今之国会非君主国的国会,乃共和国的国会。方才李石曾先生演说《学术之进化》有云:"政治进化的潮流,由君主而民主,乃一定之趋势,吾人可以怀抱乐观。"鄙人以为李先生的理论固然不错,但是鄙人对于我国现在情形,总觉得共和国体有无再经一次变动,却不能无疑。自从辛亥年革命以来,我国行了共和政体好几年。前年筹安会忽然想起讨论国体问题,在寻常道理上看起来,虽然是很奇怪,鄙人当时却不以为奇怪。袁氏病殁,帝制取消,在寻常道理上看起来,大家都觉得中国以后帝制应该不再发生,共和国体算得安稳了。鄙人却又不以为然。鄙人怀着此种意见,不是故意与人不同,更不是倾心帝制舍不得抛弃,也并不是说中国宜于帝制不宜于共和。只因为此时,我们中国多数国民口里虽然是不反对共和,脑子里实在装满了帝制时代的旧思想,欧美社会国家的文明制度连影儿也没有,所以口一张手一伸，不知不觉都带君主专制臭味。不过胆儿小，不敢像筹安会的人，堂堂正正的说将出来。其实心中见解，都是一样。袁世凯要做皇帝也不是妄想，他实在见得多数民意相信帝制，不相信共和。就是反对帝制的人，大半是反对袁世凯做皇帝，不是真心从根本上反对帝制。数年以来，创造共和再造共和的人物也算不少。说良心话，真心知道共和是什么，脑子里不装着帝制时代旧思想的，能有几人？西洋学者尝言道："近代国家是建设在国民总意之上。"现在袁世凯虽然死了，袁世凯所利用的倾向君主专制的旧思想依然如故。要帝制不再发生，民主共和可以安稳，我看比登天还难！如今要巩固共和，非先将国民脑子里所有反对共和的旧思想一一洗刷干净不可。因为民主共和的国家组织、社会制度、伦理观念，和君主专制的国家组织、社会制度、伦理观念全然相反。一个是重在平等精神，一个是重在尊卑阶级，万万不能调和的。若是一面要行共和政治，一面又要保存君主时代的旧思想，那是万万不成。而且此种"脚踏两只船"的办法，必至非驴非马，既不共和，又不专制，国家无组织，社会无制度，一塌糊涂而后已。现在中华民国的政治人心就是这种现象。分明挂了共和招牌，而政府考试文官，居然用"上天下泽，履君子以辨上下，定民志""百姓足，君孰与不足"和"学则三代共之，皆所以明人伦也。人伦明于上，小民亲于下"为题。不知道辨的是什么上下？定的是什么民志？不知道共和国家何以有君？又不知道共和国民是如何小法？孟子所谓人伦，是指忠君、孝父、从夫为人之大伦。试问民主共和的国家组织、社会制度、伦理观念，是否能容这"以君统民，以父统子，以夫统妻"不平等的学说？分明挂了共和招牌，而国会议员居然大声疾呼，定要尊重孔教。按孔教的教义，乃是教人忠君、孝父、从夫。无论政治伦理,都不外这种重阶级尊卑三纲主义。孟子道:"孔子成《春秋》而乱臣贼子惧。"荀子道:"礼有三本:天地者,生之本也;先祖者,类之本也;君师者,治之本也。"董仲舒道:《春秋》之法,以人随君,以君随天。"这都是孔教说礼尊君的精义。若是用此种道理做国民的修身大本,不是教他拿孔教修身的道理来破坏共和,就是教他修身修不好,终久要做乱臣贼子。我想主张孔教加入宪法的议员,他必定忘记了他自己是共和民国的议员,所议的是共和民国的宪法。与其主张将尊崇孔教加入宪法,不如爽快讨论中华国体是否可以共和。若一方面既然承认共和国体,一方面又要保存孔教,理论上实在是不通,事实上实在是做不到。分明挂了共和招牌,而学士文人对于颂扬功德、铺张宫殿田猎的汉赋和那思君明道的韩文杜诗,还是照旧推崇。偶然有人提倡近代通俗的国民文学,就要被人笑骂。一般社会应用的文字,也还仍旧是君主时代的恶习。城里人家大门对联,用那"恩承北阙""皇恩浩荡"字样的,不在少处。乡里人家厅堂上,照例贴一张"天地君亲师"的红纸条,讲究的还有一座"天地君亲师"的牌位。这腐旧思想布满国中,所以我们要诚心巩固共和国体,非将这班反对共和的伦理文学等等旧思想,完全洗刷得干干净净不可。否则不但共和政治不能进行,就是这块共和招牌也是挂不住的。若是一旦帝制恢复,蔡子民先生所说的"以美术代宗教",李石曾先生所说的"近代学术之进化",张溥泉先生所说的"新道德",在政治上是"叛徒",在学术上是"异端",各种学问都没有发展的余地,贵学会还有什么学问可讲呢?

(第三卷第三号,一九一七年五月一日)

时局杂感

陈独秀

两月以前，吾人对于外交问题，揽世界之大势，与国民以指针。不料朝野两方面均属手挥五弦，目送飞鸿，意在政争，假外交为手段，以国家为孤注。呜呼，何其大胆妄为无爱国心一至此哉！

此次政变之是非利害，国内人自有公评，本志自无加以慷慨书空之必要。且不欲以此等卑污细事，费吾洁白青年读者之时间。唯愚对于时局怀种种感想，不得不吐诸国人之前者，敢为读者一一陈之：

愚固迷信共和，以为政治之极则。政治之有共和，学术之有科学，乃近代文明之两大鸿宝也。然衡以国人信仰共和之量之度，遽言共和国体今已稳固，余终怀疑。莽哉，吾国民党人，既无法使国人信仰共和之度量日益增加，又无力使国中反对共和之蟊贼日益减少，日唯张空拳绳民贼以法度。狭隘无远识之党徒，对于比较的略知现代国家组织之敌党，日造恶言，逼使铤而走险。宪法空文，不能自行也。欧美文明制度，如何乞灵于空文，强使尽行于至野蛮、不识字、无经济能力之豚尾民族哉！援春秋责备贤者之意，政局至斯，吾国民党人当首任其咎。

自吾神经过敏之国民党人之眼观之，凡进步党人，皆阴谋家也,皆败坏国家之蟊贼也。然以愚耳目之所闻见,良心之所判断,进步党不乏贤达可敬之士。唯愚之评论进步党人也,急近功名,依附权贵,惮于根本之改革,是其所短耳。以此原因,进步党人每以能利用权门自喜,而反为权门所利用,一点污于袁世凯,再见欺于督军团。国民党之荣誉,往往在失败。进步党之耻辱,往往在胜利。吾知该党贤达诉诸良心,必当惭恶复惭恶,忏悔复忏悔矣。呜呼,一之为甚,不可以再,再又甚焉,不可三也。而今而后,吾国政治倘有政党活动之余地,吾国民党人对于进步党诸公,固应有相当之敬意。而进步党诸公,亦应有根本之觉悟。此觉悟维何,即公等倘欲使中国稍近现代国家组织,则公等之敌,非国民党人。吾国民党人,实公等之友也。吾国民党人,非于根本上反对立宪政治,使之万万不能发生者。立宪政治者,现代国家存在之必然的条件,进步国民两党根本相同之政见也。吾故曰:"吾国民党人,实公等之友也。"假敌灭友,在道德上非君子之行,在政略上亦非自全之道,窃为公等不取焉。

国家组织之作何状态,实以国中有力分子若何配布以为衡。配布得当,国基安宁。然后据此事实载之宪章,始可垂诸久远。盖国法之为物,充分得以实施者,条文多后于事实。若以理想制宪法若干条,去事实绝相远,其何以见诸施行哉?中国国家组织自元设行中书省以来,分权制度已早萌芽。清政不纲,省权益重,兵马财赋,多不统于中央,辛亥兵兴,势益分裂,倘顺此事实创为联邦,则六年以来,政局纷争,必当稍杀。不幸野心家利用一二书生统一之误解,一般俗见亦不解统一国家与单一国家之为二物。(联邦虽非单一国家,却不害其为统一。章秋桐先生在民立报纸上屡申此义,奈国人不察也。)勉强牵合,日言统一,日益纷争,国基迄不巩固。

无他，国家组织偏于理想而远于事实之为害耳。复次论及国中有力分子应若何配布，则中国国家组织亦宜分而不宜合。北洋系以普鲁士自居，力倡大权政治，军国主义。国民党以革新先觉自命，倾向平民政治，自由主义。此两派人之思想之政见，殆若南北两极之不相及，水火冰炭之不相融。求其调和相安，各得其所于同一国家组织之下，自非昏聩，知其难也。同一北洋系，而冯、段又未必相融；同一民党，而孙、岑素不相得；同一护国军，而滇、粤势不相下。分裂之象，已至于斯。倘不因势利导，使国中有力分子各得其所，则各派健者，同室异心。貌饰调和，而心怀剿灭。剿灭不可能也，两败俱伤已耳。国家组织之偏于理想而远于事实也，其为害必至于斯。对于今之时局，有排难解纷之责者，曷深思之。

社会国家之进步也，其道万端，而始终赖为必要者，乃有大众信仰之人物，为之中枢为之表率。吾国自互市以来，日益贫弱，无一页光荣历史之可言者，正坐此耳。此百年中国内最知名之人物，莫如曾国藩、李鸿章、袁世凯、康有为、孙文五人。孙氏为人，尚未有定评。康则日夜自毁，殆已无可救治。袁世凯所制造之国民罪恶，今后数十年且恐不能洗净。曾、李功业，亦殊卑卑不足道。就吾人耳目所接近，求一共同崇拜足资模仿之人，竟藐不可得，此国人之所以日趋下流也。今之在朝者若黎元洪、段祺瑞，在野者若孙文、岑春煊、梁启超、唐绍仪、章炳麟，皆一时闻人，毁誉尚未大定者。愚甚望其以社会之中枢、国民之表率自任，勿自杀。而社会为自救计，亦勿以细故而杀之，使一国人才完全破产也。社会得一闻人，必培养数十年，毁之至易，成之至难。愿社会珍重之，尤愿其人慎自珍重，勿为袁、康之续，使吾人滋痛。吾思至此，吾心甚悲。

吾人理想中之中华民国，乃欲跻诸欧美文明国家，且欲驾而上之，以去其恶点而取其未及施行之新理想。乃事象所呈，使吾人之失望，出乎情理之外。于是不得不抛弃平昔之理想，以求夫最低限度之希望。此希望为何？曰："削除此自古与国家绝对不能两立之叛将骄兵耳。"自袁氏执政以来，故纵此骄兵叛将，为害遍于国中。段氏继之，亦未能制止。今且明目张胆，万恶不法之张勋、倪嗣冲，竟横戈跃马，逞志京津，自称起义矣。国中贤豪长者，不思讨贼，且以调和之说进。呜呼！中华民国，尚复成何世界。此等凶顽，倘不铲除净尽，则一切理财、治军、兴学、殖产均无从谈起，一切国会、宪法、新政、法理，皆属戏言。不独共和宪政不能施行，即君主制度亦不能成立。唐末藩镇，无其蛮横；明末厂逆，无其凶肆，即唐宗、汉祖复生，不能保皇冠不为其所溺。此时中国能铲除此等凶顽与否，非仅共和能否存在之问题，乃国家能否存在之问题也。因此等凶顽，必不能生存于二十世纪之世界，国人不能自除之，将必由他人铲除之。由他人铲除之，则国不国矣。欲存国家，必去此凶顽。去此凶顽，然后财富可理，政令可行，学可兴，国可保，然后始有共和可言。不然不但共和必无幸，国家之危且如累卵。

(第三卷第四号，一九一七年六月一日)

儒家主张阶级制度之害

吴虞

满清时,京师大学堂监督刘廷琛者,素主"三纲"之说。杨度在咨政院演说忠义之衰,由于孝悌,刘大非之,诋杨为少正卯,宜加两观之诛,大有息邪说正人心,觊觎两庑特豚之意。然吾于其奏疏中"欧美主耶教,重平等;中国主孔孟,重纲常"数言,谓足证东西教义之优劣。盖耶教所主,乃平等自由博爱之义。传布浸久,风俗人心皆受其影响,故能一演而为君民共主,再进而为民主平等自由之真理,竟著之于宪法,而罔敢或渝矣。孔氏主尊卑、贵贱之阶级制度,由天尊地卑,演而为君尊臣卑,父尊子卑,夫尊妇卑,官尊民卑。尊卑既严,贵贱遂别,几无一事不含有阶级之精神意味。故两千年来不能铲除阶级制度,至于有良贱为婚之律,斯可谓至酷已!守孔教之义,故专制之威愈衍愈烈。苟非五洲大通,耶教之义输入,恐再两千余年,吾人尚不克享宪法上平等自由之幸福,可断言也。或曰孔孟之书,未常无公平之理。不知尊卑、贵贱之阶级既严,虽有公平之理,亦断不能行。此考于历史易知。《荀子·宥坐篇》记孔氏诛少正卯之言曰,心达而险,行辟而坚,言伪而辩,记丑而博,顺非而泽,此五者,有一于人,则不得免于君子之诛。而少正卯兼有之,不可不诛也。是以汤诛尹谐,文王诛潘止,周公诛管叔,太公诛华仕,管仲诛付里乙,子产诛邓析、史付,此七子者,皆异世同心,不可不诛也。(尹谐、潘止、付里乙、史付,杨倞注:"事迹皆未闻。")而就管叔、华仕、邓析之事迹推之,则据近世文明法律,固无可诛之道。然七子者皆不获免,此则以尊贵治卑贱,竟无学说异同与政治犯之可言,何公理之得伸耶？又据范家相《家语证伪》云,少正卯一事,即以《论语》证之,可见其非。夫子对季康子患盗曰:"子为政,焉用杀？"岂身甫执政,先杀少正卯以立威哉？据称少正卯闻人之伪,不过褫其鞶带,甚则投之远方,已足蔽辜,初无死法。乃以是为爱书遽杀之两观之下,尸于朝三日。鲁君与季氏其何以堪？即臣庶亦不服也。若其人别有乱政之实,何以不为子贡明言之？然此非但《家语》之失也。北齐刘昼曰:少正卯在鲁,与孔子同时,孔子门人三盈三虚,唯颜渊不去。夫门人非不知孔子之圣也,亦不知少正卯之佞。子贡曰:少正卯,鲁之闻人也,夫子为政,何以先之？夫子曰:"赐也,非尔所及。"云云。其言未知何本,如所言似子之诛少正卯,以其欺世盗名故耳。然总非圣人作用。是少正卯之诛,儒教徒亦不敢竟以为是。盖孔氏之七日而诛少正卯,实以门人三盈三虚之私憾。所以一朝权在手,便把令来行。梁任公亦谓此实孔氏之极大污点矣。自孔氏演此丑剧,于是后世虽无孔氏,而所诛之少正卯遍天下。至明思宗,亦以少正卯斥黄道周,几不免于死。作俑之祸,吁可悲也！今满清已亡,君纲早绝,而刘廷琛不闻远希王蠋,长揖齐夷,斯亦可谓色厉内荏,深愧当日道学家主持纲常名教之门面语矣。盖孔氏之徒,湛心利禄,故不得不主张尊王,使君主神圣威严,不可侵犯,以求亲媚。而当时之人格高洁,如沮溺之流,皆深鄙夷不屑。观微生亩"丘",何为是栖栖者欤？毋乃为佞之言,及孔氏"事君尽礼,人以为谄"之语,则孔氏之谄佞,当时固暴著于社会矣。

夫孔氏对于尊卑贵贱之态度，于《乡党篇》记之特详。其种种面目，变幻不测。虽今日著名之丑角，亦殆难形容维肖，诚可为专制时代官僚派之万世师表者也！然孔氏尊卑贵贱之见，深中于心，则尤不止此。《家语·子路初见篇》曰：孔子侍坐于哀公，赐之桃与黍焉。孔子先食黍而后食桃，左右皆掩口而笑。公曰："黍者，所以雪桃，非为食也。"孔子对曰："丘知之矣。然夫黍者，五谷之长，郊礼宗庙以为上盛。果属有六，而桃为下，祭祀不用，不登郊庙。丘闻之，君子以贱雪贵，不闻以贵雪贱。今以五谷之长雪果之下者，是从上雪下。臣以为妨于教，害于义，故不敢。"公曰："善哉！"（《韩非子·外储说》同）余谓此如《世说新语》载，王敦初尚主，如厕，见漆箱盛干枣，本以塞鼻。王谓厕上亦下果，食遂尽。既还，婢擎金澡盘盛水，琉璃碗盛澡豆，因倒著水中而饮之，谓是干饭，群婢莫不掩口笑之。其纰漏与孔氏正同。夫乡里小人，初入餐馆，不辨刀叉之用，本无足异。而孔氏于桃黍之微，亦必强借贵贱上下之义，以自饰其陋，而公然面谀。哀公亦勉强称善，不欲穷人。王闿运谓以名尊孔氏而师之者，犹哀公之诔丘，哀公殆已知儒可以为戏，而不可用矣。且孔氏生平动以礼自文。故当其问礼于老聃，而老子即以"其人与骨皆已朽"谕之。又于《道德经》深斥"礼为忠信之薄乱之首"。今《礼记》多引吾闻诸老聃之言，大抵皆孔氏所问而得之语，然其失老子之本意则远矣。呜呼！孔孟之道在六经，六经之精华在满清律例，而满清例律则欧美人所称为代表中国尊卑贵贱阶级制度之野蛮者也。好学深思之士，试研究之。自孔氏诛少正卯，著"侮圣言，非圣无法"之厉禁，孟轲继之，辟杨、墨，攻异端，自附于圣人之徒。董仲舒对策，以为诸不在六艺之科、孔子之术者，皆绝其道，勿使并进。韩愈《原道》"人其人，火其书，庐其居"之说昌，于是，儒教专制统一,中国学术扫地。顾炎武谓"韩文公起八代衰,若但作《原道》《谏佛骨表》《平淮西碑》《张中丞传后》诸篇,而一切谀墓之文不作,岂不诚山斗乎?"张尔岐记六祖衣钵传,自达摩藏广东传法寺,衣本西方诸佛传法信器,钵则魏主所赐。嘉靖中,庄渠魏校,督学广东,取衣焚之,钵碎之。旷代法物,一朝沦毁。明李卓吾以卑侮孔孟,专崇释氏,为张问达所劾,逮死狱中。所著《焚书》,两次禁毁。言论出版,皆失自由。则儒教徒之心理与犷悍,可以想见。缪种流传至于今日,某氏收取章太炎《诸子学略说》,烬于一炬,而野蛮荒谬之能事极矣。呜呼!太西有马丁·路德创新教,而数百年来宗教界遂辟一新国土;有培根、狄卡儿创新学说,而数百年学术界遂开一新天地。儒教不革命,儒学不转轮,吾国遂无新思想、新学说,何以造新国民?悠悠万事,唯此为大。已吁!

(第三卷第四号,一九一七年六月四日)

复辟与尊孔

陈独秀

张、康复辟之谋，虽不幸而暂遭挫折，其隐为共和国家之患，视前无减。且复辟之变，何时第二次猝发不可知。天下妄谬无耻之人，群起而打死老虎。昔之称以大帅，目为圣人者，今忽以"张逆""康逆"呼之；昔之奉为盟主，得其数行手迹珍若拱璧者，今乃弃而毁之。何世俗炎凉，不知羞耻，至于斯极也！夫张、康夙昔之为人及其主张，举国所晓。岂至今日，始知其悖逆？张、康诚悖逆矣，愚独怪汝辈夙昔并不反对张、康之主张，而以为悖逆，及其实行所主张而失败，乃以悖逆目之也。汝辈当知自今日之政象及多数之人心观之，张、康所主张并未根本失败，奈何以悖逆目之耶？愚固反对复辟，而恶张、康之为人者也。然自"始终一致主张贯彻"之点论之，人以张、康实行复辟而非之，愚独以此而敬其为人，不若依违于帝政共和自相矛盾者之可鄙。夫事理之是非，正自难言，乃至主张之者之自相矛盾，其必有一非而未能皆是也，断然无疑。譬如祀天者，帝政之典礼也。袁世凯祀天，严复赞同之，及袁世凯称帝，严复亦赞同之。其事虽非，其自家所主张之理论，固一致贯彻，未尝自陷矛盾，予人以隙。若彼于袁世凯之祀天，则为文以称扬之，及袁世凯称帝则举兵以反对之，乃诚见其惑矣！张、康之尊孔，固尝宣告天下,天下未尝非之,而和之者且遍朝野。愚曾观政府文官试题,而卜共和之必将摇动(见本志三卷三号论文《旧思想与国体问题》),今不幸而言中。张、康虽败,而共和之名亦未为能久存,以与复辟论相依为命之尊孔论,依旧盛行于国中也。孔教与共和乃绝对两不相容之物,存其一必废其一。此义愚屡言之,张、康亦知之。故其提倡孔教必掊共和,亦犹愚之信仰共和必排孔教。盖以孔子之道治国家,非立君不足以言治。

孔子之道,以伦理政治忠孝一贯为其大本,其他则枝叶也。故国必尊君,如家之有父。荀、董以后所述尊君之义,世或以为过当,非真孔道。而孟轲所言,不得谓非真孔道也。孔、孟论政,纯以君主贤否卜政治之隆污。故曰:"君仁莫不仁,君义莫不义,君正莫不正,一正君而国定矣。"(《离娄篇》)答滕文公问为国之言曰:"学则三代共之,皆所以明人伦也。人伦明于上,小民亲于下。有王者起,必来取法。"(赵注:"人伦者,人事也。"非是。按人伦即指五伦。孟氏语陈相曰:"使契为司徒,教以人伦:父子有亲,君臣有义,夫妇有别,长幼有序,朋友有信。"《尚书》之所谓五典、五品、五教,皆即此也。)所谓保民,所谓仁政,已非今日民主国所应有,而当时实以为帝王创业之策略。故一则曰:"保民而王,莫之能御也。"(《梁惠王篇》)再则曰:"行仁政而王,莫之能御也。"(《公孙丑篇》)陈仲子,齐之廉士也,而孟氏为以无君臣上下薄之(见《尽心篇》),犹之孔门以废君臣之义洁身乱伦责荷筱丈人(见《论语·微子》章)。此后乎孔子者所述之孔道也。前乎孔子论为治之道,莫备乎《尚书》。《夏书·五子之歌》曰:"皇祖有训,民可近,不可下。"(《传》云:"近谓亲之,下谓失分。")《商书·仲虺之诰》曰:"唯天生民有欲,无主乃乱。"(《传》云:"民无君主,则恣情欲,必致祸乱。")《太甲》曰:

"民非后,罔克胥匡以生。"又曰:"一人元良,万邦以贞。"《咸有一德》曰:"后非民罔使,民非后罔事。"《盘庚》曰:"各长于厥居,勉出乃力,听予一人之作猷。"(按此即韩退之"作粟米麻丝以事其上"之说,所由出也)《说命》曰:"唯天聪明,唯圣时宪,唯臣钦若,唯民从义。"(《传》云:"宪,法也。言圣王法天以立教。"又云:"民以从上为治,不从上命则乱,故从义也。")《周书·泰誓》曰:"亶聪明作元后,元后作民父母。"又曰:"天佑下民,作之君,作之师。"《洪范》曰:"天子作民父母以为天下王。"又曰:"唯辟作福,唯辟作威,唯辟玉食。"(《传》云:"言唯君得专威福,为美食。")凡此抑民尊君之教典,皆孔子以己意删存,所谓"芟夷烦乱,翦截浮辞,举其宏纲,撮其机要,足以垂世立教"者也。孔氏赞《易》,为其大业。班固所谓"孔子晚而好《易》,读之韦编三绝,而为之传,即《十翼》也"是已。说《易》者其义多端,而要其指归,即系辞之开宗明义"天尊地卑,乾坤定矣。卑高以陈,贵贱位矣。动静有常,刚柔断矣"数语。《说卦》云:"乾,健也。坤,顺也。"又云:"乾,天也,故称乎父;坤,地也,故称乎母。"又云:"乾为天、为圜、为君、为父……坤为地、为母……为众。"《序卦》云:"有天地然后有万物,有万物然后有男女,有男女然后有夫妇,有夫妇然后有父子,有父子然后有君臣,有君臣然后有上下,有上下然后礼义有所错。"《家人·象》曰:"家人,女正位乎内,男正位乎外。男女正,天地之大义也。家人有严君焉,父母之谓也。父父子子、兄兄弟弟、夫夫妇妇,而家道正。正家而天下定矣。"《履卦象》曰:"上天下泽履,君子以辩上下,定民志。"凡此皆与系辞之言相证明,皆所谓不易之道,易名三义之一也。(《易纬·乾凿度》云:"易一名而含三义。所谓易也,变易也,不易也……不易者,其位也。天在上,地在下;君南面,臣北面;父坐,子伏;此其不易也。郑康成采此说,作《易赞》《易论》云:"易之为名也,一言而含三义:易简,一也;变易,二也;不易,三也。"又云:"天尊地卑,乾坤定矣。卑高以陈,贵贱位矣。动静有常,刚柔断矣。"此言其张设布列不易者也。)孔氏视上下尊卑贵贱之义,不独民生之彝伦,政治之原则,且推本于天地,盖以为宇宙之大法也矣。《春秋》者,孔教大义微言之所在,孟轲以之比烈于夏禹、周公者也。(《滕文公篇》曰:"昔者,禹抑洪水而天下平,周公兼夷狄驱猛兽而百姓宁,孔子成春秋而乱臣贼子惧。")其开卷即大书特书曰:"王正月。"《公羊传》云:"曷为先言王而后言正月?王正月也。(何注云,以上系于王,知王者受命,布政施教,所制月也。)何言乎王正月?大一统也。"《春秋》大义,莫大于尊王也,可知。《孝经·纬》曰:"孔子云:欲观我褒贬诸侯之志在《春秋》,崇人伦之行在《孝经》。"是知孔子之道,《春秋》《孝经》,相为表里,忠孝一贯,于斯可征。《天子》章曰:"夫孝,始于事亲,中于事君,终于立身。"《士》章曰:"资于事父以事君而敬同。"又曰:"故以孝事君则忠。"《圣治》章曰:"父子之道,天性也,君臣之义也。"《五刑》章曰:"要君者无上,非圣人者无法,非孝者无亲,此大乱之道也。"(此即君亲师并重之义。)《广扬名》章曰:"君子之事亲孝,故忠可移于君。"《论语》者,记孔子言行之书也。《八佾》章曰:"夷狄之有君,不如诸夏之亡也。"《子路》章曰:"如知为君之难也,不几一言而兴邦乎?"《颜渊》章曰:"君子之德风,小人之德草,草上之风必偃。"(孔注曰:"加草以风,无不仆者,犹民之化于上。")《季氏》章曰:"天下有道,则礼乐征伐自天子出。"又曰:"天下有道,则庶人不议。"《微子》章曰:"不仕无义,长幼之节,不可废也,君臣之义,如之何其废之?欲洁其身,而乱大伦。君子之仕也,行其义也。"(韩非及后世暴君之欲加刑戮于隐逸也,皆取此义。)《泰伯》章曰:"民可使由之,不可使知之。"上所征引,皆群经之要义,不得谓为后儒伪托,非真孔教矣。然据此以言治术,非立君将以何者为布政施教之主体乎?

今中国而必立君,舍清帝复辟外,全国中岂有相当资格之人足以为君者乎?故张、康之复辟也,罪其破坏共和也可,罪其扰害国家也亦可,罪其违背孔教国国民之心理则不可,罪其举动无意识自身无一贯之理由则更不可。盖主张尊孔,势必立君;主张立君,势必复辟。理之自然,无足怪者。故曰:张、康复辟,其事虽极悖逆,亦自有其一贯之理由也。

张、康虽败,而所谓"孔教会""尊孔会"尚遍于国中,愚皆以为复辟党也。盖复辟尚不必尊孔,以世界左袒君主政治之学说,非独孔子一人。若尊孔而不主张复辟,则妄人也,是不知孔子之道者也。去君臣之大伦,而谬言尊孔,张、康闻之,必字之曰"逆"。以此等人而骂张、康曰"逆",其何以服张、康之心?

说者或曰,孔子生于二千年前君主之世,所言治术,自本于君政立言,恶得以其不合于后世共和政制而短之耶?曰,是诚然也。愚之非难孔子之动机,非因孔子之道之不适于今世,乃以今之妄人强欲以不适今世之孔道,支配今世之社会国家,将为文明进化之大阻力也。故不能已于一言。

(第三卷第六号,一九一七年八月一日)

近世三大政治思想之变迁

高一涵

政治本由理想产出。理想者为事实所感召,立之以纲维时会之迁流者也。必有新理想导之于先,乃有新政治实现于后。国人局于现象,鉴吾国政治状况,大似欧洲十八世纪之初。凡所论列,多撷拾十八世纪以前之学说,以津津自意。如天赋人权,小己主义,放任主义,早为西人所唾弃者,尚啧啧称道,自诩新奇。殊不知政治进化,非同机械;发达变迁,均为有意识之动作。凡他国由枉道而得之利益,吾可由直道而得之。他国几经试验,由失败而始得成功者,吾为后进之国,自应采取其成功之道,不必再经其失败之途。由此以推,则凡先进国回环顿挫,历数世纪始获得之进步,后进国可寻得捷径,而于一世纪之中追及之。然则述西人政治思想之变迁,以为吾国政治思想变迁之引导,诚为今日之急务焉。兹略举数事如左(下):

一、**国家观念之变迁** 古代人民思想,均以国家为人生之归宿。故希腊罗马及前代之倭人,莫不以国家为人类生活之最高目的。人民权利,皆极端供国家之牺牲。至唱人权,放任,小己,之说者起,乃一变其说,谓国家权力,与人民权利,绝不相容;且有谓政府之存在,徒因人类之有罪恶;罪恶一去,政府斯亡,乃至十八世纪以后，新国家主义日益发明，如费舒特 Fichte、海格尔 Hegel、玛志尼 Mazzini、加奈尔 Carlyle、骆司砡 Ruskin、格林 Green 诸氏，均阐发国家之功能：以为人类一切障碍，惟赖国家之力，可以铲除；一切利益，惟赖国家之力，可以发达。在千八百六十四年，英人之思想，以反对国家者为正教，以信赖国家者为异端；在最近数年前，则以信赖国家者为正教，以无政府主义为异端。考其所以变迁之原因，盖一由国家观念，大异于前，一由国家功效，昭昭在人耳目，故也。唱人权放任小己之说者，以为国家权利，与人民权利，乃两相妨害之物；国权一伸，民权自不得不缩。近世乃知人民之权利自由，由法律所赋予。国家权力强固一分，即人民权利强固一分，确认国家无自身之目的，惟以人类之目的为目的。犹经济学上之富然：富非人生之究竟，乃为求达人生究竟之一途；国家亦非人生之归宿，不过为人类凭借，以求归宿之所在耳。又因列强竞争，日形激烈；人民自由，仅为此小国家主义所限制，劳劳战备，日在惴惴战栗之天，自由范围，终嫌狭隘。于是信赖民族竞争之小国家主义者又一变而神想乎人道和平之世界国家主义。欧战告终，国际间必发生一种类似世界国家之组织，以冲破民族国家主义之范围。此征之于最近西人舆论而可信者也。

　　二、乐利主义之变迁　　古代之政治思想，多自"损下益上""损万姓以奉一人"之原则演绎变化而来。自边沁唱最大幸福之说，政治思潮，倏焉丕变，顾尔时之解乐利主义者，犹重其数量而略其性质。多数之幸福，犹为少数代表所代谋。夫幸福之所以可贵者，在引人民于政治范围以内，俾借群策群力，以谋公共福祉之谓也。设以他人代谋为原则，使多数人民，立于被动地位，颓废其独立自营之本能，所谓幸福，直欺人语耳。盖近世所谓幸福，绝非根据他方之痛苦而来,亦不得以一阶一级之人数为界限。设移此阶此级之幸福,以享他阶他级之人,抑或因谋最大多数之人幸福,而置少数之人幸福于不顾,皆非近世之所谓乐利主义。乐利云云,必以个人为单位。无论牺牲万姓以奉一人者为非,即牺牲一人以奉万姓者亦非。此方所增之幸福,绝不自他方痛苦中夺来,亦非自他方幸福中减出。设在吾国,痛苦一人,以利三万万九千九百九十九万九千九百九十九人,犹是阶级的乐利主义,多数的乐利主义,而非平等的乐利主义,全体的乐利主义也。真利所存,必其两益。绌此伸彼,终必致两败俱伤。近世学说,多由主张小区选举制度,变为主张大区选举制度,由主张多数选举,变为主张比例选举。此制如行,则旧日多数专擅自营其私之弊端,可日益廓清;且可更进而行直接民政,公意全发动于人民之自身矣。

三、民治主义之变迁 在贵族政体初变时代,论平民政治者,犹未脱尽阶级资格之观念,限制选举,多以教育财产为必要之条件。与其谓之为平民政治,毋宁谓优秀人民政治。乃择其优秀者,畀以参政权,非畀以参政权,使养成优秀人民也。迨十九世纪之末,欧美学者所谓平民政治,大抵皆建筑于人民权利及小己私益之上:以为平民政治云者,小己自保其权利,自享其私益之谓。不知权利私益,皆为人生之凭借,而非人生之归宿。近数年来,多唾弃小己主义,主张合群主义;唾弃私益问题,主张公益问题;以为真正平民政治,乃建设于担负社会职任之小己之上。小己私益,即自社会公益中分来。人民入群而后,皆以谋社会公共幸福之目的,谋小己之幸福。而社会利益之进化,不徒恃普通选举制,及议院政府制,乃恃有中介的团体,使小己与一群,得以联络一气。民治政府,实为责任政府。予人民以参政机会,即道人民以负责之方。以选举之事,锻炼政才,故实行平民政治,实足以收教育之功能,选举制度,不惟无教育资格之必要,且足以补教育之缺焉。

吾国政治思想,偏于守旧。自表面观之,所受世界思想变迁之影响,似乎极微。推求实际,近日政治现况,实与世界思想,一致前趋。大凡政治理想发现之初,不为破坏的革命,则为消极的反对。当新思想未能实行之先,必使与我反抗之旧思想,破坏无余,乃有建树新思想之余地。哈蒲浩有言曰:"当自由主义之发端也,恒为破坏的革命的批评。取消极态度者,约数世纪。所立事业,破坏多于建设。削除人类进步之障碍,远多于表明积极之主张。"吾意中国今日之政治思想亦然。袁氏之自私的国家主义,已经打消。段氏之负气的武力政策,亦瞬见失败。此后群众放矢之的,又将转向"骑墙"的自私诡计而发。凡凭国为祟,图谋一部分乐利,及假贤人政治为名,以屏斥人民于政治范而外者,皆与此国家主义、乐利主义、民治主义之新思想,不能并存。不试则已,试则未有不掩旗息鼓,败北而逃者也。

(第四卷第一号,一九一八年一月十五日)

驳康有为《共和平议》

陈独秀

一月前,即闻人言康有为近作《共和平议》,文颇冗长可观,当时以不能即获一读为憾。良以此老前后二十年,两次谋窃政权,皆为所援引之武人所摈斥(戊戌变法,见摈于袁世凯;丁巳复辟,见排于张勋),胸中郁抑不平之气,发为文章,必有可观。又以此老颇读旧书,笃信孔教尊君大义,新著中必奋力发挥君主政治之原理,足供吾人研究政治学说之资,虽论旨不同无伤也。乃近从友人求得第九、十两期合本《不忍》杂志读之,见有《共和平议》及与徐太傅书,一言民主共和之害,一言虚君共和之利(前者属于破坏,后者属于建设。不读后者,不明其主论之全旨,故此篇并及之),不禁大失望。《共和平议》凡三卷二万四千余言,多录其旧作及各报言论,杂举时政之失,悉归罪于共和,词繁而义约,不足观也。与徐书,颇指斥专制君主之非,盛称虚君共和之善。且譬言虚君共和之君主,如土木偶神,如衣顶荣身之官衔。一若国家有此土木偶神,有此衣顶荣身之官衔,立可拨乱而反治,转弱而为强,其言之滑稽如此。《共和平议》卷首题言,用《吕览》之例,有破其说者,酬千圆。吾观吕氏书,其自谓不能易一字,固是夸诞,然修词述事,毕竟有可取处。若康氏之《共和平议》虽攻之使身无完肤,亦一文不值。盖其立论肤浅，多自矛盾，实无被攻之价值也。

康氏原作，文繁不及备录，兹今录其篇目，要义可见矣。

导言

求共和，适得其反而得帝制

求共和，适得其反而得专制

求共和，为慕美国适得其反而为墨西哥

求共和若法今制，适得其反而递演争乱，复行专制如法革命之初

民国求共和设政府为保人民和平、安宁、幸福、权利、生命、财产而适得其反，生命、财产、权利、安宁、皆不能保，并民意不能达。

求共和为自强、自立、自由，一跃为头等国而适得其反，乃得美日协约之保护如高丽，且直设民政如属地，于是求得宣布中国死刑之日

《新闻报》论日美协同宣言曰：

代议员绝非民意

号民国而无分毫民影

民国六年未尝开国民大会。所有约法、参议院、国会行政会议、约法会议、宪法，皆如一人或少数武人专制之意而非四万万民意

中国共和根本之误，在约法为十七省都督代表所定而非四万万之民意

民国政府明行专制，必不开国民大会，故中国宪法永不成而无共和之望

中国即成共和之宪法，亦虚文而不能行

中国武人干政,铁道未通,银行听政府盗支,无能监理,与共和成鸿沟绝流,无通至之理

中国武力专制,永无入共和轨道之望,不能专归罪于袁世凯一人

武人只有为君主之翼戴或自为君主,而与民主相反,不相容

中国若行民主,虽有雄杰亦必酿乱而不能救国

中国必行民主则国必分裂

中国若仍行民主始于大分裂,渐成小分裂,终遂灭亡

日本《每日新闻》论中国政局之支离灭裂,蹈俄国波斯突厥之覆辙

以上卷一

此卷各篇之总义:谓今之中国武人专政,国民无力实行共和,徒慕共和之虚名,必致召乱亡国。愚以为立国今世,能存在与否,全属国民程度问题,原与共和君主无关。倘国民程度不克争存,欲以立君而图存,与欲以共和而救亡,乃为同一之谬误。以吾国民程度而言,能否建设民主共和,固属疑问。即以之建设虚君共和制,或立宪君主制,果足胜任而愉快乎?敢问康氏及读者诸君以为如何?无论民主共和,或虚君共和,或君主立宪,只形式略异。而国为公有,不许一人私有。武人专政,则一也,吾国民果能遮禁武人专政,使国为公有,是岂有不能实行民主共和之理。倘曰未能,虽有君主,将何以立宪乎?更将何以虚君共和乎?纷争日久,国力消亡,外患乘之,覆灭是惧,此象共和君主之衰世皆有之,非独见诸共和时代也。不必远征往史,即前清道、咸之间,庚子之乱,取侮召亡,岂非眼前君主时代之事乎?

以上诸问:康氏倘不能解答,其主论之基础完全不能成立。

以下列举其荒谬之想,矛盾之言,以问康氏,以告国人:

康氏全文发端,即盛称共和之美曰:"夫以专制之害也,一旦拨而去之,以土地人民为一国之公有,一国之政治,以一国之人民公议之。又举其才者贤者行之,岂非至公之理至善之制哉？"又曰:"鄙人昔发明《春秋》太平世无天子之义,《礼运·大同》公天下之制,与夫遥望瑞士美法共和之俗,未尝不慨然神往,想望治平"。后文乃谓:"吾国人民,本无民主共和之念。全国士夫,皆无民主共和之学。"又谓:"若美法诸国,设代议士而号称民意,而选举之时,皆以金钱酒食买之,不过得一金钱一酒食之权云尔,非出于真知灼见是非好恶之公也,何民意之足云。"是不独其言前后自相矛盾,且对于美法共和而亦加以诅咒,况堕地六年之中华民国乎？康氏诅咒中国之共和,非谓其求共和为慕美法适得其反而诅咒之乎？今并美法之共和而亦诅咒之,可见中国共和政治,即比隆美法而适得其反,亦不免康氏之诅咒也。以美法之共和,尚为人所诅咒。堕地六年之中华民国,虽为人所诅咒也,庸何伤？康氏须知善恶治乱,皆比较之词。今世共和政治,虽未臻至善极治,较古之君主时代之黑暗政治,岂不远胜乎？(即吾国之共和,虽尚无价值,而杀人夺货之惨酷,岂不愈于三国唐末五代之事乎？)且今世万事,皆日在进化之途,共和亦然。共和本无一定之限度,自废君以至极治之世,皆得谓之共和,虽其间程度不同,而世界政制,趋向此途,日渐进化,可断言也。因其未至,而指摘之,诅咒之,谓为不宜,必欲反乎君政,将共和永无生长发达之期,不亦悖乎？康氏若效张勋辜鸿铭辈,自根本上绝对排斥共和,斯亦已矣,然明明主张无天子、公天下之义,又盛称共和拨去专制之害矣。复谓今非其时,但强行之,徒以乱国。夫共和果为善制,择善而行,岂有必待来年之理。吾人行善,更不应一遇艰难,即须反而为恶。譬之缠足妇人,初放足时,反觉痛苦不良于行,遂谓天足诚善,今非其时,复缠如旧,将终其生无放足之时矣。又如人露宿寒郊,僵冻欲死,初移温室,不克遽苏,而云仍返寒郊,始能续命乎?其谓共和虽善,此时行之中国而无效,不如仍立君主者,何以异是?

康氏谓:"今中国六年来为民主共和之政,行天下为公之道,岂不高美哉!当辛亥以前未得共和也,望之若天上。及辛亥冬居然得之,以为国家敉宁,人民富盛,教化普及,德礼风行,则可追瑞士,媲美法,可跻于上治,而永为万年有道之长矣,岂非吾人之至望至乐。嗟乎,宁知适传其反耶?"又曰:"求共和为自强自立自由,一跃而为头等国,而适得其反。"夫民国六年操政权者,皆反对共和政治之人,共和名耳,何以责效,即令执政实行共和,国利民福,岂可因之立致。美法瑞士之兴隆,更非六年所可跻及(美法无论矣,即日本之改革,内无阻力,尚辛苦经营数十年,始有今日);共和虽善,无此神奇。康氏讥国人误视共和为万应丸药,其实国人何尝如是,有之惟康氏自身耳,且其指摘六年以来之弊政,不遗余力。既云宁知适得其反,又云为民主共和之政,行天下为公之道,跌宕为文,固以作态,绳之论理,将焉自诠乎?

求共和适得其反,而得帝制,而得专制,诸共和先进国非无其例,何独以此归罪于吾国之共和耶?共和建设之初,所以艰难不易现实,往往复反专制或帝制之理由,乃因社会之惰力,阻碍新法使不易行,非共和本身之罪也。其阻力最强者,莫如守旧之武人(例如中国北洋派军人张勋等)及学者(例如中国保皇党人康有为等),其反动所至,往往视改革以前黑暗尤甚,此亦自然之势也。然此反动时代之黑暗，不久必然消灭，胜利之冠，终加诸改革者之头上，此中外古今一切革新历史经过之惯例，不独共和如斯也。平情论事，倘局视反动时代之黑暗，不于阻碍改革者之武人学者是诛，而归罪于谋改革者之酿乱，则天壤间尚有是非曲直之可言乎？此理此事，不必上征往古，取例远西，即以近事言之，戊戌变法，非吾国文明开发之始基乎？当时见阻于守旧之军人（荣禄、袁世凯等）、学者（张之洞、叶德辉等）。致召庚子之难，一时复旧，残民之政，远甚于变法以前，平情论事，不于当时守旧党荣袁张叶是诛，而归罪于谋变法者康梁与夫死难六贤之酿乱，则天壤间尚有是非曲直之可言乎？康氏诅咒共和，无所不用其极，乃至以破坏共和者洪宪帝督军团之所为，亦归罪于共和，休矣康氏，胡不自反！

吾人创业艰难，即一富厚之家，亦非万苦千辛莫致。况共和大业，欲不任极大痛苦，供极大牺牲而得之者，妄也。其痛苦牺牲之度，以国中反对共和之度为正比例。墨西哥及法国革命之初，所以痛苦牺牲剧烈者，正惟狄亚士拿破仑辈反对共和剧烈之故耳，岂有他哉？中华民国六年之扰乱，亦惟袁氏及其余孽反对共和之故耳，岂有他哉？康氏倘不忍使祖国递演争乱，如墨西哥如法国革命之初，正宜大声疾呼，诏国人以"天下为民公有之义"与夫"《春秋》太平世无天子""礼运大同公天下"诸说，使窃国奸雄，知所敛抑。奈何日夜心怀复辟，且著书立说，诅咒共和，明目张胆，排斥民本主义，将以制造无数狄亚士拿破仑袁世凯以乱中国哉！

康氏既曰："以土地人民为一国之公有，一国之政，以一国之人民公议之，又举其才者贤者行之，岂非至公之理至善之制哉？"又曰："共和为治，非以民为主耶？考美国宪法，最重之权利法典，为保人民身体之自由及财产之安固，各国同之，美各州宪法，尤重此义,皆首举之。有二十六州明定之曰:人民皆享受保护其生命自由与天然权利。又曰:凡自由政府,以人民之权威为基础,政府为谋人民平和安宁幸福及保护财产而设之者,南州路易诗烟拿之宪法,尤深切著明曰:凡政府自人民而起,本人民之意志因人民之幸福而设立,其唯一之目的,在保护人民使享有生命自由财产。此数语乎,真共和国之天经地义矣。"又曰:"夫民意乎,岂非民国之主体乎?"又曰:"欧美之政体,只争国为公有,而不争君主民主。"又曰:"吾三十年前,著大同书,先发明民主共和之义,为中国人最先。"又曰:以数千游学之士,……拾欧美已过之唾余,不中时之陈言,曰自由也,曰共和联邦也,……"又曰:"今民国群众所尚,报纸所哗,则新世界之所谓共和平等自由权利思想诸名词也。……以风俗所尚,孕育所成,则只有为洪水猛兽布满全国而已。"又曰:"鄙人不以民主为然也。"又曰:"吾国人醉于民本主义以为万应丸药,无人知其非者!俄波突厥亦然,甚矣醉药之易于杀人也!"忽称自由权利为天经地义,忽又称为洪水猛兽,不中时之陈言。忽而赞美国为公有,凡政府自人民而起,为人民而设之说,忽又指斥为民本主义争国为公有者乃饮药自杀。忽自称为发明民主共和之先觉,忽又自称不以民主为然。是殆国便骋词,任意取舍,遂不觉言之矛盾也。

康氏所谓中国不宜民主共和,而宜虚君,共和之理由有三:曰武人专政,曰铁道未通,曰银行听政府盗支。按此三者,本国之大患,无论若何国体,若何政制,都不相容,不独限于民主也。民主共和而武人专政,则为狄克推多;虚君共和而武人专政,则为权奸,其义一也。康氏谓:"君主国之制,自上及下,故将校得借君主之威灵而驭下,而后其下懔威而听命焉!民主国之制自下以及上,故将校借士卒之力而后其上畏威而听命焉。无世爵之延,以结其不叛之心；无忠义之名，以鼓其报效之气。故不足以收武人之用，而反以成其跋扈之风也。"夫以盛时而言，康氏见德日军人服从其君主，独不闻法将霞飞，威震邻邦，而俯首听命于国会乎？以衰世而言，汉之莽卓，唐之藩镇，独非君主时代之事乎？即以近事证之，辛亥之役，即不废帝政，袁世凯握八镇之兵行操莽之事挟天子以令诸侯，视六载伪共和，不更暗无天日乎？（即就康氏自身而论，戊戌亡命所受之痛苦，岂不较今为甚？）再以最近事证之，去年复辟之役，康氏所谓："复辟可反攻以讨逆，旧君之义可废，何有于法。"可见帝政复兴，亦无以结其不叛之心，鼓其报效之气也。又康氏与徐东海书云："惟绍帅专心兵事，其政治大计，皆付托左右，遂至其左右隐操大权，刚愎自用而专断。……先是吾代草诏书，用虚君共和之义，定中华帝国之名，立开国民大会而议宪法。即召集国会而速选举，其他除满汉，合新旧，免拜跪，免避讳等诏，皆预草数十，以备施行，及见排不用……"呜乎！大权犹未操，已是何等景象！武人秉政而谓能国为公有，虚君言治邪？嗟嗟康氏，幸不为蔡伯喈耳，见排不用，犹未为大辱也。康氏曰："凡共和之国，必须道路交通而后民情可达。又必道路交通，而后无恃险阻兵，以酿战事。……今吾国创造铁路，南不能至川滇黔粤、北不能通新疆甘肃陕西，故西南得以负险而称兵，政府亦不能陈兵旅拒之。其初敢抗拒政府者，肇于僻远之云南，渐及负险之四川。"夫道路交通，固立国之要政，何独限于共和耶？岂君主国与夫虚君共和国，道路皆不必交通，民情可不必宣达耶？康氏所理想之虚君共和，不识是何等黑暗景象！西南义师，正以道路修阻，得扑袁帝而保共和。康氏所云，为袁帝鸣不平则可，若引此以为中国不宜共和之证，却正与事实相反。康氏曰："凡共和之国，必在财政与国民共之，而政府不能分毫妄支焉，今中国交通两银行,皆为政府所欲为。国民虽有资本,国民虽有贮金,而政府妄支,以养私人,以行暗杀,以战敌党,而国民不能知其数,更不能监理之,坐听其亏空,停止兑现而已。"按袁皇帝盗国币以行暗杀,以战敌党,以致停止兑现,此正政府不行共和之果,非中国不宜共和之因,倒果为因,殊违论法。而康氏或曰:国民何以不能监督政府,听其妄支妄为,不行共和,此非中国不宜共和之因乎?然则国民若不能监督政府之妄支妄为,即君主国又何以立宪,又何以虚君共和,国为公有乎?康氏以此三种理由,谓中国不宜民主共和,而宜虚君共和;毋宁谓中国不宜共和,而宜君主专制;毋宁谓中国不宜共和,而宜酋长专制;更毋宁谓其不能存在于今世!良以今世国家,若武人专政,道路不通,国民无力监督政府之妄支妄为,未有不灭亡者也,岂独不能共和哉?

康氏所指摘民国六年以来之政象,谓为共和所致者,如下:
袁世凯称帝
失去外蒙西藏道里物产无算
各督跋扈狎侮轻玩中央
无国会无宪法
督军团跋扈于前西南割据于后
烟酒盐关教育实业之拒派遣
府院争权
令长吏授意举其私人为议员
增兵至八十师团兵费至二万万两
不经国会公决而组内阁而借外债而宣战
解散国会召集参议而废约法

增外债数万万

围议院迫议员

政府妄支国币以养私人以行暗杀以战敌党

中国银行积款八千万已为洪宪盗而称帝

矫诬民意强迫议员签名布告中外以拥袁帝

总统总理日日盗取银行

政费日增赋敛日重富者远徙民生日蹙

诸将争权人民生命财产损失无算生机断绝

私抽赋税妄刑无辜民不堪命

六年以来无预算决算之表示民不敢过问

新税加征公债强迫

元年京津之变损失逾万万

袁世凯月用八十万金其施之于侦探暗杀五百万金

六年四乱商务大败银行停止兑现纸币低折

袁称帝而川湘粤大受蹂躏

开平之煤招商局之船汉冶萍之铁厂亦可押于外人

袁世凯善用金钱收买习而成风

癸丑江赣粤楚之战死民无数

贤才摧弃若赵秉钧宋教仁以暗杀死谭典虞汤觉顿无辜被戮

对于蔡锷曹锟张敬尧梁士诒等赏罚错乱

非法之假政府逮捕真国会之二百议员

密订军械借款及凤皇山铁矿合办之约

上列政象，有一非反对共和之袁世凯及其爪牙"会议徐州，决行复辟，出名画诺，信誓旦旦，之十四省督军"（用康氏与徐东海书中语)之所为乎？此正不能厉行共和之果，而谓为共和所致，且据此以为中国不宜共和之因，倒果为因，何颠倒一至于此！

康氏谓民国六年，未尝开国民大会，又谓代议员绝非民意。试问康氏所谓国民大会，乃不用代议制乎？夫国民直接参政，诚属共和之极则，然非分裂至极小之国家，或自由都市，此事如何可期。康氏最恶分裂，又反对代议制，不知有何法以通之？倘谓君主国无论大小，国民大会皆可不用代议制，斯真梦呓矣。此时世界立宪国家，无论君主民主，皆采用代议制者，良非得已。代议员之意，固与国民总意（国民总意，亦只多数而非全体）有间，然不愈于君主一人或权贵少数人之意乎？康氏非难共和，并非难代议制，则世界民主共和君主立宪皆无价值，奈何独指此以为中国不宜共和之征乎？代议制虽非至善之法，然居今日遽舍此而言立宪，直借口欺人耳，盖国民直接参政之时期尚远，必待此而始可共和，始可立宪。吾不知康氏所主张之虚君共和制，将以何法使吾"四万万人，人人自发其意"乎？"若中国土地之大，人民之多，万事之赜，若事事待于合议，则意见各殊，运动不灵，大失事机。故瑞士议长之制，国民公决之法，共和至公至平之制也。但中国之大，则难行也"。此非康氏之言乎？夫自知其难行，而执以非难今日之共和，岂非借口欺人乎？

康氏又谓："中国若行民主，虽有雄杰亦必酿乱，而不能救国。"并引墨西哥之狄亚士为证。康氏不知共和国行政首长不贵有雄杰也。狄亚士之乱墨西哥，正因其自雄杰不循共和轨道之故。康氏游墨诗有云："专制犹存乱岂平。"可谓知言矣。康氏称狄亚士，而惜其"若在中土，虽唐太宗宋太祖明太祖何以加焉，不幸生于墨西哥民主之国，而以专制治。夫以墨积乱三百年，非专制不能为治。

然既为民主国而专制即大悖乎共和之法,而大失乎人心矣"。康氏《参政院提议立国之精神议书后》中,亦有相类之论调曰:"今墨乱已三百年,而今乱日臻。南美共和廿国,殆皆类是。盖未可行共和而宜专制者,若误行之,祸害必大。"康氏论墨西哥事,既以非"专制不能光治"为前提,又惜狄亚士以共和专制而败,然则舍君主专制,墨固无治法矣。康氏数以墨乱戒中国,且云:"中国之广土众民,远过于墨。鉴于去年府院争权,尤非专制不能定乱。"夫既曰:"非专制不能为治","宜专制","尤非专制不能定乱",其心其志盖已昭然。何国为公有云乎哉!何虚君共和云乎哉!呜呼康氏!一面主张国为公有,讥民国政府"为专制君主之私有其国",讥"国人不通政学,不知欧美政体之徒争国为公有,而不争民主君主之虚名",而一面又主张专制。呜呼康氏!果何以自解?吾知康氏所精通之政学,一言以蔽之曰:借口欺人而已。

民国两年已失蒙藏辽地二万里

民国之内乱如麻川粤惨剧将演于各省而国民日危

近者长沙内变惠潮兵争而宁波又独立浙江又风起云涌矣凡此皆由南北争权利为之而实共和为之也湘粤浙之同胞乎憾共和可也

曹王陈李四督最后忠告之通电

民国之兵只可自乱

民国之兵费必亡国

民国数年之外债过于清室百年再增一倍半即可如埃及之亡国

民国苛敛数倍清室加之丧乱频仍致民生凋敝四海困穷

民国之官方只同盗妓

民国之贤才必隐沦摧弃

民国高谈法治而法律赏罚皆颠倒奇谬甚于野蛮无法

民国之物质扫地同于野蛮

民国之媚外类于尼固黑奴

民国之学术只导昧亡

民国之教化崇尚无良无耻无恒沦于禽兽

民主政府内争者必一切不顾甘卖国而竞当前之权利而吾国民听其鬻若南洋之猪仔

凡共和政府必甘心卖国若近者军器同盟及凤皇山铁矿其一端李烈钧致南京李督军武昌王督军南昌陈督军电

民国之政俗坏乱人莫不厌之愤之忧之怒之

吾旧论中国行民主必不能出美洲墨国印度乱惨分立之轨道不幸而言中

以上卷二

　　是卷各篇之总义：乃举所有中国丧权辱国兵争民困一切政治之不良，悉归罪于共和民主。夫共和果为如是不祥之怪物耶？君主政治之下，此等不良之政象，果无一能发生者耶？康氏所举事实，虽不尽诬，使民国字样，悉易以中国，则予固无词以驳之。若其归罪于共和，则共和不受也。若其归罪于伪共和则可，而真共和不受也。真共和而可不经国会许可，与外国订丧失蒙藏之条约耶？真共和而有"以十五条易帝制"，听外人设警察之事耶？真共和而有谋复帝制，废弃国会，非法内阁，致演川湘浙粤之兵争耶？真共和而可以国币贿买海陆军，以制造内乱耶？真共和而可不经国会之认可，大借外债，以增军队杀敌党行专制耶？真共和而可任意苛敛浪费，无须国会之预算决算耶？真共和而文官可以妻妾营差，武官则不识字之督军（此等督军，只可与言复辟尊孔）遍国中耶？真共和而贤才隐沦且遭暗杀耶？真共和而有法律无效之事耶？真共和而有空言礼教不尊重科学，力图物质文明者耶？真共和而容有因内争卖国之政府耶？真共和而可不经国会之认可，而订军器同盟私卖矿山之约耶？凡此康氏所痛恨者，吾人亦痛恨之。正惟痛恨之，乃希望实行真共和始有以救之。若君主专制，则无济也。盖君主专制之国无法律（专制国之法律，君主得以个人私意兴废之），无民权，无公道，政无由宁，乱无由止，康氏谓中国非专制不能定乱，康氏独不思六朝五代晋室八王及欧洲中世之黑暗，皆帝王专制而非共和耶？

　　康氏或曰：专制定乱，纵不可必。然非至大同之世，真共和又岂可期。伪共和实为召乱之媒，故不若虚君共和，既去帝王专制之弊，又无以兵争政之忧，不亦善乎？按此亦似辩而实非也。夫自政治原理言之，虚君共和与民主共和，本非异物，施行此制时所需于国民之德之力，均不甚相远，所不同者，惟元首世袭与选举之别耳。康氏论选举制之弊曰："行总统制，则必由专制而复于帝制，人民不服，必复乱。行责任内阁制，则府院不和，必各拥各省督军以内乱。"又曰："美总统之制，仅统内阁之群吏，于各州自治无预也。中国之总统，则统各省之行政。其事权之大，百倍于美总统矣。然中南美之总统也，必以兵争。"又曰："法责任内阁之制，乃鉴于革命八十三年之乱，不敢复行旧总统制也。见英行虚君共和制之安乐也，乃仿行之，以总统为虚君也，岂知英之虚君，世袭而非选举，论门第而不论才能，故不与总理争权，故能行之而安也。"夫总统制与内阁制，各有利弊，本政治学者所苦心讨论之问题，然未闻有以虚君制能解决此难题者。盖虚君制虽不发生总统选举问题，而内阁制之弊依然存在也。内阁而亦世袭耶？则必无此事理。内阁而由君主任命耶？则专制而非虚君矣。内阁而由国会推举耶？则今之英制与法无异。虚君制之内阁，即不与虚君争权，保无以兵争总理之事乎？且保无欺虚君之无权，效操莽之篡窃乎？依人为而言政制，盖无一而可者。若云预防流弊，则采用康氏所深恶痛恨之联邦制，更益以责任内阁，岂不足以防总统之专制乎？兵争总统之事，不当稍杀乎？倘云诸制悉非至善，则舍从康氏"非专制不能定乱"之本怀，固无他法矣。

> 中南美廿民国除智利阿廷根外皆大乱
> 俄改民主共和必内乱且分裂苟不改渐或致亡
> 民主政体可行于小国不可行于大国
> 民主能行于大国只有一美然美有特因
> 天下古今民主国无强者
> 罗马与英皆由民主改君主而后盛强
> 吾三十年前著大同书先发明民主共和之义为中国人最先
> 美国共和之盛而与中国七相反无能取法误慕师之故致乱
> 法国取法美国尚致乱何况中国相反之极
> 中南美洲廿共和国全师美国尚致乱何况中国去美之远
> 法共和制不良中国不可行
> 葡制与中国不同不能行
> 瑞士制为小国联邦与中国相反尤不能行
> 吾有自创之共和制立虑不能行
> 中国古今无民主国民不识共和而妄行故败

以上卷三

此卷各篇之总义：乃谓民主共和政体，不能造成强大国家，遂不能应国际之竞争。是以行之欧美，尚利不胜害，况无共和学识与经验之中国乎？

余第一欲问康氏者，今世强大国家果皆君主乎？君主国果皆强大乎？民主国果无一强大者乎？康氏倘未能用统计形式,确定此大前提,则所谓"民主共和不能造成强大国家",与此反证"非君主不能造成强大国家"之说,故当然不能成立。康氏亦尝称美国共和之盛矣,即法兰西可谓非今世强大国家乎？康氏不尝称雅典罗马共和时代之武功乎？中南美虽曾经专制者之扰害,然今日果皆大乱如康氏所云乎？近世衰乱而亡之国,若波兰若印度,若缅甸,若安南,若朝鲜,有一非君主国乎？有一可归罪于共和者乎？且何以近世国家行民主共和而灭亡者,反未之闻也？

第二欲问康氏者,即云共和不能造成强大国家。而近世国际竞争场里,除东洋式昏乱之君主专制国外,果非强大国家无一存在者乎？弱小而文明国若荷比瑞士人民之幸福,果不及强大而野蛮之俄罗斯人乎？此次欧战之结果,除国民消极的自卫外,积极的侵略的强大国家之观念,保无破坏乎？今日之中国,当以宁政苏民,徐图发展为要务（专制政体之下,政无由宁,民无由苏,民力国势,莫由发展）,果有造成强大国家之必要与可能乎？

第三欲问康氏者,欧美之行共和,果皆利不胜害,不若君主国一一强盛乎？美法无论矣,瑞士之安乐如何？二十世纪俄罗斯之共和,前途远大,其影响于人类之幸福与文明,将在十八世纪法兰西革命之上,未可以目前政象薄之。（此义非短篇所能罄,当专论之。）若论中南美诸共和国,智利阿根廷固康氏所称许。他若巴西秘鲁诸邦之富盛,不远愈于康氏所梦想之大清帝国乎？康氏蔑视南美之谬见,章秋桐君在《甲寅杂志》中已力证其妄,康氏岂未见之耶？一八二五年,美国建革命纪念碑于 Bunker Hill 时,大雄辩家

Daniel Webster。著名之演说中有云：

When the Battle of Bunker Hill was Fought, the Existence of South America was scarcely fit in the civilized world. The Thirteen little colonies of north America habitually called themselves "Continent" Borne down by Colonial subjugation. Monopoly, and bigotry, these vast Regions of the south were hardly Visible above the horizon. But in Our day there has been, as it were, a new creation. The southen hemispherr emerges from the sea. Its lofty mountains begin to lift themselves into the light of heaven; its broad and fertile plains stretch out, in beauty, to the eye of civilized man, and at the mighty bidding of the voice of political liberty the waters of darkness retire.

Webster氏谓："此南方广土，蹂躏于殖民者屈服垄断顽固之下，不见天日，今始得有一新生命，南半球乃由海底而起。"康氏乃谓为岁岁争乱，视若地狱。又曰："共和国者，共乱国也。"（康氏谓共和国武人争政为共乱国，吾谓君主国武人专政为军主国，军主国有不终归大乱，不可救治者乎？）呜呼康氏，诅咒共和，至于斯极。倘有好事者译以告欧美人，当大怪笑至陋极臭之豚尾奴，何以狂妄糊涂如此！

第四欲问康氏者，共和若必由有经验而成，则终古无经验，将终古无成理矣。且最初之经验，又何所托始乎？若不信古无而今有，则古无康有为，何今无经验而竟有之？康有为又未尝为《不忍》杂志，何今竟有之？《不忍》杂志前无《共和平议》一文，何今竟有之？康氏须知自盘古开辟，以至康有为撰《不忍》杂志，其间人事万端,无一非古无而今有也,何独于共和而疑之乎?康氏尝述春秋太平世无天子之义,《礼运·大同》公天下之制,又谓《易赞》群龙无首为政治之极轨,又称周召共和,又自称先发民主共和之义为中国人最先,又曰:"共和民主国,岂待外求于欧美哉?吾粤之乡治,久实行之。吾中国地大而治疏,上虽有君主之专制,而乡民实行自由共和。"又曰:"九江乡绅多,无尤强大者,故无争,能守法,此与雅典略同,真吾国共和之模范也,何必欧美?其不能穷极其治乐者,则以统于大国之下,无外交,无国史,故不焜耀耳。"今奈何忽一笔抹杀,谓"吾国人民,本无民主共和之念;全国士夫,皆无民主共和之学"。又谓:"中国古今无民主,国民不识共和。"又谓:"共和为中国数千年未尝试验之物。"嗟嗟康氏!任意骋词,大有六经皆我注脚之概,奈自相矛盾何。

帝制初改共和,照例必经过纷乱时代,此本不足为异。康氏纯以目前现象乱不乱为前提,遂不惜牺牲六年四战以鲜血购来之共和,欲戴清帝,以求定乱。然又云:"今上海租界,已是小共和国,于中国共乱亦能不乱,然执政者谁哉,吾滋愧言之。"夫康氏政见,但求不乱耳,何必问执政者为何族,又何必言之滋愧。

卢骚所谓"民主之制宜于二万人国"之说,乃指人民直接参政而言。若用代议制,更益以联邦制,"民主政体又行于小国不可行于大国"之说,已完全不能成立。何以证之,请观美法康氏所谓大国不能共和之理曰:"小国寡民,易于改良。其最要则不治兵,故无武人,故无武人之干政,即无改君主之事变。"又曰:"若国土既大,则靖内对外,不能不待兵力。既用兵,则最强武者遂为国之君主矣。诸强者并立,则必以兵争政矣。"又曰:"大国必待兵,待兵则不能禁武人干政,故不能行民主共和也。"夫武人干政,甚至以兵争政，固非共和之道。然以国为公有之虚君共和国家，即不妨武人干政，以兵争政乎？若曰未可，则大国不但不能行民主共和，亦并不能行虚君共和也。民主虚君，既均不能行，则治大国舍从康氏非专制不能定乱之本怀，固无他法矣。康氏须知今世国家，无论大小，皆有相当之兵力。倘民权未伸，舆论无力，豪强皆可盗以乱政，此固无择于国之大小君主共和也。若执此以为民主可行于小国不可行于大国之理由，康氏所谓为兵争政乱之南美诸邦，有一大国乎。亦自相矛盾而已。

康氏谓民主能行于大国，只有一挟有天然海界之美以其四无强邻也。不知近代世界交通便利，宛若比邻；欧人足迹，无所不至；远洋荒岛，皆有主人；民主政治，若不能行之美国而致衰乱，天然海界，乌足以庇之。法兰西属地人口之众，不可谓非大国，岂亦有天然海界，四无强邻耶？

国家制度，犹之私人行为，舍短用长，断无取法一国之事，更无必须地理历史一一相同，然后可以取法之理。乃康氏举中国不同于美者七事，谓为无能取法；谓中国若欲师美，"请先掘西藏，印度，波斯，安南，中亚细亚，为一大太平洋。迁西伯利部之俄罗斯于欧洲，而听其为殖民地。移日本于南美洲，以为大东洋。则四无强邻，高枕而卧，可以学美矣。（一）又必烧中国数千年之历史书传，俾无四千年之风俗以为阻碍。又尽迁四万万人于世界之外，但留三百万之遗种（倘留三百万能一人，不知零师美国否？），以耕食此广土而复归于朴僿。（二）又令于明清两朝时，先改为十三国殖民地（十二国不知可行否？），设十三议院，及十三总统。然后今乃费尽诸志士才人之心肝口舌，以八年奔走之力说合之。（三）又令英、俄、德、法、日本尽废其铁路，轮船，铁船，飞船，无线电种种奇技异器。(四)国内又尽去百万之兵,只留警察。若能是,则学英之总统制可也,为联邦制亦可也。(五)然尚须上议院监限其总统之权"。夫必地理历史——酷肖如此,然后可以取法它国政制,则世界各国,皆应自为风气,未可相师矣,有是理耶?康氏固以英之虚君制教国人者,试问英之地理历史,有一与吾华相同者乎?康氏其有以语我。虚君共和外,康氏复有自创之共和制,自谓:"上禀孔子群龙无首之言,外采希腊罗马德瑞美法之制,内采唐虞四岳,周召共和之法,合一炉而治之,调众味而和之,其或可行乎。"其制维何?即于国会外,立元老院为最高机关,各省还公举元老一人,额数二十八,输选七人为常驻办事员,分掌外交、兵事、法律、平政、国教五事,公举议长副议长各一,其议长之制如瑞士。

　　接康氏此制,所谓之老院职掌之五事,皆不越行政范围,与立法事无关涉。所不同于总统府者,惟人数加多,不由国会选举耳。而康氏不曰改总统府为元老院,乃曰于国会外立元老院,诚令人索解不得也。人数加多,且分掌大政,适与内阁各部为骈枝,则院院之争,不将较府院尤烈乎?元老不由国会选举,而由各省区分举。夫公举法固不识如何,在康氏理想,被选举者必为该省区之贤豪无疑。所不解者,此等贤豪,何以不能屈尊于国会或内阁,必别立元老院始许为国宣劳也?近世政制之患,首在立法行政之隔阂耳。康氏此制,匪独不能沟通此二者,且以促进行政纷争之程度,瑞士之制,果如是乎?康氏赞成君主,则主张君主制可也,不必诡曰虚君共和。康氏赞成民主,则主张民主共和可也,不必别立此非驴非马之元老院。盖康氏所谓之元老院制,既非图行政立法之沟通,又不足以言行政部选举制,只为行政部增一促进纷争之赘疣耳。犹不若废去国会内阁,直效希腊贤人会议,罗马元老院及三头政治之为痛快也。吾知康氏之主张虚君共和,意在虚君而不在共和。其自创之共和制,意在元老院而不在共和。康氏脑中,去君主贵族,无以言治,殆犹犬马之舌,习于粪刍,舍此无以为甘美也。

康氏理论之最奇者,莫如"凡共和政府,必甘心卖国"。呜呼,是何言也!谓全世界凡共和政府皆如是耶?不知康氏将何以证实此前提之不误?谓以袁段政府,代表全世界凡共和政府耶?则亦必无此理。

康氏全文之结语曰:"要之一言:民国与中国不并立,民国成则中国败矣,民国存则中国亡矣。"康氏倘易其词曰:"民国与大清帝国或中华帝国不并立,民国成则帝国败,民国存则帝国亡。"则谁得而非之?或云:"民国即亡,而中国犹可存。"此亦不得而非之。以政制虽变更,而国犹存在也。若今后共和不亡,民国俨然存在,不知更指何物为中国,而谓之败谓之亡也?岂非大清帝国或中华帝国,即不可谓为中国乎?康氏其有以语我。

吾文之终。有应忠告康氏之言曰:

一、凡立论必不可自失其立脚点。康氏倘直主张其君主制,理各有当,尚未为大失。今不于根本上反对共和,而于现行制度及目前政象,刻意吹求,是枝叶之见也,是自失其立脚点也。

二、凡立论必不可自相矛盾。他人攻之,犹可曰是非未定也。自相矛盾,是自攻也,论何由立?

今之青年,论事析理,每喜精密,非若往时学究可欺以笼统之词也。康氏倘欲与吾人尚论古今,慎勿老气横秋,漠视余之忠告。

(第四卷第三号,一九一八年三月十五日)

今日中国之政治问题

陈独秀

　　本志同人及读者，往往不以我谈政治为然。有人说，我辈青年，重在修养学识，从根本上改造社会，何必谈什么政治呢？有人说，本志曾宣言志在辅导青年，不议时政，现在何必谈什么政治惹出事来呢？呀呀！这些话却都说错了。我以为谈政治的人当分为三种：一种是做官的，政治是他的职业，他所谈的多半是政治中琐碎行政问题，与我辈青年所谈的政治不同。一种是官场以外他种职业的人，凡是有参政权的国民，一切政治问题、行政问题，都应该谈谈。一种是修学时代之青年，行政问题本可以不去理会，至于政治问题，往往关于国家民族根本的存亡，怎应该装聋推哑呢？

　　我现在所谈的政治，不是普通政治问题，更不是行政问题，乃是关系国家民族根本存亡的政治根本问题。此种根本问题，国人倘无彻底的觉悟，急谋改革，则其他政治问题，必致永远纷扰，国亡种灭而后已！国人其速醒！

　　第一，当排斥武力政治。以理论言，单独武力，决不能建设现代的国家。以事实言，袁世凯、张勋相继以武力政策都归失败，不但其自己失败，国家也因之到了破产地位，倘有继之者，其效果也可想而知。目下政治上一切不良的现象，追本求源，都是"武人不守法律"为恶因中之根本恶因。无论何人,一旦有枪在手,便焚杀淫掠,无所不为,国法人言,无所顾忌,尚复成何世界!此种武力政治倘不废除,不但共和是个虚名,就是复辟立君,也没有办法;不但宪政不能实行,就是专制皇帝,也没有脸面坐在金銮殿上发号施令。所以我们中国要想政象清宁,当首先排斥武力政治。无论北洋派也好,西南派也好,都要劝他们把这有用的武力,用着对外,不许用着对内;必定这一层办得到,然后才配开口说到什么政治问题。否则将是无论北洋武人执政也好,西南武人执政也好,终久是个"秀才遇见兵,有理说不清",有什么政(治)法律之谈呢?(日本楠濑中将说道:"中国目前最要者,与其谓为南北妥协,宁在改革督军政治;若不改革,即聘百顾问,亦终难改善国政。"这话可算说得切中要害。)

第二,当抛弃以一党势力统一国家的思想。现在世界各国中,像德意志虽说是以普鲁士为中心势力统一联邦,像日本虽说是以萨长军阀为中心势力统一三岛,但是德意志各联邦,也不是事事仰普鲁士的鼻息;德、日各政党盘踞之国会,都有绝大的威权,也非普鲁士及萨长军人可以任意指挥,随便破坏的;况且近年以来,普鲁士及萨长军阀的威权,也都有日渐收缩之势了。试问我们中国哪一党人哪一派人,配说有普鲁士或萨长军阀的勋劳和实力呢?袁世凯以数十年的辛苦经营,尚且不能以一派势力统一国家,其余各党各派的内容,都是四分五裂,本身尚不能统一,如何当作统一全国的中心势力呢?这种迷梦倘不打破,各派人都想拿自己之势力来统一中国,而各派都统一不成;即使一时成功,也断断不能持久;互想统一,互夺政权,争夺不休,必致外国人来统一而后已。所以我始终主张北洋、国民、进步三党平分政权的办法,又赞成一党组织内阁的梦想。我们中国人无论何党何派,自己甘心在野,容让敌党执政的雅量,实在缺乏得很。老实说一句:一碗饭要大家吃,若想一人独吃,势必大家争夺,将饭碗打破,一个人也吃不成!

第三,当决定守旧或革新的国是。无论政治学术道德文章,西洋的法子和中国的法子,绝对是两样,断断不可调和牵就的。这两样孰好孰歹,是另外一个问题,现在不必议论。但或是仍旧用中国的老法子,或是改用西洋的新法子,这个国是,不可不首先决定。若是决计守旧,一切都应该采用中国的老法子,不必白费金钱派什么留学生,办什么学校,来研究西洋学问。若是决计革新,一切都应该采用西洋的新法子,不必拿什么国粹,什么国情的鬼话来捣乱。譬如既然想改用立宪共和制度,就应该尊重民权,法治,平等的精神;什么大权政治,什么天神,什么圣王,都应该抛弃。若觉得神权、君权为无上治术,那共和立宪,便不值一文。又如相信世间万事有神灵主宰,那西洋科学,便根本破坏,一无足取。若相信科学是发明真理的指南针,像那和科学相反的鬼神、灵魂、炼丹、符咒、算命、卜卦、扶乩、风水、阴阳五行,都是一派妖言胡说,万万不足相信的。因为新旧两种法子,好像水火冰炭,断然不能相容,要想两样并行,必致弄得非牛非马,一样不成。中国目下一方面既采用立宪共和政体,一方面又采唱尊君的孔教,梦想大权政治,反对民权;一方面设立科学的教育,一方面又提倡非科学的祀天、信鬼、修仙、扶乩的邪说;一方面提倡西洋实验的医学,一方面又相信三焦、丹田、静坐、运气的卫生;我国民的神经颠倒错乱,怎样到了这等地步!我敢说:守旧或革新的国是,倘不早早决定,政治上、社会上的矛盾,紊乱,退化,终久不可挽回!国家现象,往往随学说为转移,我们中国,已经被历代悖谬的学说败坏得不成样子了。目下政治上、社会上种种暗云密布,也都有几种悖谬学说在那里作祟。漫说一班老腐败了,就是头脑不清的青年,也往往为悖谬学说所惑;我所以放胆一言,以促我青年之猛醒!

(第五卷第一号,一九一八年七月十五日)

关于欧战的演说（三篇）

庶民的胜利

李大钊

我们这几天庆祝战胜，实在是热闹得很。可是战胜的，究竟是哪一个？我们庆祝，究竟是为哪个庆祝？我老老实实讲一句话，这回战胜的，不是联合国的武力，是世界人类的新精神。不是哪一国的军阀或资本家的政府，是全世界的庶民。我们庆祝不是为哪一国或哪一国的一部分人庆祝，是为全世界的庶民庆祝。不是为打败德国人庆祝，是为打败世界的军国主义庆祝。

这回大战有两个结果，一个是政治的，一个是社会的。

政治的结果是"大……主义"失败，民主主义战胜。我们记得这回战争的起因，全在"大……主义"的冲突。当时我们所听见的，有什么"大日耳曼主义"咧，"大斯拉夫主义"咧，"大塞尔维主义"咧，"大……主义"咧。我们东方也有"大亚细亚主义""大日本主义"等等名词出现。我们中国也有"大北方主义""大西南主义"等等名词出现。"大北方主义""大西南主义"的范围以内，又都有"大……主义"等等名词出现。这样推演下去，人之欲大，谁不如我？于是两大的中间有了冲突，于是一大与众小的中间有了冲突，所以境内境外战争迭起，连年不休。

"大……主义"就是专制的隐语，就是仗着自己的强力蹂躏他人欺压他人的主义。有了这种主义，人类社会就不安宁了。大家为抵抗这种强暴势力的横行，乃靠着互助的精神，提倡一种平等自由的道理。这等道理，表现在政治上，叫做民主主义，恰恰与"大……主义"相反。欧洲的战争，是"大……主义"与民主主义的战争。我们国内的战争，也是"大……主义"与民主主义的战争。结果都是民主主义战胜，"大……主义"失败。民主主义战胜，就是庶民的胜利。社会的结果，是资本主义失败，劳工主义战胜。原来这回战争的真因，乃在资本主义的发展。国家的界限以内不能涵容它的生产力，所以资本家的政府想靠着大战把国家界限打破，拿自己的国家作中心，建一世界的大帝国，成一个经济组织，为自己国内资本家一阶级谋利益。俄、德等国的劳工社会，首先看破他们的野心，不惜在大战的时候起了社会革命，防遏这资本家政府的战争。联合国的劳工社会也都要求平和，渐有和他们的异国的同胞取同一行动的趋势。这亘古未有的大战，就是这样告终。这新纪元的世界改造，就是这样开始。资本主义就是这样失败，劳工主义就是这样战胜。世间资本家占最少数，从事劳工的人占最多数。因为资本家的资产，不是靠着家族制度的继袭，就是靠着资本主义经济组织的垄断才能据有。这劳工的能力是人人都有的，劳工的事情是人人都可以做的，所以劳工主义的战胜，也是庶民的胜利。

民主主义、劳工主义既然占了胜利，今后世界的人人都成了庶民，也就都成了工人。我们对于这等世界的新潮流，应该有几个觉悟。第一，须知一个新命的诞生，必经一番苦痛，必冒许多危险。有了母亲诞孕的劳苦痛楚，才能有儿子的生命。这新纪元的创造也是一样的艰难。这等艰难是进化途中所必须经过的,不要恐怕,不要逃避的。第二,须知这种潮流是只能迎,不可拒的。我们应该准备怎么能适应这个潮流,不可抵抗这个潮流。人类的历史是共同心理表现的记录。一个人心的变动,是全世界人心变动的征兆。一个事件的发生,是世界风云发生的先兆。一七八九年的法国革命,是十九世纪中各国革命的先声。一九一七年的俄国革命,是二十世纪中世界革命的先声。第三,须知此次平和会议中,断不许持"大……主义"的阴谋政治家在那里发言,断不许有带"大……主义"臭味,或伏"大……主义"根蒂的条件成立。即或有之,那种人的提议和那种条件断归无效。这场会议恐怕必须有主张公道破除国界的人士占列席的多数,才开得成。第四,须知今后的世界变成劳工的世界。我们应该用此潮流为使一切人人变成工人的机会,不该用此潮流为使一切人人变成强盗的机会。凡是不做工吃干饭的人,都是强盗。强盗和强盗夺不正的资产,也是一种的强盗,没有什么差异。我们中国人贪惰性成,不是强盗便是乞丐,总是希图自己不做工,抢人家的饭吃,讨人家的饭吃。到了世界成一大工厂,有工大家做、有饭大家吃的时候,如何能有我们这样贪惰的民族立足之地呢?照此说来,我们要想在世界上当一个庶民,应该在世界上当一个工人。诸位呀!去做工啊!

(第五卷第五号,一九一八年十月十五日)

劳工神圣
蔡元培

诸君！此次世界大战争，协商国竟得最后胜利，可以消灭种种黑暗的主义，发展种种光明的主义，可见此次战争的价值了。但是我们四万万同胞直接加入的，除了在法国的十五万华工，还有什么人！

这不算怪事，此后的世界，全是劳工的世界呵！

我说的劳工，不但是金工木工等等，凡用自己的劳力做成有益他人的事业，不管他用的是体力，是脑力，都是劳工。所以农是种植的工，商是转运的工，学校职员、著述家、发明家是教育的工，我们都是劳工，我们要自己认识劳工的价值。劳工神圣！

我们不要羡慕那凭借遗产的纨绔儿！不要羡慕那卖国营私的官吏！不要羡慕那克扣军饷的军官！不要羡慕那操纵票价的商人！不要羡慕那领干修的顾问谘议！不要羡慕那出售选举票的议员！他们虽然奢侈点，但是良心上不及我们的平安多了。我们要认清我们的价值。劳工神圣！

（第五卷第五号，一九一八年十月十五日）

欧战以后的政治

陶履恭

现在欧战已经停了，交战各国现在正忙着办停战善后的事情和媾和的大问题，这总要一两年的工夫才可以完的。但是我们应该想一想，这次空前绝后的大战争，所争的重要之点是什么？并且这次大战争给我们有什么教训？单说教训，就有许多种，不能述说完全。我现在只说那政治上的教训。

政治上有四种观念，被这次大战争打得粉碎，教训我们，这四种观念再也用不得了。倘使一个国家不听这个教训，在国内要扰乱宇内的治安，在国外要酿起世界的纷争。那所打破的四种观念是什么呢？

一、秘密的外交。向来的战争，都是由秘密外交惹起来的。因为外交全是几个少数执政者所把持的，而一般国民一点也不晓得里面的真相，全听政府的指挥。这次的战争，德国人民先前深信自己理直，因为他们不知道他们政府的外交真相的缘故。这次俄国革命，宣布出许多外交上的秘密文件，才知道当时俄国所以也掉在战争的旋涡里面，也因为政府严守外交上的秘密独断独行的缘故。所以秘密外交，在国内一方面是欺骗人民，在国外一方面是欺瞒友邦，都是扰乱的根源。

二、背弃法律。国家的成立、国际的平和，都是用法律作基础的。德前皇不守条约，就是破坏国际的法律，所以才有这次的大战争。协约诸国因为要保护法律才战争的。那执政的不守法律，不单是酿起国际上的轇轕，还惹起国民的反感。所以德皇不但是世界各国不能再认他为政治上的领袖，就是他本国的人民也不承认他再可以代表全国操握政权了。

三、军人干政。一国里头，总是民政占主要的位置，军政是附属在民政底下的。德国是军人干涉政治、操纵政策，所以闹出这样大风波。军人干政的国家，是扰乱世界的根源，所以协商方面一定得用全力把德意志的军人干政的制度铲除净尽，才可以使世界和平。因为军人是要守法的，他来干涉政治是已经不守法了。

四、独裁政治。秘密外交和背弃法律都是独裁政治的产物。因为一个人独握政权，就容易野心太高、私心太大，所作所为也就不顾法律，肯把全国当孤注掷出去，办理那秘密外交了。这次战争，有许多独裁的君主都逃掉了。那最有名的三个独裁政府就是俄、德、奥三国，所以那俄皇已经被枪毙，那德、奥两国皇帝也已经被强迫退位了。

现在世界各国，无论是在战团内或是在战团外，那政治上的设施绝不能仍保守上边所说的四种旧观念的。这是我们从这次大战争得来政治上的教训。

（第五卷第五号，一九一八年十月十五日）

BOLSHEVISM 的胜利

李大钊

"胜利了！胜利了！联军胜利了！降服了！降服了！德国降服了！"家家门上插的国旗，人人口里喊的万岁，似乎都有这几句话在那颜色上音调里隐隐约约的透出来。联合国的士女，都在街上跑来跑去的庆祝战胜。联合国的军人，都在市内大吹大擂的高唱凯歌。忽而有打碎德人商店窗子上玻璃的声音，忽而有拆毁"克林德碑"砖瓦的声音，和那些祝贺欢欣的声音遥相对应。在留我国的联合国人那一种高兴，自不消说。我们这些和世界变局没有很大关系似的国民，也得强颜取媚：拿人家的欢笑当自己的欢笑；把人家的光荣做自己的光荣。学界举行提灯。政界举行祝典。参战年余未出一兵的将军，也去阅兵，威风凛凛地耀武。著《欧洲战役史论》主张德国必胜后来又主张对德宣战的政客，也来登报，替自己作政治活动的广告；一面归咎于人，一面自己掠功。像我们这种世界上的小百姓，也只得跟着人家凑一凑热闹，祝一祝胜利，喊一喊万岁。这就是几日来北京城内庆祝联军战胜的光景。

但是我辈立在世界人类中一员的地位，仔细想想：这回胜利，究竟是谁的胜利？这回降服，究竟是哪个降服？这回功业，究竟是谁的功业？我们庆祝，究竟是为谁庆祝？想到这些问题，不但我们不出兵的将军、不要脸的政客,耀武夸功,没有一点儿趣味,就是联合国人论这次战争终结是联合国的武力把德国武力打倒的,发狂祝贺,也是全没意义。不但他们的庆祝夸耀是全无意味,就是他们的政治命运,也怕不久和德国的军国主义同归消亡!

原来这次战局终结的真因,不是联合国的兵力战胜德国的兵力,乃是德国的社会主义战胜德国的军国主义。不是德国的国民降服在联合国武力的面前,乃是德国的皇帝、军阀、军国主义降服在世界新潮流的面前。战胜德国军国主义的,不是联合国,是德国觉醒的人心。德国军国主义的失败,是 Hohenzollern(德国皇家)的失败,不是德意志民族的失败。对于德国军国主义的胜利,不是联合国的胜利,更不是我国徒事内争托名参战的军人,和那投机取巧卖乖弄俏的政客的胜利,而是人道主义的胜利,是平和思想的胜利,是公理的胜利,是自由的胜利,是民主主义的胜利,是社会主义的胜利,是 Bolshevism 的胜利,是赤旗的胜利,是世界劳工阶级的胜利,是二十世纪新潮流的胜利。这件功业,与其说是威尔逊(Wilson)等的功业,毋宁说是列宁(Lenin)、陀罗慈基(Trotsky)、郭冷荅(Collontay)的功业;是列卜涅西(Liebknecht)、夏蝶曼(Scheidemann)的功业;是马客士(今译马克思)(Marx)的功业。我们对于这桩世界大变局的庆祝,不该为哪一国哪些国里一部分人庆祝,应该为世界人类全体的新曙光庆祝;不该为哪一边的武力把哪一边的武力打倒而庆祝,应该为民主主义把帝制打倒、社会主义把军国主义打倒而庆祝。

Bolshevism 就是俄国 Bolsheviki 所抱的主义。这个主义,是怎样的主义?很难用一句话解释明白。寻它的语源,却有"多数"的意思。郭冷荅(Collontay)是那党中的女杰,曾遇见过一位英国新闻记者，问她 Bolsheviki 是何意义，女杰答言："问 Bolsheviki 是何意义，实在没用，因为但看他们所做的事，便知这字的意思。"据这位女杰的解释，"Bolshevik 的意思，只是指他们所做的事。"但从这位女杰自称她在西欧是 Revolutionary Socialist，在东欧是 Bolshevik 的话，和 Bolsheviki 所做的事看起来，他们的主义，就是革命的社会主义；他们的党，就是革命的社会党；他们是奉德国社会主义经济学家马客士（Marx）为宗主的；他们的目的，在把现在为社会主义的障碍的国家界限打破，把资本家独占利益的生产制度打破。此次战争的真因，原来也是为把国家界限打破而起的。因为资本主义所扩张的生产力，非现在国家的界限内所能包容；因为国家的界限内范围太狭，不足供它的生产力的发展，所以大家才要靠着战争，打破这种界限，要想合全球水陆各地成一经济组织，使各部分互相联结。关于打破国家界限这一点，社会党人也与他们意见相同。但是资本家的政府企望此事，为使他们国内的中级社会获得利益，依靠战胜国资本家一阶级的世界经济发展，不依靠全世界合于人道的生产者合理的组织的协力互助。这种战胜国，将因此次战争，由一个强国的地位进而为世界大帝国。Bolsheviki 看破这一点，所以大声疾呼，宣告：此次战争是 Czar 的战争，是 Kaiser 的战争，是 Kings 的战争，是 Emperors 的战争，是资本家政府的战争，不是他们的战争。他们的战争，是阶级战争，是合世界无产庶民对于世界资本家的战争。战争固为他们所反对，但是他们也不恐怕战争。他们主张一切男女都应该工作，工作的男女都应该组入一个联合，每个联合都应该有的中央统治会议。这等会议，应该组织世界所有的政府，没有康格雷，没有巴力门，没有大总统，没有总理，没有内阁，没有立法部，没有统治者，但有劳工联合的会议，什么事都归他们决定。一切产业都归在那产业里做工的人所有,此外不许更有所有权。他们将要联合世界的无产庶民,拿他们最大、最强的抵抗力,创造一自由乡土,先造欧洲联邦民主国,做世界联邦的基础。这是 Bolsheviki 的主义。这是二十世纪世界革命的新信条。

伦敦《泰晤士报》曾载过威廉氏(Harold Williams)的通讯,他把 Bolshevism 看作一种群众运动,和前代的基督教比较,寻出两个相似的点:一个是狂热的党派心,一个是默示的倾向。他说:"Bolshevism 实是一种群众运动,带些宗教的气质。我曾记得遇见过一个铁路工人,他虽然对于至高的究竟抱着怀疑的意思,犹且用'耶典'的话,向我极口称道 Bolshevism 可以慰安灵魂。凡是晓得俄国非国教历史的人,没有不知道那些极端的党派将要联成一大势力,从事于一种新运动的。有了 Bolshevism,于贫苦的人是一好消息,于地上的天堂是一捷径的观念,他的传染的性质和权威,潜藏在他那小孩似的不合理的主义中的,可就变成明显了。就是他们党中的著作家、演说家所说极不纯正的话,足使俄国语言损失体面的,对于群众,也仿佛有一种教堂里不可思议的仪式的语言一般的效力。"这话可以证明 Bolshevism 在今日的俄国,有一种宗教的权威,成为一种群众的运动。岂但今日的俄国,二十世纪的世界,恐怕也不免为这种宗教的权威所支配,为这种群众的运动所风靡。

哈利逊氏(Frederic Harrison)也曾在《隔周评论》上说过:"猛厉,不可能,反社会的,像 Bolshevism 的样子,须知那也是很坚、很广、很深的感情的发狂。这种感情的发狂,有很多的形式。有些形式,是将来必不能避免的。"哈氏又说:"一七八九年的革命,唤起恐怖,唤起过激革命党的骚动;但见有鲜血在扫荡世界的革命潮中发泡,一种新天地,就由此造成。Bolshevism 的下边,潜藏着一个极大的社会的进化，也与一七八九年的革命同是一样，意大利、法兰西、葡萄牙、爱尔兰、不列颠都怵然于革命变动的暗中激奋。这种革命的暗潮，将殃及于兰巴地和威尼斯，法兰西也难幸免。过一危机，危机又至。爱尔兰独立运动，涌出很多的国事犯。就是英国的社会党，也只想和他们的斯堪的那维亚、日耳曼、俄罗斯的同胞握手。"

托洛茨基在他著的《Bolshevik 与世界平和》书中也曾说过："这革命的新纪元，将由无产庶民社会主义无尽的方法，造成新组织体。这种新体，与新事业一样伟大。在这枪炮的狂吼、寺堂的破裂、豺狼性成的资本家爱国的怒号声中，我们应先自而进，从事于此新事业。在这地狱的死亡音乐声中，我们应保持我们清明的心神，明了的视觉。我们自觉我们将为未来唯一无二创造的势力。我们的同志现在已有很多，将来似可更多。明日的同志，多于今日。后日更不知有几千万人跃起，隶于我们旗帜的下边。有数千万人，就是现在，去共产党人发布檄文已经六十七年，他们只须丢了他们的绊锁。"从这一段话，可知托洛茨基的主张，是拿俄国的革命做一个世界革命的导火线。俄国的革命，不过是世界革命中的一个，尚有无数国民的革命将连续而起。托洛茨基既以欧洲各国政府为敌，一时遂有亲德的嫌疑。其实他既不是亲德，又不是亲联合国，甚且不爱俄国。他所亲爱的，是世界无产阶级的庶民，是世界的劳工社会。他这本书，是在瑞士作的。着笔在大战开始以后。主要部分完结在俄国革命勃发以前。书中的主义，是在陈述他对于战争因果的意见。关于国际社会主义与世界革命，尤特加注意。通体通篇，总有两事放在心头：就是世界革命与世界民主。对于德、奥的社会党，不惮厚加责言，说他们不应该牺牲自己本来的主张,协助资本家的战争,不应该背弃世界革命的信约。

以上所举,都是战争终结以前的话,德、奥社会的革命未发以前的话。到了今日。托氏的责言,已经有了反响。威、哈二氏的评论,也算有了验证。奥匈革命,德国革命,匈牙利革命,最近荷兰、瑞典、西班牙也有革命社会党奋起的风谣。革命的情形,和俄国大抵相同。赤色旗到处翻飞,劳工会纷纷成立,可以说完全是俄罗斯式的革命,可以说是二十世纪式的革命。像这般滔滔滚滚的潮流,实非现在资本家的政府所能防遏得住的。因为二十世纪的群众运动,是合世界人类全体为一大群众。这大群众里边的每一个人、一部分人的暗示模仿,集中而成一种伟大不可抗的社会力。这种世界的社会力,在人间一有动荡,世界各处都有风靡云涌、山鸣谷应的样子。在这世界的群众运动的中间,历史上残余的东西,什么皇帝咧,贵族咧,军阀咧,官僚咧,军国主义咧,资本主义咧,凡可以障阻这新运动的进路的,必挟雷霆万钧的力量摧拉他们。他们遇见这种不可当(挡),都像枯黄的树叶遇见凛冽的秋风一般,一个一个地飞落在地。由今以后,到处所见的,都是 Bolshevism 战胜的旗。到处所闻的,都是 Bolshevism 的凯歌的声。人道的警钟响了!自由的曙光现了!试看将来的环球,必是赤旗的世界!

我尝说过:"历史是人间普遍心理表现的记录。人间的生活,都在这大机轴中息息相关,脉脉相通。一个人的未来,和人间全体的未来相照应。一件事的征兆,和世界全局的征兆有关联。一七八九年法兰西的革命,不独是法兰西人心变动的表征,实是十九世纪全世界人类普遍心理变动的表征。一九一七年俄罗斯的革命,不独是俄罗斯人心变动的显兆,实是二十世纪全世界人类普遍心理变动的显兆。"俄国的革命,不过是使天下惊秋的一片桐叶罢了。

Bolshevism 这个字，虽为俄人所创造，但是它的精神，可是二十世纪全世界人类人人心中共同觉悟的精神。所以 Bolshevism 的胜利，就是二十世纪世界人类人人心中共同觉悟的新精神的胜利！

（第五卷第五号，一九一八年十一月十五日）

非"君师主义"

高一涵

这几个月来,我是不谈政治的,是不读"总统命令"的。一则因为中国现在无举国公认的政府,无举国爱戴的总统;二则因为我们所讲求的是法治不是人治,所研究的是法律不是命令。所以就是总统合法的命令,也不大理会他,何况这种总统的"上谕"呢!然我看见十一月二十四日的"大总统令"中有一大堆"道德"的话头,谓:"牖民成俗,是惟道德,……西哲有言,道德为共和国之元气,……亟当……揭橥道德以为群伦之表率。……"一又有什么"教条",又有什么"检束身心以为律度",又有什么"各秉至诚以回末俗",又有什么"教育事业……著教育部通饬京外学校于修身学科,认真教授,并酌择往哲嘉言懿行,编为浅说,颁行讲演,以资启迪……"云云。我读了一遍,觉得这种"天地、君亲、师"的总统观念,在中国是很印入人心的,绝不止徐世昌一人独怀这种意见。曾记得严复有曰:

……读此可知东西立国之相异,而国民资格,亦由是而大不同也。盖西国之王者,其事专于作君而已。而中国帝王,作君而外,兼以作师。且其社会,固宗法之社会也,故又曰元后作民父母。夫彼专为君,故所重在兵刑。而礼乐、宗教、营造、树畜、工商,乃至教育、文字之事,皆可放任其民使自为之。中国帝王下至宰守,皆以其身兼天地、君亲、师之众责,兵刑二者不足以尽之也。于是乎有教民之政,而司徒之五品设矣;有鬼神郊禘之事,而秩宗之五祀修矣;有司空之营作,则道路梁杠皆其事也;有虞衡之掌山泽,则草木、禽兽皆所咸若者也。……使后而仁,其视民也,犹儿子耳;使后而暴,其遇民也,犹奴虏矣。为儿子、奴虏异,而其于国也,无尺寸之治柄,无丝毫应有必不可夺之权利,则同。由是观之,是中西政教之各立,盖自炎黄、尧舜以来,其为道莫有同者。……

严氏论事,多执己见,独这一段实写中国君后观念,却无一字虚构的。所以这种"神圣的"总统,"元后的"总统,"家长的"总统,"师傅的"总统思想,在中国社会上很占势力。惟其为"神圣的"总统,所以能定"教条";惟其为"元后的"总统,所以能"一正心而天下定";惟其为"家长的"总统,所以云"在下则当父诏兄勉,以孝悌为辅世之方";惟其为"师傅的"总统,所以"教育""修身",皆得由彼"酌择"。然则这次"大总统令",实为中国旧思想之结晶,所以不得轻易看过去的。

我以为这种"天地、君亲、师"的总统观念,所以发生的原因有二:(一)是缺乏历史进化的观念;(二)是行制度革命而不行思想革命的坏处。

因为缺乏历史进化的观念,所以严复竟将古今立国的异点,看作中西立国的异点。他就不晓得看看欧洲古代国家是什么样儿;他就不晓得欧洲现在的国家观念,是自古如此的,还是从那政教合一时代变来的呢？政治学中所说的国家渊源，不外神权说、家长说、权力说数种，这是人人皆知的。神权说者，多谓国家为神所创造。希伯来人谓：国家者，神所直接建设的；希腊及罗马人则谓：国家为神所间接建设的。所以他们多谓君主为神的代表，神的权力即是君主的权力。犹太的国家，是由十二族合造的，罗马法中 Patria Potestas，即以家长对于子孙的教育、宗教及其他一切权力为基础。至于尊权力说者，又谓国为"首出庶物"者，为"天亶聪明"者所手造。然则"自炎黄、尧舜以来""作君而外兼以作师"的帝王，以一"身兼天地、君亲、师之众责"的帝王，亦不独中国有之，即欧洲上古亦有之。现在欧洲的皇帝连严氏所谓"兵刑"之权，亦皆失去，而完全为国家所有矣。文明国家，大概皆由古代神权家长及"元后作民父母"的时代，递嬗递变而来。严氏以中国停滞未进化的立国原理，去比那欧洲已进化的立国原理，所以觉得大不相同。然此特古今立国原理之差异，而非东西立国原理之差异也。误认为东西异点者，不是未明历史进化的观念吗？

再说共和政治，不是推翻皇帝便算了事。国体改革，一切学术思想亦必同时改革。单换一块共和国招牌，而店中所买的，还是那些皇帝"御用"的旧货，绝不得谓为革命成功。法国当未革命之前，就有卢梭、福禄特尔、孟德斯鸠诸人，各以天赋人权、平等、自由之说，灌入人民脑中。所以打破帝制，共和思想，即深入于一般人心。美国当属英的时候，平等、自由、民约诸说，已深印于人心，所以甫脱英国的范围，即能建设平民政治。中国革命是以种族思想争来的，不是以共和思想争来的。所以皇帝虽退位，而人人脑中的皇帝尚未退位。所以入民国以来，总统行为，几无一处不模仿皇帝。皇帝祀天，总统亦祀天；皇帝尊孔，总统亦尊孔；皇帝出来地下敷黄土，总统出来地下也敷黄土；皇帝正心，总统亦要正心；皇帝"身兼天地、君亲、师之众责"，总统也想"身兼天地、君亲、师之众责"。这就是制度革命、思想不革命的铁证。

因有以上两种原因，所以总统命令，要适用那二千三百多年前的柏拉图学说，不惜以道德为国家目的；不惜以二十世纪的中国，强行那由家长制度变为元后专制制度的希腊的政治学说；又不惜将中国政教分立的国家，去将就那中世纪政教混合时代的思想。欧洲的国家，早在讲法治、重组织的时代；我们国家尚在这里谈人治，用那几千年前"一正心而天下定"的套语，去"检束身心""以回末俗"。古德诺谓："吾国政治思想尚在欧洲中世纪时代。"照这样看起来，恐怕还在欧洲上古时代了，又谓："西哲有言，道德为共和国之元气。"我想所说的西哲，必定是孟德斯鸠。孟氏政治哲学的方法，不源于柏拉图即基于亚里士多德。然他解释法律，既不说法律是理性的表示，又不说是元后的命令，但说是人与人的关系。是孟氏已承认道德与法律及元首，是分开的了。他虽说过共和政府以道德为原理，然他所谓"道德"，乃是政治的道德（Political virtue），即是爱国与爱平等是也，绝不是那关于伦理的道德与宗教的道德（not moral or Christian virtue）。因为近世谈政治的人，稍明政治原理，即明白道德为人类内部的品德，属于感情及良知的范围。国家的权力，仅能支配人类外部的行为，绝不可干涉人类的思想、感情、信仰。岂但不可吗？实在是不能的。所以国家但能保护或奖励人民之生产，却不能自生货财；但能设卫生条例，却不能直接使人民寿康；但能发布宗教制度，却不能逼人生宗教的信仰。若曰能之，则是上古神权家长时代的元首；所做的事，而非现在共和国家为民公仆的元首所做的事。然则国家与道德，元首与道德，法律与道德,久已互相分开了。草总统命令者,就说自己的政治学说,认定道德与国家不分就是,又何必以此去诬那西哲呢!

因为国家不能干涉个人道德,所以宪法上必有信仰自由、言论自由、思想自由等等之规定。这几条自由权,在欧洲中古时代,也不晓得费了多少身家性命才争来的。政教混合的时代,元首得代表上帝,干涉异教的思想。若对于国教,稍持异议,不遭屠戮,即被迫挟。坐此原因,所以个人精神的自由,全被皇帝扑灭。用皇帝一人的意见,去下那道德的注脚。往往与人民良知所感觉者相反,却又威迫势禁,令人不得不从。所以人尽模棱,怀疑不白;而特殊的见识,超群出众的思想,皆被国家消磨尽矣。此即近世道德教育,所以皆贵自动的,而不贵被动的缘故。

我的意见,不是说道德是不必要的,是说道德不能由国家干涉的;不是说共和国家不必尚道德的,是说主人的道德,须由主人自己培养,不能听人指挥,养成奴性道德的;也不是说现在社会道德是不坏的,是说就是坏到极点,也不能因我们大总统下一道"上谕"的命令,就可以立刻挽回的;更不是说道德不该有人倡导的,是说总统偶吃一次斋,万不能使人人戒杀;偶沐一回浴,万不能使人人涤面洗心;偶正一刻心,亦万不能使人人的心皆放在正中,而永远不歪的。所以道德必须由我们自己修养,以我们自己的良知为标准,国家是不能攒入精神界去干涉我们的。此外尚有一个理由,就是国家待人民,要看做能自立、自动,具有人格的大人;万不要看作奴隶,看作俘虏,看作赤子,看作没有人格的小人。共和国的总统是公仆,不是"民之父母";共和国的人民,是要当作主人待遇,不能当作"儿子"待遇,不能当作"奴虏"待遇的。

国家若干涉道德问题,则必生下列的三种政治:

（一）专制政治——扩张国家的权力，使干涉人民精神上的自由；凡信仰、感情、思想等事，莫不受国权之拘束；则道德的范围，道德的解释，皆由统治者自定。于是专制之弊端见矣。

（二）贤人政治——柏拉图以道德为国家的绝对目的，所以柏拉图又尊尚贤人政治。因凡在道德、法律混合的国家，其国家的元首，不是教主，即是家长，不然则是"首出庶物""天亶聪明"的伟人。治者与被治者，无论在法律上、在习惯上，皆是不平等的。所以柏拉图谓："人类皆从地底而来，赋生之时，或夹些金质，或夹些银质，或夹些铜铁质。含金质者为君主，含银质者为辅臣，含铜铁质者则为农商。"所以被治者之瀹灵启智，皆须得治者为之引导：此即贤人政治所以成立之基础，以元首不自信为贤人，则必不敢"揭橥道德，以为群伦之表率"也。

（三）政教混合政治——中古以后，道德属宗教的范围，法律属国家的范围，本有界限。惟元首并法律、道德而皆得干涉之，则是"奉天承运""替天行道"的教主与"元后作民父母"的皇帝合而为一矣。所以宪法中也必要以"孔子之道为修身大本"；孔子的诞日，也必要强迫不尊孔的人去放一天假。又要祭孔，又要祭天，这还不是皇帝、教主的"混血儿"吗？

（第五卷第六号，一九一八年十二月十五日）

我们政治的生命

陶履恭

我们中国由君主改为共和已经七年了。这七年里头纷纭扰攘,变故迭生,四万万人没有过一天安静的日子。大凡人遇见了困苦的事情,或是使身体受苦,或是使精神不快,就是受了一种刺激,总要生一种感想。那感想是总不外乎要脱解所受的苦痛。中国一般的人民在这七年里头已经闹得个民不聊生,在战事区域内的,更是流离失所,家败人亡。[①]每天的生活,一天难似一天,租税加重,物价加贵,收入日少,钞票日跌。他们对于这种苦况也,自然有一番感想的了。

一派的人想这是"势所必至,理有固然",没有什么研究讨论的价值。生活既然是这样的艰难,我们只有为自己的生活计划罢了。普通的人只求饱食暖衣,野心高的人更还希望着安富尊荣。生物的特性本来就是求生的意志,人类求生的意志本来又是他最强的本能,所以无论是撞见了什么境遇,无论是碰上了什么状况,总是求生。人类贪生怕死,本也无足怪的。读者诸君试把眼放开看一看那憧憧往来的男女老少,那求生之念够怎么样的迫切呀!那沿街叫化的乞丐,呼爷叫娘,受人唾骂,所求的是什么呢?不过是一个铜元、半碗稀粥为着保全性命罢了;那倚门卖笑的娼妇,迎新送旧，供人玩弄，为的是什么呢？不过是吃三顿饱饭、穿两件新衣，将来求做个阁员政客的宠妾罢了；那焚杀掳掠的军匪，伤天害理，屠戮无辜，为的是什么呢？不过是抢些衣服财宝，供他们自己的挥霍罢了；那结纳权贵的政客，趋炎附势，无隙不乘，为的是什么呢？不过图个高楼大厦左姬右妾罢了。就像这四种人，虽然不是操一种的职业，——假使乞丐、娼妓、军匪和政客，可以算做职业——但是那求生的目的却都是一样的。一个人生在某个家庭里，是一桩偶然的事。甲生在贫民的家里，为求生的意志所驱使，就去做乞丐；乙生在缙绅的家里，为求富贵的生命，就去做军匪，做政客。倘若两个人换个境遇，那求生的方法又自然不同，但是那求生的目的仍然是没有什么分别的。人类只求生存，也不问求生的方法是怎么样，也不问所求的生存是什么状态，据我想是大错的。

　　年纪在三四十岁以上的人民，在前朝的时候，景况比现在好的，另外有一种感想。他们觉得现在生活的困难，就联想到十年前所过的好日子；想到以先所过的好日子，也就厌恶现在政府无能的状态，向往前朝的盛况。所以有一派的人向往康熙爷、乾隆爷的盛代，就说定还是帝国时代比现在民国好。因为清朝虽然是异族秉政，但是比现在军阀政府、元老政府还胜过多多。以先的政权没有这样的不稳，以先的军人没有这样的跋扈，以先的金融没有这样的杂乱，以先的风气没有这样的卑鄙，以先的生活没有这样的困难。总之，以先的人民都能享安乐的幸福。我想这是一个误谬的见解，发这个议论的人，没有赶上那康乾的盛代，所以不能知道康乾时代的真相。中国的历史没有一部是描写人民的历史，没有一部是写真社会的历史。即有清三百年的历史，也还要等着一位大历史（学）家，征集无限真确的材料，运用他特出的心思和想象力才可以把人民社会的真相描写出来呢。这都是因为失望于现在,所以就追想到过去。所以那迷信古典没有辩证的能力的书呆子,更追念那太古尧、舜、禹、汤郅治之世。以为是黄金时代咧!因为失望于现在,就托思于既往,是我们人类常有的心理。但是既往是万万追不回来的,又何必去想念他呢?况且那帝政时代的秕政弊端,实在不见得少,小民所受的苦痛实在也是很厉害,不过因为是在过去所以就忘了,俗语所谓"好了疮忘了痛"正是此意。现在又遇见苦恼,所以就把已经好了的创痛忘了。我们要想避去现在的苦痛,只追念既往是不济事的。

这七年的民国,会造出这许多委曲求生的人民来,有一派人说是政治上的罪恶。这几年的政治不良,荼毒小民,是人人都知道的。政治舞台上的角色,总是不外乎那几个军人、元老、名流"民党"、流氓卖国奴、留学生和前朝的猾吏。这些形形色色的人物,也有一人兼戴着几种头衔的,一个一个的都登过场,个人独唱、全体合唱的戏已经由他们都演完了。假使请他们再演一番,仍然还是旧套头,翻来覆去,又有什么意思。倘然老角色渐渐地下台,一班新角色再上台,所演的恐怕还及不上他们的老前辈呢!所以政治的罪恶既然已经铸成,使人民流离困苦,丧家亡身,那是已往的不可收拾的了。但是一般的人民现在还在那里热心的希望那造罪恶的去除他们的罪恶,去解人民的倒悬,岂不是妄想么?这不是推理上所谓连环推论 Vicious Circle 永远出不去环外么?我想我们人民受苦不都是政治上的罪恶,不都是军人、元老、名流、"民党"、流氓、猾吏、留学生、卖国奴的罪恶,实在是我们人民自己的罪恶。美国林肯说过的,什么样的人民,也就应该有什么样的政府。

详细研究起来,我们中国人对于时局,对于自身,各人有各人的感想，不必全相同的。但是上边所说那三种的看法，可以说是代表国人大部分的意思。一派的人，两只眼睛只望着背后，却看不见前面。发起议论来，总是前代如何，古代如何，②不推想现在应该如何、可以如何；一派的人只在那里责骂当局，却忘记了自己。发起议论来，总是军人如何，政府如何，不推想我应该如何、可以如何；又一派的人抱着那自私的龌龊的实利主义，只谋自己的富贵利达，却忘记自己以外的几万万的男女。发起议论来，总是我应该如何，别叫他们如何，不推想我们应该如何、可以如何。这三种观念都不是健全的，都是片面、不见全体的见解，都是戕贼社会、不是进善社会的办法。就是那已经达到富贵的，果然得到实利了么？我也不能无疑。我想那专营私利己的，所得的也不过是肉欲的、物质的实利，损害人生的价值。他们的行为是酿造社会的罪恶，贻害他们的子孙。那祸患及于社会是无穷尽，怎么会认做实利呢？

现在我们要觉悟上边所说的三种态度都不是健全的态度。要知道现在中国的政治不是共和，仍然是专制。我们受政治的扰乱不能有良善稳静的生命的缘故，正是受专制的毒害。要知道什么是共和，什么是民政，诚心按着民治的道理行去才是救济我们自己唯一的方法。换一句话说，就是我们要有历史的观念。世上的事都是相继续的，绝没有与以前隔断再重完全新发生的。所以我们的政治，我们的社会也是历史的产物，因袭固有的制度。因为是因袭固有的制度，所以就是与民治主义相背驰。现在革除那固有的制度的坏的，实践民治主义，就是解救我们人民的根本条件了。

何以说现在中国的政治不是共和呢？这个道理说起来很长。现今只简单的指出几样来。第一样就是执政的人物。现今操纵全国政权的大人物，大部分都是前清的官僚。后进的人物也都是追随官僚的后尘,他们可以打到官僚界里去,也就是因为模仿老官僚的缘故。第二样是执政的思想。历来大总统的命令和行政官的告示都可以认做现代执政者思想的结晶(参看本号《非君师主义》)。他们的思想最高的,不过是孔孟的政治哲学。孔孟的政治哲学是一种"开明政治"的理想,只承认人民是民,不承认人民是人;只承认人民是被治者,不承认人民是能自治的。孔孟的道理即使是能完全实行出来也无足贵,也不能容于民治的时代,何况他们连这个思想还及不上呢?第三样是政治的制度。民国的总统依然是保存皇帝的仪制。文武百官依然是欺侮百姓剥削小民。火车轮船都是为官吏谋方便、为小民生困苦;防瘟疫,剿土匪,都是使官吏发外财,反使小民损失生命财产;借外债,卖矿山,都是肥官吏的私囊,吮人民的膏血。种种专制的苛毒,不可遍数,共和的国家怎么会有这种制度呢?第四样是人民。中国四千年的历史是专制的历史。现今的人受了四千年专制观念的遗传,一时不能把余毒除净。所以人人的脑筋还是专制的。他的理想的政治家是拿破仑、袁世凯,最服膺的政治观念是统一、是武力,最赞美的道德观念是忠孝节义。上焉者每天的钻营谋干,不过是光耀祖宗,挂着一个爱国爱民的假面具。这种人民,因为久伏于专制制度之下,是专能骄下谄上,没有独立性的。

　　以上所说的都是几千年来所积的恶毒,留到现在,社会学上所谓 Survival 的。但是他的势力极大,我们要认清把他一一的除去。本志历来攻击旧思想、旧制度的文章并不是好为谩骂,正是这个去毒的意思。因为这旧思想、旧制度在旧日专制制度之下虽然有他相当的价值,但是在民治制度之下,是绝对不能相容的。那些旧思想,旧制度一旦不除,那民治之义也就不能实现于我们四万万人民里。像康有为、辜鸿铭的一派，不承认民治主义，专去辩护尊王，推戴治者，也就拥护历史传来的思想、制度，却也主张一贯。倘若我们承认国家是个共和，应该实行共和，那与专制制度相关系的思想、制度，都要一齐推翻，丝毫不值顾惜的。现今人民的疾苦，就是这个。国家在名称上已经变为共和，但是执政的人物，依然是专制时代的旧人物；执政的思想，依然是专制的脑筋；政治的制度，依然是专制时代的旧样式；一般的人民，也依然不能脱除专制的余毒挺然独出，显出自己的真生命真价值来。

现在希望执政者把国家治好，拯救我们小民的苦痛，是等不得，也是万万办不到的。这个有两个缘故：一则执政者在舞台上所演的戏法已经都演完了。他们不明白民治主义的真意思。名流、"民党"、留学生虽然也读过和文横文的书籍，他们所记得的也不过是几个名词、几种制度。所以有人要做皇帝，这般新人物就把"民意"端出来，有人要逐总统，就把"国会"造出来。他们怎么会懂得那些名词制度所蕴蓄的真精神呢？二则人民专依赖执政者也是与民治主义相背谬。在民治的国家里，政治是人民的生命，是他最重要的活动。政治不良，他要监督执政者，推翻执政者；即使政治良，也要鼓励执政者，指导执政者。所以政治就是人民共同活动的一种表示。共和国家政治的良否，只看那人民共同组织的能力若何；共和国家人民生命的良否，只看那人民共同的活动若何。但是受专制毒害过深的人民，是没有政治的生命的。因为他们只知道有命令和服从，③缺乏共同组织共同活动的精神。大家共同组织一个会，人人希望做会长出风头，大家共同办一桩事，人人想掌权，把持一切。大权在握，就颐指气使，作威作福的就是专制的脑筋。遇见了位置高、权势大的，就胁肩谄笑奴颜婢膝的，就是奴隶的根性。

在专制国家内，只有命令者与服从者两种人。换一句话说，只有专擅与奴隶的两类。两种人虽然是相对待，但纯然是同一心理，两种的表现罢了。所以我们有依赖服从的心理，就是我们没有脱除专制的观念的一个证据。共和国家内不能容专擅与奴隶的。我们是共和国的人民，不能再等待"执政者"解脱我们了。

我们现在要靠着我们自己救我们了，要靠着我们共同的活动造我们良美的生命了。从今以后，我们每人先把专制的观念——不特政治上的专制，连思想、风俗、习惯、家庭各方面的专制也包括在内——推翻，更把奴隶的根性——凡是对于君王、官吏、父兄、思想、风俗、习惯，为盲目的服从，含畏服的心理者都在内——掀倒，才可以有政治的生命，才可以联合组织做共同的组织。有共同组织、共同活动的，才可以称做民治国家。④但是民治国家并不是没有命令和服从的。不过他的命令不是外来的命令，不是专制的命令，是大家约束大家；他的服从，不是盲目的奴隶的服从，是大家顾全大家的利益，大家顾全大家的生命的一种服从。所以民治国家的总统，不能自己随意下"上谕"，更不能下讲道德、说仁义的教条，因为他不过是行政的领袖，他只能在各种法律所定范围之内尽推行的职务。即在总统政权最大的美国，也是有宪法、惯习和他自己的道德观念管着他。所以民治国家的国会代表不能是"鱼行"的伙计，更不能是督军的代表，因为国会代表是我们人民举出来替我们说话的，替我们筹划大家应该怎么约束自己的，替我们监视各种官吏的行为的。即在宪政委靡，劳动没有代表的日本，也是有几个国会议员是代表人民的。至于曹汝霖会代表乌梁海，孙毓筠会代表前藏，汪荣宝会代表土谢图汗，林长民会代表三音诺颜汗⑤只有中国的政治舞台上可以演得出来，即英国一八三二年选举法修正以前，也没有这样鬼蜮的选举的。所以民治国的人民也不能袖手旁观、听凭当道的处置，更不能谄媚官长去做他们的傀儡的。因为人民所组织的、所活动的、所奋斗的，都是为保护自己，增进大家的利益。大家不联络起来保护自己，就要受已以外的人支配剥削的。那贪鄙庸懦的虽然可以借着巴结逢迎有权势的去保护他本身，增进他自己的利益，但是那权势有变迁，有升沉，是一个不可靠的东西——中国这七年的历史已经可以证明这个道理——任凭你是五花八门，朝秦暮楚，迎张送李⑥，也是保不住你自己的利益。能稳固又为什么不由大家尽力去保护大家的稳固呢？更深一层说，一段便宜事只是个人或少数人得到，但是多数人得不到或反吃亏的，并不是真便宜，那个便宜也是不能长久的。这个道理现在不能申说了。

七年以来的民国，是没有人民的民国。因为人民没有声息，没有动转，没有对执政者说"我们在这里看着你了！"所以执政者才造出这许多政治的罪恶。并不是因为政治的罪恶，所以人民才这样流离困苦的。现在七年将尽，转瞬就是新岁，我们人民岂不可以跳到政治舞台上各人都发挥政治的生命，成有组织的活动，使八岁的民国，变成人民的国家，民治的国家么？⑦

（第五卷第六号，一九一八年十二月二十五日）

①七年以来，各省人民没有不因为政局的影响受灾害的。但是那受兵祸最惨的就是四川、湖南两省了。两省人民所受的苦发表在报纸上的，不过是沧海之一粟。况且各处人民所亲受的苦况，更不是纸笔所能形容的。今年十二月七日有"旅沪湖南善后协会"上南北当局的电报一通，读了可以略窥湖南人民的苦状。原电如下："……'在湘客军，数逾十万。淫掠焚杀，无所不至。举其著者，如醴陵之役，全城被焚；黄土岭之役，女尸满

山。此外,城镇市村,焚掠蹂躏几无幸免。溃军土匪,更番扰害。全省公私财物,抢劫一空。恶探诬指,陷害无辜。厘局横暴,强攫商货。民命民财,朝不保夕,顷据湘省来人报告最近情形,如财政、金融之紊乱,尤令人不寒而栗。既设裕湘银行,复私设日新银号,滥发纸币,乱相兑换,狼狈为奸。湖南银行去岁在沪订印铜元票四千五百万串,原为收换旧票之用,今旧票不唯不换,更将收存未毁之烂票及沪印之新票,一并发出,计新旧铜元票一项,数已逾一万万串,又以纸币勒派各县,兑换现洋,每县数万元。综计吸现金为数极巨,而军饷仍复欠发,纸币永不兑现。又强定最低兑换法价,银行可按法价易银,商民则不能以法价兑现,由是官家可以一纸之空票流通,商民则不能以贱值之法价交易。又日铸铜元数万串,均贩汉渔利。钱票日增,铜元日乏,遂至银钱两荒,市场金融,根本破坏,人民无端破产,百业以之荒废。其受害尤烈者,首为民食。盖军民以纸币易米,米商不能以纸币易谷,终乃遂致无形罢市。不仅此也.湘岸榷运局,复巧立护照名目,加收盐费,每包苛征,倍于国课。使盐商失业,穷民缺贩。故目前湘垣石米,需钱百串,斤盐需银四两,人非淡食,即属绝粮。民不聊生,至于此极。凡兹所述,皆属巨痛。至于四民失所,百物凋残,困苦流离,万言难罄。'……"

②最奇怪的就是有一派人说民国三四年,袁世凯统一时代胜于黎、冯秉政时代。假使袁世凯没有帝制的野心,中国一定可以久安,即使不能久安,也一定比现在强。这种悖谬的议论,我们没有证据驳他,但是他也没有证据使我们相信,因为这是历史的假定(historical Supposition)虚无缥缈,不值一研究的。但是从政治理想上可以判定袁世凯与中华民国不能相并立的。专制的遗制,一日不除,也没有优劣进退可言的。

③服从是奴隶的特性,但是民治的国家也要服从。两种服从的不同处,是前者服从权威,服从势力,服从金钱;后者服从理性,服从知识,服从全体的利益。

④"民治"的英文原字是 Democracy,日本书上多译为"民本主义",国人近来也多沿用此字。"民本"两个字容易引人误会,孔孟的政治观念也可以称做民本主义,那开明专制论旨一派,更可以用这个名词文饰他们的政策的。"治"字有发动的意思在内,也正是希腊原字的本意。我想现代进化的国家的真精神,就在人民自己的活动。

⑤这是民国二年的国会。今年督军团的国会代表更不值得一评论了。假使曹汝霖可以代表乌梁海,我的同乡温世霖也可以代表新疆,他去代表新疆倒可以胜曹汝霖一筹,因为温世霖曾在新疆住过一年多,知道新疆的情状,曹汝霖连张家口外都没有到过,更不必说乌梁海了。

⑥今最可笑、最可怜、实在最可悲的现象就是这个。随政局的变化,就有许多人追随那有权势的,滚来滚去。这几年北京的政象变化最多这种现状也是最容易见的。

⑦我并不是说人民有了政治活动,即刻可以人乐民安。我以为政治良善是各种进步的必要条件。倘若国家内政局不稳,政权转移于少数私人手更有武力为扰乱,人民的生命财产且不能保全,更有什么进步呢?

和平会议的根本错误

高一涵

这几年来,"调和"两个字,竟成了政客名士的口头禅。然所谓调和的主体,大概皆丢开国民,注重特殊的势力。民国元年的调和,乃是民党与袁世凯派平分政权;五年的调和,乃是国民系、进步系与北洋系平分政权;今年的调和,虽尚未宣布具体的条件,然探其内幕,亦不过北洋的官僚与西南的政客,瓜分政治上高级的位置罢了。只要特殊势力,取得相当的地位,即是调和成功。至于国民的福利和国家的根本问题,就无人过问了。所以中国这几年来,完全是寡头政治;完全是牺牲人民福利,去迁就特殊势力。若是特殊势力因分赃不匀而冲突起来,则无论什么法律,皆要一扫而空。于是胆怯的人和那趋炎附势的人,纯以迁就敷衍为事,遂奉这种特殊势力,以为政治中心。一若政治如失了中心,国家就不得安宁了。这种政治中心之说,就是牺牲国民全体的福利,去迁就一系一派的。这就是政变的祸根!这就是调和的恶果!

我前几年常看人家调和的论说,所以也深信调和是立国的天经地义。现在的观念,稍与往日不同,以为政治改革,全赖一般扎硬寨,打死仗的人,天天和那反对派战争,才能时时改进。若才争得两步,又倒退一步,去等候那守旧的人,则政治进步,便觉停顿很多了。原来政治革命,都是理想家发起的,都是少数人倡导的。既明明知道我所发起的所倡导的是政治真理,就应该勇往直前,去战胜阻拦障碍的人。断不可因为多数人压迫,就抛弃自己的主张,去迁就那些老死不知改革的人。中国现在南北纷争,正是政治改革的动机。几次战争,皆是平民政治与官僚政治战争,法治思想与人治思想战争,正义人道与强权武力战争。于此乃倡言调和,难道中国应行半官半民的政治,应存半法半人的思想,应作半道义半权力的国家吗?一方要护法,一方偏要毁法,难道法律问题,也可半推半就的吗?连法也不许你护,尚有调和的余地吗?本无调和的余地,而偏要调和,这是和平会议的根本错误一。

若退一步说,认和平会议为有成立的理由。然所谓调和,亦必丢开武人、官僚、政客三种人的特殊利益,为一般平民谋幸福,为国家建定永久的和平,才是调和的正当办法。现在的和平会议,不过是些武人、官僚、政客,私议瓜分权利,指定某省划归某人,某位置让与某派。至于为国家主权所在的主人翁,反退居第三者地位,去居间为之仲裁。仲裁本是中间人的事;必身在局外,乃有中立可言;若身在局中,何能中立?既非中立,又何能居间调停?由此推论,可见这次和平会议,大家都看做南北两政府当局的事,不曾看做全体国民的事。所以不是发起国民仲裁会,就是自命为居中调停人。题目都未认得清楚,做出的文章,就可想而知了。这是和平会议的根本错误二。

要想解决法律上纠纷问题,必定要把和平会议所议决的条件,认为最高的法律,非经特殊的机关,不能轻易变更。这是什么缘故呢?因为这次法律上争点,就是宪法;欲将国会从前所不能自由解决的问题,拿到和平会议里去解决,则和平会议所议决的条件,必定要有拘束宪法会议的效力。所以这次和平会议所议决的条件，应当属于国家根本问题，调剂万殊，流通百感，而为国民全体的权利书；不当属于个人权利问题，仅规定当事人的双方利益，而为当局少数人的权利书。现在和平会议，既叫人民居于第三者地位，可见是双方当事人的意思，不是全体国民的意思；所议定条件，亦是当事人的私约，不是全体国民的公约矣。这是和平会议的根本错误三。

和平会议的责任，既这样重大，所以任该会代表的，至少必具有三种资格：（一）不受党派的操纵。（二）代表的人品，必高尚纯洁。（三）其人必来自民间，毫无自身的权利思想。必如此才能看见国利民福所在，不为权利所蒙蔽，不为势力所动摇。这回的和议代表不是为某党某派去效忠，就是受某人的指使。好像傀儡登场，听人暗中操纵罢了。不但讲不到发挥自由独立的意见，就是叫他们自由，叫他们独立，恐怕也是做不到的。这种傀儡的代表，留音机器的代表，还有什么意见可发挥呢？不过替人家去争权夺利，回头来分"一杯羹"罢了。这是和平会议的根本错误四。

凡是政治上光明正大的会议，没有不可以公开的。只有前几年外交上会议协商，因为有些鬼鬼祟祟的计划，不可告人，所以，但凭着几个人秘密磋商，绝不叫外人知道。这回欧战，就是秘密外交造成的，所以协约国现在同声倡议，要打破秘密外交主义，此后一切政治问题，皆须公开，毋庸隐秘。这次和平会议，所讨论的是何等重大问题！直到现在，尚不知他们葫芦中卖的什么药。我想如果是光明正大的调和计划，断不须严守秘密；他们既已严守秘密，想必是有不可告人的诡计。人家以秘密主义，为扰乱世界和平的祸根，不惜尽力打破之；我国反以秘密主义为天经地义，而极力实行。这是和平会议的根本错误五。

　　有这五种错误,则这次和平会议的效果,也就可想而知了。我且奉告当局几句话:就是二十世纪的政治,不是政党首领的寡头政治;国家的权利,不能容两三党派的重要人物,去私下瓜分的。政治的事业,不是那些拿钱吃饭不做事的人所能独占,所能私相受授的。你们要晓得推翻帝制,打倒贵族,单使中等以上的社会享幸福,那是十八世纪的政治革命;推翻中等以上的阶级,打倒军阀,使全体国民享幸福,才是现在的社会革命呢。要想乘人家革命的机会,使我们于中取利,升官发财,像袁世凯的样子,是万万做不到的了。奉劝代表诸君,和自居调人诸君,不要在此做梦罢!

(第六卷第一号,一九一九年一月十五日)

吃人与礼教

吴虞

我读《新青年》里鲁迅君的《狂人日记》，不觉得发生了许多感想。我们中国人，最妙是一面会吃人，一面又能够讲礼教。吃人与礼教，本来是极相矛盾的事，然而他们在当时历史上，却认为并行不悖的，这真正是奇怪了。

《狂人日记》内说："我翻开历史一查，这历史每叶上都写着'仁义道德'几个字。仔细看了半夜，才从字缝里看出字来，满本都写着两个字，是'吃人'。"我觉得他这日记，把吃人的内容，和仁义道德的表面，看得清清楚楚。那些戴着礼教假面具吃人的滑头伎俩，都被他把黑幕揭破了。我现在试举几个例来，证明他的说法：

（1）《左传》：僖公九年，"周襄王使宰孔赐齐侯胙。曰：'天子有事于文武，使孔赐伯舅胙。'齐侯将下拜。孔曰：'且有后命。天子使孔曰，"以伯舅耋老，加劳赐一级，无下拜！"'对曰：'天威不违颜咫尺，小白余敢贪天子之命，无下拜？恐陨越于下，以遗天子羞。敢不下拜？'下，拜。登，受。"这是记襄王祭文王武之后，拿祭肉分给齐侯，说"齐侯年老，可以不必下拜，讲君臣的礼节"。齐侯听得襄王如此吩付，便同管仲商量。管仲答道："照着襄王分付（吩咐）的话做去，不行旧礼，便成了为君不君，为臣不臣，那就是大乱的根本了。"(《齐语》)于是齐侯出去见客，便说道，"天子如天，鉴察不远，威严常在颜面之前，不敢不拜"。据这样看来，齐侯是很讲礼教的。君君臣臣的纲常名教，就是关于小小的一块祭肉，也不能苟且。讲礼教的人到这步田地，也就尽够了。就是如今刻《近思录》《传习录》的老先生，讲起礼教来，未必有这样的认真。齐侯真不愧为五霸之首了。然而我又考《韩非子》说道："易牙为君主味。君之所未尝食，唯人肉耳。易牙蒸其首子而进之。"《管子》说道："易牙以调和事公。公曰，'惟蒸婴儿之未尝'。于是蒸其首子，而献之公。"(戴子高《管子校正·治要》"首子"作"子首"，《韩子·难》篇同，今本误倒。)你看齐侯一面讲礼教，尊周室，九合诸侯，不以兵车，葵丘大会，说了多少"诛不孝，无以妾为妻，敬老，慈幼"等等道德仁义的门面话；却是他不但是姑姊妹不嫁的就有七个人，而且是一位吃人肉的，岂不是怪事？好像如今讲礼学的人，家中淫盗都有，他反骂家庭不应该讲改革。表里相差，未免太远。然而他们这类人，在历史上，在社会上，都占了好位置，得了好名誉去了。所以奖励得历史上和社会上表面讲礼教，内容吃人肉的，一天比一天越发多了。

（2）就是汉高帝。《汉书》：高帝二年，"汉王为义帝发丧，袒而大哭，哀临三日。发使告诸侯曰：'天下共立义帝，北面事之。今项羽放杀义帝江南，大逆无道，寡人亲为发丧，兵皆缟素。愿从诸侯王击楚之杀义帝者！'"高帝虽是大流氓出身，但他这样举动，是确守名教纲常，最重礼教的了。十二年，过鲁，以太牢祀祝孔子。孔二先生背时多年，自高帝用太牢加礼以后，后世祀孔的典礼，便成了极重大的定例。武帝以后，用他传下这个方法，越发尊崇孔学，罢黜百家，儒教遂统一中国。这崇儒尊孔的发起人，是要推高帝；

儒教在中国专制二千多年,也要推高帝为首功了。班固又恭维高帝道:"天下既定,命萧何次律令,韩信申军法,张苍定章程,叔孙通制礼仪,陆贾造《新语》;虽日不暇给,规摹弘远矣。"据这样看来,汉高帝哭义帝,斩丁公,他把名教纲常看得非常重要。他晓得三纲之中君臣一纲,关系自己的利害尤其吃紧,所以见得孔二先生说"君臣之义不可废"的话,他就立刻把从前未做皇帝时候"溺儒冠"的脾气改过,赶忙拿太牢去祀孔子,好借孔子种种尊君卑臣的说法来做护身符。他又制造许多律令礼仪来维持辅助,以期贯彻他那些名教纲常的主张。果然就传了四百年天下,骗了个"高皇帝"的尊号,史臣居然也就赞美他得天统了。却是我读《史记·项羽本纪》,说"项王与汉俱临广武而军,相守数月。当此时,彭越数反梁地,绝楚粮食。项王患之,为高俎,置太公其上。告汉王曰:'今不急下,吾烹太公!'汉王曰:'吾与项羽俱北面受命怀王,约为兄弟;吾翁即若翁,必欲烹而翁,幸分我一杯羹!'"汉王这样办法,幸而有位项伯在旁营救,说是"为天下者不顾家"——就是说想得天下做皇帝的人,本来就不顾他老爹死活的。项王幸亏听了他的话,未杀太公。假如杀了,分一杯羹给汉王,那汉王岂不是以吃他老爹的肉为"幸"吗?又读《史记·黥布列传》说:"汉诛梁王彭越,醢之。盛其醢,遍赐诸侯。"这也可见当时以人为醢,不但皇帝吃人肉,还要遍给诸侯,尝尝人肉的滋味。怪不得《左传》记"析骸易子而食";《曾国藩日记》载"洪杨之乱,江苏人肉卖九十文钱一斤,涨到一百三十文钱一斤"。原来我们中国吃人的风气,都是霸主之首,开国之君,提倡下来的。你看高帝一面讲礼教,一面尊孔子,一面吃人肉;这类崇儒重道的礼教家,可怕不可怕呢?后来太公得上尊号做"太上皇",没有弄到锅里去成了羹汤,真算是意外的侥幸呀!

（3）就是臧洪、张巡辈了。考《后汉书·臧洪传》："洪，中平末，弃官还家，太守张超请他做郡功曹。后来曹操围张超于雍丘。洪将赴其难，自以众弱，从袁绍请兵；袁绍不听，超城遂陷，张氏族灭。洪由是怨绍，绝不与通。绍兴兵围洪，城中粮尽，洪杀其爱妾，以食兵将；兵将咸流涕，无能仰视。"臧洪不过做张超的功曹，张超也不过是臧洪的郡将，就在三纲的道理说起来，也没有该死的名义。便有知己之感，也只可自己慷慨捐躯，以死报知己，就完事了。怎么自己想做义士，想身传图像，名垂后世，却他把人的生命拿来供自己的牺牲；杀死爱妾，以享兵将，把人当成狗屠呢？这样蹂躏人道，蔑视人格的东西，史家反称许他为"壮烈"，同人反亲慕他为"忠义"；真是是非颠倒，黑白混淆了。自臧洪留下这个榜样，后来有个张巡，也去摹仿他那篇文章。考《唐书·忠义传》，载"张巡守睢阳城，尹子奇攻围既久，城中粮尽，易子而食，析骸而爨。巡乃出其妾，对三军杀之，以飨军士，曰，'请公为国家戮力守城，一心无二。巡不能自割肌肤，以啖将士，岂可惜此妇人！'将士皆泣下，不忍食。巡强令食之。括城中妇人既尽，以男夫老小继之，所食人口二三万。许远亦杀奴僮以哺卒。"（《新书》）臧洪杀妾，兵将都流涕，不能仰视。张巡杀妾，军士都不忍食。可见越是自命忠义的人，那吃人的胆子越大。臧洪、张巡，被礼教驱迫，至于忠于一个郡将，保守一座城池，便闹到杀人吃都不顾，甚至吃人上二三万口。仅仅他们一二人对于郡将，对于君主，在历史故纸堆中博得"忠义"二字。那成千累万无名的人，竟都被人白吃了。孔二先生的礼教讲到极点；就非杀人吃人不成功，真是惨酷极了。一部历史里面，讲道德说仁义的人，时机一到，他就直接间接地都会吃起人肉来了。就是现在的人，或者也有没做过吃人的事；但他们想吃人，想咬你几口出气的心，总未心打扫得干干净净！

　　到了如今，我们应该觉悟！我们不是为君主而生的！不是为圣贤而生的！也不是为纲常礼教而生的！什么"文节公"呀，"忠烈公"呀，都是那些吃人的人设的圈套，来诳骗我们的！我们如今应该明白了！吃人的就是讲礼教的！讲礼教的就是吃人的呀！

　　中华民国八年，八月，二十九日，吴虞又陵草于成都师今室。

（第六卷第六号，一九一九年十一月一日）

实行民治的基础

陈独秀

（地方自治与同业联合两种小组织）

民治是什么？难道就是北京《民治日报》所说的民治？杜威博士分民治主义的元素为四种：

（一）政治的民治主义：就是用宪法保障权限，用代议制表现民意之类。

（二）民权的民治主义：就是注重人民的权利，如言论自由，出版自由，信仰自由，居住自由之类。

（三）社会的民治主义：就是平等主义，如打破不平等的阶级，去了不平等的思想，求人格上的平等。

（四）生计的民治主义：就是打破不平等的生计，铲平贫富的阶级之类。

前二种是关于政治方面的民治主义，后二种是关于社会经济方面的民治主义。原来"民治主义"（Democracy），欧洲古代单是用做"自由民"（对奴隶而言）参与政治的意思，和"专制（统）治"（Autocracy）相反。后来人智日渐进步，民治主义的意思也就日渐扩张，不但拿他来反对专制帝王，无论政治、社会、道德、经济、文学、思想，凡是反对专制的、特权的，遍人间一切生活，几乎没有一处不竖

(树)起民治主义的旗帜。所以杜威博士列举民治主义的元素，不限于政治一方面。

我们现在所盼望的实行民治，自然也不限于政治一方面。而且我个人的意思：觉得"社会生活向上"是我们的目的，政治、道德、经济的进步，不过是达到这目的的各种工具。政治虽是重要的工具，总不算得是目的。我敢说若要改良政治，别忘了政治是一种工具，别拿工具当目的，才可以改良出来适合我们目的的工具。我敢说最进步的政治，必是把社会问题放在重要地位，别的都是闲文。因此我们所主张的民治，是照着杜威博士所举的四种元素，把政治和社会经济两方面的民治主义，当做达到我们目的——社会生活向上——的两大工具。

在这两种工具当中，又是应该置重社会经济方面的。我以为关于社会经济的设施，应当占政治的大部分，而且社会经济的问题不解决，政治上的大问题没有一件能解决的，社会经济简直是政治的基础。

杜威博士关于社会经济（即生计）的民治主义的解释，可算是各派社会主义的共同主张，我想存心公正的人都不会反对。至于他关于政治的民治主义的解释，觉得还有点不彻底。我们既然是个"自由民"不是奴隶，言论、出版、信仰、居住、集会这几种自由权，不用说都是生活必需品。宪法我们也是要的，代议制也不能尽废。但是单靠"宪法保障权限"，"用代议制表现民□（意）"，恐怕我们生活必需的几种自由权，还是握在人家手里，不算归我们所有。我们政治的民治主义的解释：是由人民直接议定宪法，用宪法规定权限，用代表制照宪法的规定执行民意。换一句话说，就是打破治者与被治者的阶级，人民自身同时是治者又是被治者。老实说，就是消极的不要被动的官治,积极的实行自动的人民自治。必须到了这个地步,才算得真正民治。

我们中国社会经济的民治,自然还没有□(人)十分注意。就是政治的民治,中华民国的假招牌虽然挂了八年,却仍然卖的是中华帝国的药,中华官国的药,并且是中华匪国的药!"政治的民治主义"这七个好看的字,大家至今看了还不大顺眼。但是我决不因此灰心短气,因为有三个缘故:一是中国创造共和的岁月,比起欧美来还是太浅,陈年老病哪有著手成春的道理。二是中国社会史上的现象,真算得与众不同:上面是极专制的政府,下面是极放任的人民。除了诉讼和纳税以外,政府和人民几乎不生关系。这种极放任不和政府生关系的人民,自己却有种种类乎自治团体的联合:乡村有宗祠,有神社,有团练;都会有会馆,有各种善堂(育婴、养老、施诊、施药、积谷、救火之类),有义学,有各种工商业的公所。像这些各种联合,虽然和我们理想的民治隔得还远,却不能说中国人的民治制度,没有历史上的基础。三是中国人工商业不进化和国家观念不发达。从坏的方面说起来,我们因此物质文明不进步,因此国民没有一致团结力;从好的方面说起来,我们却因此没有造成像欧洲那样的资产阶级和军国主义,而且自古以来,就有许行的"并耕",孔子的"均无贫"种种高远理想。"限田"的讨论,是我们历史上很热闹的问题;"自食其力",是无人不知道的格言。因此可以证明我们的国民性里面,确实含着许多社会经济的民治主义的成分。我因为有这些理由,我相信政治的民治主义和社会经济的民治主义,将来都可以在中国大大地发展,所以我不灰心短气,所以我不抱悲观。

现在政象不佳,没有实行民治主义的缘故,也有好几层:一是改建共和未久；二是我们从前把建设共和看得太容易，革命以前宣传民治主义的工夫太做少了；三是共和军全由军人主动，一般国民自居在第三者地位；四是拥护共和的进步国民两党人，都不懂得民治主义的真相，都以为政府万能，把全副精神用在宪法问题、国会问题、内阁问题、省制问题、全国的水利交通问题，至于民治的基础——人民的自治与联合——反来无人过问；五是少数提倡地方自治的人，虽不迷信中央政府，却仍旧迷信大规模的省自治和县自治，其实这种自治，只算是地方政府对于中央政府的分治，是划分行政区域和地方长官权限的问题，仍旧是官治，和民治的真正基础——人民直接地实际地自治与联合——截然是两件事。我们现在要实行民治主义，首先要注重民治的坚实基础，必须把上面说的二、三、四、五这几层毛病通通除去，多干实事，少出风头，把大伟人、大政治家、大政客、大运动家、大爱国者的架子收将起来，低下头在那小规模的、极不威风的、坚实的民治基础——人民直接地、实际地自治与联合上做工夫。不然，无论北洋军人执政也罢，西南军人执政也罢，交通系得势也罢，北方的安福部得势也罢，南方的安福部（就是政学会）得势也罢，进步党的内阁也罢，国民党的内阁也罢，旧官僚的内阁也罢，我可以断定中国的民治，仍旧是北京《民治日报》的民治，不是杜威博士所讲"美国之民治的发展"的民治。

我不是说不要宪法，不要国会，不要好内阁，不要好省制，不要改良全国的水利和交通，也不是反对省自治、县自治。我以为这些事业，必须建筑在民治的基础上面，才会充分发展。大规模的民治制度，必须建筑在小组织的民治的基础上面，才会实现。基础不坚固的建筑，像那沙上层楼，自然容易崩坏。没有坚固基础的民治，即或表面上装饰得如何堂皇，实质上毕竟是官治，是假民治，真正的民治决不会实现，各种事业也不会充分发展。

社会经济的民治主义，哪一国都还没有实行；政治的民治主义，英、美两国比较其余的国家，总算是发达的了。

他们所以发达的由来，乃是经许多岁月，由许多小组织的地方自治团体和各种同业联合，合拢起来，才能够发挥今天这样大规模的民治主义。好像一个生物体，不是一把散沙，也不是一块整物，乃无数细胞组织、器官组织合拢起来，才能够成就全体的作用。他们的民治主义，不是由中央政府颁布一部宪法几条法令，就会马上涌现出来的，乃是他们全体人民一小部分一小部分自己创造出来的。所以杜威博士在他"美国之民治的发展"讲演中说道："美国是一个联邦的国家，当初移民的时候，每到一处，便造成一个小村，由许多小村，合成一邑，由许多邑合成一州，再由许多州合成一国。小小的一个乡村，一切事都是自治。"又说道："美国的联邦是由那些有独立自治能力的小村合并起来的，历史上的进化是由一村一村联合起来的。美国的百姓是为找自由而来的，所以他们当初只要自治不要国家，后来因有国家的需要，所以才组成联邦。"

我们现在要实行民治主义，是应当拿英、美做榜样，是要注意政治经济两方面，是应当在民治的坚实基础上做工（功）夫，是应当由人民自己一小部分一小部分创造这基础。这基础是什么？就是人民直接地、实际地自治与联合。这种联合自治的精神：就是要人人直接地，不是用代表间接地；是要实际去做公共生活需要的事务，不是挂起招牌就算完事。这种联合自治□（的）形式就是地方自治和同业联合两种组织。

现在有许多人的心理，以为时局如此纷乱，政府哪里顾得到地方自治的问题，而且地方自治的法案，还未经正式国会详细规定出来,我们怎样着手?至于同业联合的组织法,政府国会都还未曾想到,更是无从组织。我想这种见解是大错而特错,是有两个根本上的错误:第一个错误,是以为地方自治和同业联合都要政府提倡,才能够实现。我以为这种从上面提倡的自治联合,就是能够实现,也只是被动的官式的假民治,我们不要。我们所要的,是从底下创造发达起来的、人民自动的真民治。第二个错误,是以为法律能够产生事实,事实不能够产生法律。我的见解恰恰和它正相反对,我以为法律产生事实的力量小,事实产生法律的力量大。社会上先有一种已成的事实,政府承认它的"当然"就是法律,学者说明它的"所以然"就是学说。一切法律和学说,大概都从已成的事实产生出来的。譬如英、美两国的自治制度,都是先由他们的人民创造出来这种事实,后来才由政府编成法典,学者演成学说,并不是先由政府颁布法典,学者创出学说,他们人民才去照办的。所以我觉得时局纷乱不纷乱,政府提倡不提倡,国会有没有议决法案,都和我们人民组织地方自治、同业联合不生关系。

我所说的同业联合,和那由店东组织的各业公所及欧洲古时同业协会(Guild)不同,和欧洲此时由工人组织的职工联合(旧译工联 Trade Union)及其他各种劳动组合也不同。因为此时中国工商界,像那上海、天津、汉口几个大工厂和各处铁路矿山的督办、总办,都是阔佬官,当然不能和职工们平起平坐。其余一般商界的店东、店员,工界的老板、伙计,地位都相差不远,纯粹资本作用和劳力没有发生显然的冲突以前,凡是亲身从事业务的,都可以同在一个联合。

关于地方自治和同业联合的种种学说、制度非常之多,至于详细的办法,一时更说不尽。我现在单只就中国社会状态的需要而且可以实行的,举出几条原则,免得失了直接的、实际的精神,就会发生笼统、涣散、空洞、利用、盘踞、腐败,种种不可救药的老毛病。

最小范围的组织 乡间的地方自治,从一村一镇着手,不可急急去办哪一乡的自治;城市的地方自治,要按着街道马路或是警察的分区,分做许多小自治区域,先从这小区域着手,不可急急去办哪城自治、市自治。同业联合是要拿一个地方的一种职业做范围,譬如一个码头的水手、船户、搬运夫,一个矿山的矿夫,一条铁路的职工,一个城市的学校教职员、新闻记者、律师、医生、木匠、瓦匠、车夫、轿夫、铁工、纺织工、漆工、裁缝、剃头匠、排印工人、邮差、脚夫等,各办各的同业联合。商业的店东管事和店员,在小城市里便归在一个联合,在大城市里,譬如上海地方,就按行业或马路分办各的同业联合,万万不可急于组织那笼统、空洞的什么"工会",广大无边的什么"上海商界联合会",什么"全国工人联合会"。凡是笼统空洞、没有小组织做基础的大组织,等于没有组织。这种没有组织的大组织,消极方面的恶结果,就是造成多数人冷淡、涣散、放弃责任;积极方面的恶结果,就是造成少数人利用、把持、腐败。

人人都有直接议决权 这种小组织的地方团体和同业团体,人数都必然不多,团体内的成年男女,都可以到会直接议决事务,无须采用代表制度。若是一团体的事务,各个分子都有直接参与的权利。它所生的效果:在消极方面,可以免得少数人利用、把持、腐败;在积极方面,可以养成多数人的组织能力,可以引起大家向公共的利害上着想,向公共的事业上尽力,可以免得大家冷淡旁观、团体涣散。中国现在的地方自治办不好,就是因为大家让少数的绅董盘踞在那里作恶;同业联合没有好效果,就是因为现在各业公所的组织,只是店东、管事独霸的机关,与多数的职工店员无涉。

我所以主张小组织，就是因为小组织的人少，便于全体直接参与，一扫从前绅董、店东、工头、少数人把持的积弊，又可以磨炼(练)多数人办事的能力。若有人疑心多数的教育程度不够，还是用代表制度的好，我便拿杜威博士《美国之民治的发展》讲演上的话来回答："民治主义何以好呢？因为它自身就是一种教育，就是教育的利器，叫人要知道政治的事不是大人先生的事，就是小百姓也都可以过问的。人民不问政事，便把政治的才能糟蹋完了，再也不会发展了。民治政治叫人去投票，叫人知道对于政治有很大的责任，然后自然能养成一种政治人才。美国的浩雷斯曼说："我们的主张不是说人生下来就配干预政治，不过总要叫他配干预才是。"这就是民治主义的教育。从前美国的选举也有财产、教育、男女的限制，现在才把这些限制去了。去了限制之后，从没听人说过哪个人不会选举，可见得政治的才能是学得的，不是生来的。若有人疑心女子不便加入，我以为男女应该有同等权利的理论姑且不提，单就事实上说，女子加入的坏处，我一时想不出，我却想出许多女子加入的好处：女子的和平、稳静、精细、有秩序、顾名誉、富于同情心等，可以使团体凝结的性质，都比男子好。她们第一美点，就是不利用团体去夤缘官做。

执行董事不宜专权久任执行 团体议决事务的董事，由团体全员投票选举。选举权和被选举权，都不应当有教育、财产、男女、地位的限制。董事的人数宜多，任期宜短，不能连任。每半年改选三分之一，满期退任的次第，抽签预定。无论大会或是董事会，都只设临时主席，取合议制，不设会长、总董。这都是防备少数人盘踞必不可缺的制度。

注重团体自身生活的实际需要 地方自治应该注重的是：教

育（小学校及阅书报社）、选举（国会、省县议会及城乡自治会）、道路、公共卫生。乡村的地方，加上积谷、水利、害虫三件事。同业联合应该注重的是：教育（补习夜学、阅书报社、通俗讲演）、储蓄、公共卫生、相互救济（疾病、老、死、失业等事）、消费公社、职业介绍、公共娱乐、劳工待遇等事。上海工业界现在有许多同业的联合会发生，我们十分欢迎。但是我们也有十分担心的两个疑问：（一）是否仅仅为了外交的感触？还是另有团体本身生活上实际需要的觉悟？（二）是否店东、管事们在那里包办？上海各马路的商界联合会，颇和我主张的小组织相同，但我们不能满意的地方：（一）到会的会员都只有各店代表一百多人，不但不是全体，并没有过半数。（二）这些代表恐怕多半是店东、管事，没有店员的份。（三）本身的组织和实际生活需要的问题，都没有谈起，请了许多事外的人来演说，发些救国裕商的空套议论，这是做什么！我盼望社会上理想高明的人，不要以为我所注重的实际生活需要讨价过低，说我主张不彻底。我相信照中国现社会的状况，只有这种小组织，注重这种实际生活的需要，乃是民治主义坚实的基础，乃是政治、经济彻底改造必经的门路。我盼望官场中神经过敏的人，不要提起地方自治，马上就联想到破坏统一；不要提起同业联合，马上就联想到社会革命。我主张的这种小组织，实在平易可行，实在是共和国家政治、经济的实际需要，实在说不上什么破坏统一，什么社会革命。这种小组织的地方自治，固然和你们政权无涉，于你们官兴多碍。就是这种小组织的同业联合，所注重的实际需要，也都是在现社会现经济制度之下的行动，并非什么过激的办法，不但比不上法国的工团主义（Syndicalism）那样彻底，就是比英国的工联（Trade Union），还要和平简陋得多。

断绝军人、官僚、政客的关系 军人、官僚、政客是中国的三害。无论北洋军人、西南军人、老官僚、新官僚、旧交通系、新交通系、安福系、已未系、政学会，可以总批它"明抢暗夺、误国殃民"八个大字。一定要说哪个好、哪个歹，都是一偏之见，缺少阅历。自从五四运动以来，我们中国一线光明的希望，就是许多明白有良心的人，想冲出这三害的重围，另造一种新世界。这新世界的指南针，就是唤醒老百姓，都提起脚来同走"实行民治"这一条道路。这条道路的基础上最后要留意的，就是别让三害鬼混进来，伸出他背上的那只肮脏黑手，把我们的一线光明遮住了。蝇营狗苟的新官僚（就是政客先生），惯会看风头，乘机窃取起来，更是眼明腿快，我们要格外严防，别让他利用我们洁白的劳动工人和青年学生，来办什么政党、什么劳动党，做他当总长的敲门砖。最好是各种小组织的事务所，都贴上"小心扒手"，好叫大众留神。我所以主张小组织，固然重在民治要有坚实的基础，也是故意摆出矮户低檐的景象，好叫这班阔人恐怕碰坏了纱帽翅，不来光顾才好。

这篇文章刚做好寄到上海付印，就看见张东荪先生新做的《头目制度与包办制度的打破》那篇文章（见《解放与改造》的一卷五号），说得很透彻，可以补我这篇文章的遗漏，读者务必要参看。我所主张的小组织好叫人人有直接参与权，似乎是打破一切寡头制度（头目包办制度自然包含在内）的根本方法。这种思想倘然能够成为事实、成为习惯，不但现在经济方面的恶制度可以扫除，就是将来较大的政治方面、经济方面的大组织，自然也不会有寡头专制的事发生，真民治主义才会实现。我所主张的同业联合，也含着有"两元的社会组织"的性质。但是我心中所想的未必和《联合会日刊》所说的尽同，而且我不愿意采用"两元"的名词，因为本来我们所痛苦的是现代社会制度的分裂生活，我们所渴望的是将来社会制度的结合生活，我们不情愿阶级争斗发生，我们渴望纯粹资本作用——离开劳力的资本作用——渐渐消灭，不至于造成阶级争斗。怎奈我们现在所处的不结合而分裂的——劳资、国界、男女等——社会，不慈善而争斗的人心，天天正在那里恶作剧（现在美国劳资两元组织的产业会议，就是一个例），我心中所想说的话，不愿说出，恐怕有人误作调和政策，为一方面所利用，失了我的本意。此话说来太长，而且不是本篇的论旨，改日再谈罢。

十一月二日夜

（第七卷第一号，一九一九年十二月一日）

由经济上解释中国近代思想变动的原因

李大钊

凡一时代,经济上若发生了变动,思想上也必发生变动。换句话说,就是经济的变动,是思想变动的重要原因。现在只把中国现代思想变动的原因,由经济上解释解释。

人类生活的开幕,实以欧罗细亚为演奏的舞台。欧罗细亚,就是欧亚两大陆的总称。在欧罗细亚的中央,有一凸地,叫做Table-land。此地的山脉,不是南北纵延的,乃是东西横亘的。因为有东西横亘的山脉,南北交通,遂以阻隔。人类祖先的分布移动,遂分为南道和北道两条进路。人类的文明,遂分为南道文明——东洋文明和北道文明——西洋文明两大系统。中国本部、日本、印度支那、马来半岛诸国、俾露麻、印度、阿富汗尼士坦、俾而齐士坦、波斯、土尔其、埃及等,是南道文明的要路;蒙古、满洲、西伯利亚、俄罗斯、德意志、荷兰、比利时、丹麦、士坎迭拿威亚、英吉利、法兰西、瑞士、西班牙、葡萄牙、意大利、奥土地利亚、巴尔干半岛等,是北道文明的要路。南道的民族,因为太阳的恩惠厚,自然的供给丰,故以农业为本位,而为定住的;北道的民族,因为太阳的恩惠薄,自然的供给啬,故以工商为本位,而为移住的。农业本位的民族,因为常定住于一处,所以家族繁衍,而成大家族制度——家族主义;工商本位的民族,因为常转徙于各地,所以家族简单,而成小家族制度——个人主义。前者因聚族而居,易有妇女过庶的倾向,所以成重男轻女、一夫多妻的风俗;后者因转徙无定,恒有妇女缺乏的忧虑,所以成尊重妇女、一夫一妻的习惯。前者因为富于自然,所以与自然调和,与同类调和;后者因为乏于自然,所以与自然竞争,与同类竞争。简单一句话,东洋文明,是静的文明;西洋文明,是动的文明。

中国以农业立国,在东洋诸农业本位国中,占很重要的位置。所以大家族制度,在中国特别发达。原来家族团体,一面是血统的结合,一面又是经济的结合。在古代原人社会,经济上男女分业互助的要求,恐怕比性欲要求强些,所以家族团体所含经济的结合之性质,恐怕比血统的结合之性质多些。中国的大家庭制度,就是中国的农业经济组织,就是中国二千年来社会的基础构造。一切政治、法度、伦理、道德、学术、思想、风俗、习惯,都建筑在大家族制度上作他的表层构造。看那二千余年来支配中国人精神的孔门伦理,所谓纲常,所谓名教,所谓道德,所谓礼义,哪一样不是损卑下以奉尊长?哪一样不是牺牲被治者的个性以事治者?哪一样不是本着大家族制下子弟对于亲长的精神?所以孔子的政治哲学,修身、齐家、治国、平天下,"一以贯之",全是"以修身为本"。又是孔子所谓修身,不是使人完成他的个性,乃是使人牺牲他的个性。牺牲个性的第一步,就是尽"孝"。君臣关系的"忠",完全是父子关系的"孝"的放大体。因为君主专制制度,完全是父权中心的大家族制度的发达体。至于夫妇关系,更把女性完全浸却。女子要守贞操,而男子可以多妻、蓄妾;女子要从一而终,而男子可以细故出妻;女子要为已死的丈夫守节,而男子可以再娶。就是亲子关系的

"孝",母的一方还不能完全享受,因为伊是隶属于父权之下的,所以女德重"三从":"在家从父,出嫁从夫,夫死从子"。总观孔门的伦理道德,于君臣关系,只用一个"忠"字,使臣的一方完全牺牲于君;于父子关系,只用一个"孝"字,使子的一方完全牺牲于父;于夫妇关系,只用几个"顺""从""贞节"的名辞,使妻的一方完全牺牲于夫,女子的一方完全牺牲于男子。孔门的伦理,是使子弟完全牺牲他自己以奉其尊上的伦理;孔门的道德,是与治者以绝对的权力责被治者以片面的义务的道德;孔子的学说所以能支配中国人心有二千余年的缘故,不是他的学说本身具有绝大的权威,永久不变的真理,配作中国人的"万世师表",因他是适应中国二千余年来未曾变动的农业经济组织反映出来的产物,因他是中国大家族制度上的表层构造,因为经济上有他的基础。这样相沿下来,中国的学术思想,都与那静沉沉的农村生活相照映,停滞在静止的状态中,呈出一种死寂的现象。不但中国,就是日本、高丽、越南等国,因为他们的农业经济组织和中国大体相似,也受了孔门伦理的影响不少。

时代变了!西洋动的文明打进来了!西洋的工业经济来压迫东洋的农业经济了!孔门伦理的基础就根本动摇了!因为西洋文明是建立在工商经济上的构造,具有一种动的精神,常求以人为克制自然,时时进步,时时创造。到了近世,科学日见昌明,机械发明的结果,促起了工业革命。交通机关日益发达,产业规模日益宏大。他们一方不能不扩张市场,一方不能不搜求原料。这种经济上的需要,驱着西洋的商人,来叩东洋沉静的大门。一六三五年顷,已经有荷兰的商人到了日本。以后 Perry Harris 与 Lord Elgin 诸人相继东来,以其商业上的使命,开拓东洋的门径,而日本,而中国,东洋农业本位的各国,都受了西洋工业经济的压迫。日本国小地薄,人口又多,担不住这种压迫,首先起了变动,促成明治维新,采用了西洋的物质文明,产业上起了革命——如今还正在革命中——由农业国一变而为工业国,不但可以自保,近来且有与欧美各国并驾齐驱的势力了。日本的农业经济组织,既经有了变动,欧洲的文明、思想,又随着他的经济势力以俱来,思想界也就起了绝大的变动。近来 Democracy 的声音震荡全国,日本人夸为"国粹"之万世一系的皇统,也有动摇的势子;从前由中国传入的孔子伦理,现在全失了效力了。

中国地大物博,农业经济的基础较深,虽然受了西洋工业经济的压迫,经济上的变动,却不能骤然表现出来。但中国人于有意无意间也似乎了解这工商经济的势力加于中国人生活上的压迫实在是厉害,所以极端仇视他们,排斥他们,不但排斥他们的人,并且排斥他们的器物。但看东西交通的初期,中国只是拒绝和他们通商,说他们科学上的发明是"奇技淫巧",痛恨他们造的铁轨,把它投弃海中。义和团虽发于仇教的心理,而于西洋人的一切器物一概烧毁,这都含着经济上的意味,都有几分是工业经济压迫的反动,不全是政治上、宗教上、人种上、文化上的冲突。

欧洲各国的资本制度一天盛似一天,中国所受他们经济上的压迫也就一天甚似一天。中国虽曾用政治上的势力抗拒过几回,结果都是败辱。把全国沿海的重要通商口岸都租借给人,割让给人了,关税、铁路等等权力,也都归了人家掌握。这时的日本崛然兴起,资本制度发达的结果,不但西洋的经济力不能侵入,且要把他的势力扩张到别国。但日本以新兴的工业国,骤起而与西洋各国为敌,终是不可能。中国是他的近邻,产物又极丰富,他的势力自然也要压到中国上。中国既受西洋各国和近邻日本的二重压迫，经济上发生的现象，就是过庶人口不能自由移动，海外华侨，到处受人排斥虐待，国内居民的生活本据，渐为外人所侵入——台湾、满蒙、山东、福建等尤甚——关税权为条约所束缚，适成一种"反保护制"。外来的货物和出口的原料，课税极轻，而内地的货物，反不能自由移转，这里一厘，那里一卡，几乎步步都是关税。于是国内产出的原料品，以极低的税输出国外，而在国外造成的精制品，以极低的税输入国内。国内的工业，都是手工工业和家庭工业，哪能和国外的机械工业、工厂工业竞争呢？结果就是中国的农业经济挡不住国外的工业经济的压迫，中国的家庭产业挡不住国外的工厂产业的压迫，中国的手工产业挡不住国外的机械产业的压迫。国内的产业多被压倒，输入超过输出，全国民渐渐变成世界的无产阶级，一切生活，都露出困迫不安的现象。在一国的资本制下被压迫而生社会的无产阶级，还有机会用资本家的生产机关；在世界的资本制下被压迫而生世界的无产阶级，没有机会用资本国的生产机关。在国内的就为兵为匪，跑到国外的，就做穷苦的华工，辗转迁徙，贱卖他的筋力，又受人家劳动阶级的疾视。欧战期内，一时赴法、赴俄的华工人数甚众，战后又用不着他们了，他们只得转回故土。这就是世界的资本阶级压迫世界的无产阶级的现象，这就是世界的无产阶级寻不着工作的现象。欧美各国的经济变动，都是由于内部自然的发展，中国的经济变动，乃是由于外力压迫的结果，所以中国人所受的苦痛更多、牺牲更大。

中国的农业经济，既因受了重大的压迫而生动摇，那么首先崩颓粉碎的，就是大家族制度了。中国的一切风俗、礼教、政法、伦理，都以大家族制度为基础，而以孔子主义为其全结晶体。大家族制度既入了崩颓粉碎的运命,孔子主义,也不能不跟着崩颓粉碎了。

试看中国今日种种思潮运动,解放运动,哪一样不是打破大家族制度的运动?哪一样不是打破孔子主义的运动?

第一,政治上民主主义(Democracy)的运动,乃是推翻父权的君主专制政治之运动,也就是推翻孔子的忠君主义之运动。这个运动,形式上已算有了一部分的成功,联治主义和自治主义,也都是民主主义精神的表现,是打破随着君主专制发生的中央集权制的运动。这种运动的发动,一方因为经济上受了外来的压迫,国民的生活,极感不安,因而归咎于政治的不良、政治当局的无能,而力谋改造。一方因为欧美各国 Democracy 的思潮随着经济的势力传入东方,政治思想上也起了一种响应。

第二,社会上种种解放的运动,是打破大家族制度的运动,是打破父权(家长)专制的运动,是打破夫权(家长)专制的运动,是打破男子专制社会的运动,也就是推翻孔子的孝父主义、顺夫主义、贱女主义的运动。如家庭问题中的亲子关系问题、短丧问题,社会问题中的私生子问题、儿童公育问题,妇女问题中的贞操问题、节烈问题、女子教育问题、女子职业问题、女子参政问题,法律上男女权利平等问题(如承继遗产权利问题等)、婚姻问题——自由结婚、离婚、再嫁、一夫一妻制,乃至自由恋爱、婚姻废止——都是属于这一类的,都是从前大家族制下断断不许发生、现在断断不能不发生的问题。原来中国的社会只是一群家族的集团,个人的个性、权利、自由,都束缚禁锢在家族之中,断不许他有表现的机会。所以从前的中国,可以说是没有国家,没有个人,只有家族的社会。现在因为经济上的压迫,大家族制的本身,已经不能维持。而随着新经济势力输入的自由主义、个性主义又复冲入家庭的领土,他的崩颓破灭,也是不可逃避的运数。不但子弟向亲长要求解放,便是亲长也渐要解放子弟了;不但妇女向男子要求解放,便是男子也渐要解放妇女了。因为经济上困难的结果,家长也要为减轻他自己的负担,听他们去自由活动,自立生活了。从前农业经济时代,把他们包容在一个大家族里,于经济上很有益处,现在不但无益,抑且视为重累了。至于妇女,因为近代工业进步的结果,添出了很多宜于妇女的工作,也是助她们解放运动的一个原因。

欧洲中世,也曾经过大家族制度的阶级,后来因为国家主义和基督教的势力勃兴,受了痛切的打击,又加上经济情形发生变动,工商勃兴,分业及交通机关发达的结果,大家族制度,遂立就瓦解。新起的小家族制度,其中只包含一夫一妻及未成年的子女,如今因为产业进步、妇女劳动、儿童公育种种关系,崩解的气运,将来也必然不远了。

中国的劳动运动,也是打破孔子阶级主义的运动。孔派的学说,对于劳动阶级,总是把他们放在被治者的地位,作治者阶级的牺牲。"无君子莫治野人,无野人莫养君子。""劳心者治人,劳力者治于人。"这些话,可以代表孔门贱视劳工的心理。现代的经济组织,促起劳工阶级的自觉,应合社会的新要求,就发生了"劳工神圣"的新伦理,这也是新经济组织上必然发生的构造。

总结以上的论点:第一,我们可以晓得孔子主义(就是中国人所谓纲常名教),并不是永久不变的真理。孔子或其他古人,只是一代哲人,绝不是"万世师表"。他的学说,所以能在中国行了二千余年,全是因为中国的农业经济,没有很大的变动,他的学说适宜于那样经济状况的缘故。现在经济上生了变动,他的学说,就根本动摇，因为他不能适应中国现代的生活、现代的社会。就有几个尊孔的信徒，天天到曲阜去巡礼，天天戴上洪宪衣冠去祭孔，到处建筑些孔教堂，到处传布"子曰"的福音，也断断不能抵住经济变动的势力来维持他那"万世师表""至圣先师"的威灵了。第二，我们可以晓得中国的纲常、名教、伦理、道德，都是建立在大家族制上的东西。中国思想的变动，就是家族制度崩坏的征候。第三，我们可以晓得中国今日在世界经济上，实立于将为世界的无产阶级的地位。我们应该研究如何使世界的生产手段和生产机关同中国劳工发生关系。第四，我们可以正告那些钳制新思想的人，你们若是能够把现代的世界经济关系完全打破，再复古代闭关自守的生活；把欧洲的物质文明、动的文明完全扫除，再复古代静止的生活，新思想自然不会发生。你们若是无奈何这新经济势力，那么只有听新思想自由流行，因为新思想是应经济的新状态、社会的新要求发生的，不是几个青年凭空造出来的。

（第七卷第二号，一九二〇年一月一日）

洪水与猛兽

蔡元培

二千二百年前,中国有个哲学家孟轲。他说国家的历史,常是"一乱一治"的。他说第一次大乱,是四千二百年前的洪水。第二次大乱,是三千年前的猛兽。后来说到他那时候的大乱,是杨朱、墨翟的学说。他又抱自己的距杨、墨,比较禹的抑洪水、周公的驱猛兽。所以崇奉他的人,就说杨、墨之害,甚于洪水猛兽。后来一个学者,要是攻击别种学说,总是袭用"甚于洪水猛兽"这句话。譬如唐宋儒家,攻击佛、老,用他;清朝程朱派,攻击陆王派,也用他;现在旧派攻击新派,也用他。

我以为用洪水来比新思潮,很有几分相像。它的来势很勇猛,把旧日的习惯冲破了,总有一部分的人感受苦痛;仿佛水源太旺,旧有的河槽,不能容受它,就泛滥岸上,把田庐都扫荡了。对付洪水,要是如鲧的用湮法:便愈湮愈决,不可收拾。所以禹改用导法,这些水归了江河,不但无害,反有灌溉之利了。对付新思潮,也要舍湮法用导法,让它自由发展,定是有利无害的。孟氏称"禹之治水,行其所无事",这正是旧派对付新派的好方法。

至于猛兽,恰好作军阀的写照。孟氏引公明仪的话:"庖有肥肉,厩有肥马,民有饥色,野有饿莩,此率兽而食人也。"现在军阀的要人,都有几百万几千万的家产,奢侈得了不得,别种好好做工的人,穷得饿死,这不是率兽食人的样子么?现在天津、北京的军人,受了要人的指使,乱打爱国的青年,岂不明明是猛兽的派头么?

所以中国现在的状况,可算是洪水与猛兽竞争。要是有人能把猛兽驯服了,来帮同疏导洪水,那中国就立刻太平了。

这是蔡先生替《北京英文导报》的特别增刊做的。我们因为这篇文章是现在很重要的文字,很可以代表许多人要说而不能说的意思,故把他的中文原稿登在这里

(适)

(第七卷第五号,一九二〇年四月一日)

"五一"May Day 运动史

李大钊

一

大凡一个纪念日,是吉祥的日子,也是痛苦的日子。因为可纪念的胜利,都是从奋斗中、悲剧中得来的。"五一"纪念日,也是如此。

"五一"纪念日,是一日工作八小时的运动胜利的纪念日。它的起源,是一八八四年十月七日在芝加哥(Chicago)所开国际的并国民的八大联合(Union)大会里,决议以每年五月一日为期,举行以一日工作八小时制度实行为目的的示威运动——总同盟罢工,指定一八八六年的五月一日为第一回示威运动的日子。参与这次决议的,不只是美国,加拿大也在其中。

这个运动,是因为政府屡次扬言改善劳工条件而不实行起来的。民众知道希望不诚实的政府是绝望的事,要想达到目的,非靠自己努力不可,乃决定排去一切向人请愿的行动,对于资本家取直接行动,以图收预定的效果。所以"五一"纪念日,是由民众势力集中的协同团体涌现出来的。它的起源,全在劳工组合主义;它的发起人等的志向，全在毫不带政治臭味的纯粹经济运动。

一八八五年，由十一月至十二月间，差不多同时开会的劳工组合（Knight of Labor，一八三四年在美国发生的）会，并美国劳工同盟会的大会，决议使八小时工作运动愈盛。全国劳工以翌年五月一日为期向雇主要求八小时工作，万一不听便断然罢工，从那一日起决不做八小时以上的工。这个运动，从这时直到翌年五月一日，继续着进行很猛。

他们的运动那样猛烈，有许多的雇主，不到五月一日那一天，就屈服了。一八八六年的四月中旬以降，已竟有出和从前一样的工钱、实行八小时工作的不少了。

一八八六年的五月一日到了！美国全国所有从事于各种职业的工人，都停了工，合声唱着

> 从今以后，一个工人，
> 也不可做八小时以上的工作！
> 工作八小时！
> 休息八小时！
> 教育八小时！

的歌，在街市上游行。

这回运动的结果，居然获得可惊的胜利。五月一日以后，不过数日间，已有十二万五千人得了八小时运动的成功。一个月后，成功的人数，增加到二十万。

一八八六年的五月一日，这样成了全美劳工大胜利的纪念日。

美国还有一个劳动节，就是 Laborday，每年九月的第一个星期

一日举行。但这是法定的纪念日,和那特别与八小时工作运动有关系的劳工自决得了胜利的"五一"纪念日迥乎不同。

二

"五一"纪念日为欧洲劳工团体所采用,是在一八八九年在巴黎开会的万国社会党大会里决定的。因为它在美国得了很大的成功,给欧洲劳工界以很大的刺激,使他们信欧美两大陆一致的大示威运动,必定有更大的效果。

一九〇〇年的"五一"纪念日,欧美各国大小无数的工业都市,一齐起来,举行这个大运动。伦敦海德公园里的大示威运动,与会的总数,不下廿五万人,设了演坛十六处,为廿年来未曾有的大示威运动。

是年所开的第五次万国社会党大会,议决此后每年继续不断地在五月一日举行这种大运动。

一九〇四年,在盎士铁尔丹所开的第六次万国社会党大会,最后的一天,也议决了每年五月一日的停工和示威运动。也有在五月的第一(个)星期日举行的国,但是普通以五月一日举行的为多。

一九〇六年,万国社会党本部,刊行一本小册子,题曰《五月一日万国联合示威运动》。这是用英、德、法三国语写的,内容就是八小时工作权的获得,诉于万国工人的宣言。节录于左(下):

万国社会党择定五月一日为有阶级的自觉的万国工人停工举行示威运动的日子。

这个示威运动,是对于资本家制度的定期警告。劳工阶级拿这个表明他们要求解放的确切信念,并且宣言这个信念,决不能被像国际战争那样的诱惑和迷乱。

这个统一的运动,是万国平民一致结合始能获得胜利,始能使劳工阶级赋予平和与自由于全世界的事情。

各国团结的劳工,以法定的最长工作时间限于一日八小时,为自己阶级解放的根本条件之一,相信依劳工组合的活动和立法的手段能取得之。(中略)

产业愈发达,结果愈使工人结合,工作剧重,生产状态单一,因而作成使工作时间的限制有越发必要,越发容易的倾向。

八小时工作,可作给劳动力以新活气,防止人种衰弱,并使平民大多数人人类知识的生活的手段。这个道理,如今越发明白了。(中略)

我们希望工人们参加这迫切的示威运动以求实现此希望的意思更加巩固。

于五月一日停工啊!

于五月一日举行示威运动啊!

祝福劳工啊!

由是以来,美欧各国的工人,年年在五月一日举行示威运动。资本家阶级,都战战兢兢地过他们的厄日。到一九一四年,大战勃发,劳工阶级解放的信念,一时遭了爱国主义马蹄的蹂躏。各国社会党,多有为爱国的狂潮所卷而效忠于资本家政府之前的。大规模的"五一"运动,似乎一时中止;可是有少数信念最笃的志士,仍然利用那一天举行休战的示威运动。一九一六年德国社会党首领列卜涅西(Karl Liebknecht)的被捕入狱,就是因为他的"五一"宣言和演说。关于此事的始末,本志另有专篇记述,我只把他的"五一"宣言,译在此处罢了。

李卜克内西的《"五一"宣言》(May Day Manifesto)

贫困和灾难,需要和饥馑,正在管治着日耳曼、比利时、波兰和塞尔维亚。他们的血,帝国主义的凶鬼正在吮吸,他们好像大坟墓。全世界,很受赞美的欧洲文明,被此次世界大战造出来的荒乱,剥落尽了。

那些由战争获利的人,将要同合众国战。或者明天他们便命我们用那无情的武器,去敌我们同胞中的新群合,去敌我们合众国的劳工好友,也攻打美洲起来。我们应该仔细思量这件事:限于我们日尔曼民族不站起来,不用那由自己意思指导的势力,这个民族的暗杀,仍将继续不已。千万人的声音,都高叫:"打破无耻的灭人族类的政策!推倒那些犯此罪行的祸首!"我们的仇敌,不是英国人,不是法国人,也不是俄国人,是那大日尔曼的地主,是日尔曼的资本家和他们的执行委员会。

前进!我们要同这政府战!我们要同这一切自由的不共戴天的仇敌战!我们要为凡是劳工阶级将来的胜利战,为人类和文明的将来战!

工人们!朋友们!女界同胞们!切不可令这次的"五一"纪念日——战争以来的第二个"五一"纪念日——一点不反抗帝国主义的屠户,就空空过去了。

"五一"这一天,我们要万众同声地高叫:"扫荡灭亡民族的罪恶行为!推倒那些主战的祸首!"

一九一八年，俄京莫斯科的"五一"纪念日，更是一个盛典。因为那一天是劳农共和组织成立后的第一纪念日，是举行马克思铜像除幕式的纪念日，接着五月四日又是马克思诞生百年的纪念日。

三

"五一"这一天，劳工阶级固然得了很多的收获，但是也曾出了很大的牺牲。一八八六年的芝加哥（Chicago）悲剧，就是一段极惨的事件。

在一八七七年的时候，美国诸大城市，充满了多数失业的工人，芝城更是不少。那里的国际社会党人，召集了多次的群众大会，他们的宣传运动，很得这一班贫苦工人的信从。一八八四年的感谢节（Thanksgiving day，普通是在十一月中最后的星期四日），他们举行了一次游街示威运动。芝城 The Arbeiter‑Zeitung、The Vorbote、The Fackel、The Alarm 诸报，都鼓吹工人赶快武装起来。有一位 Most 君，编了一本小册子，题为《战争的革命科学》（Revolutionary Science of War）。许多报馆，把它重印出来，传布很广。

自从一八八四年，决议以一八八六年的五月一日为八小时制实行的日子，美国全国的工人，都起来参与这激烈的运动。芝城的运动，更是猛烈。一八八五年，八小时会由 GeorgeA. Schilling 君及其他有志者的提议，组织成功。职工会议（The Trade and Labor Assembly），是芝城中最有组织的劳工团体的中心，也立刻整饬了阵容，准备作战。中央劳工联合会（The Central Labor Union）也接踵而起。

芝城的国际社会党人，最初对于这种运动，还守中立的态度。

后来看见八小时运动,得了大部分的同情,而且成了劳工界的中心问题,他们才渐渐变了宗旨,起来助进这个运动。像 Parsons、Spies、Fielden、Schwab 等一流雄辩家,都在八小时集会里做了说士,很受欢迎。他们大都劝说工人预备在五月一日那一天武装起来。

是年的"五一"运动,芝城的工人,达到八小时工作的目的者占大多数,但那没有达到目的者,还有四万人左右。他们只得继续着同盟罢工,以图贯彻他们的要求。

最激烈的纷扰,实起于 McCormick 农具制造厂罢工的工人。他们由二月间已竟被迫出厂,因为厂主雇来三百多武装侦探,保护那班破坏罢工同盟的工人,雇主和工人间的战斗益烈。五月三日的早晨,罢工的工人在 McCormick 工厂附近,集合了一个群众大会,讨论恢复工作的平和条件。Spies 君出头演说,会场的光景,却很平静。不意 McCormick 工厂的铃忽然响了,那些破坏同盟的工人出现了。有约一百五十人的群众,动了怒气,离开大会,向那些破坏同盟的工人面前进发。双方相见,就大起冲突,巷战起来,互以石子掷击。警察看势不佳,便去急打电话。不多时,一个巡官的马车飞过街市而来。又不多时,有七十五名警察,步行随着那辆车子走来。还有四五辆巡官的马车,在警察后面。这些巡官一被他们用石块抛击,便向群众开枪乱打。无辜的男、女、儿童,受伤的很多。

民众非常激怒了。Spies 君急忙回到 Arbeiter Zeitung 报馆,草了一篇对于芝城工人的宣言。后来人叫这做"复仇檄文",因为这宣言的首句,就是"复仇!",劝工人们起来报他们同胞惨遭杀戮的仇。这篇宣言印了五千份,用英文和德文写的,分布各街。

次晚,在 Haymarket 地方又召集了一个群众大会,追悼他们惨遭杀戮的工界朋友。到会的约有二千人，Spies、Parsons、Fielden 诸君，都有演说。

这次集会，官府在白天并没有干涉。到了晚十点钟的时候，芝城市长 Harrison 氏离了会场，这个会议实际上已经算是闭会了。因为眼看着云气低重，有大风雨将至的样子，至少有三分之二都散去了，只剩下数百人，Fielden 君还在那里给他们演说。演（说）了十余分钟，就有一百七十六名警察，由 Ward 大佐督队，急（疾）奔这一部分余众而来，严令解散。Fielden 君答复说，这个集会是很平和的，并没有什么危险。在这个时候，忽然由一个附近的小路，掷进来一个炸弹，正落在第一个警士和第二个警士的中间，轰然炸裂，发出可怕的声响，炸毙一个警士，受伤的很多。双方立刻开枪乱射，延到两分钟之久，没有间断。结果警察方面，死了七人，伤了约六十人；工人方面，死了四人，伤了约五十人。

抛炸弹的人到底是谁呢？这是一个大疑问。有一位 Rudolph Schnaubelt 君，是 Schwab 君的妻兄弟，他当时很受嫌疑。Haymarket 悲剧发生以后，他便即时逃走了。可是他在欧洲报纸上，却屡次声明，他和这事没有关系。此外还有两说，亦颇盛传：一说谓这个炸弹，是平日为警察所陷害的人的亲友放的，是为报复私仇；又一说谓当时八小时运动很占势力，所以官府使人暗掷炸弹，以便得所借口，好把这一班指导这个运动的中心人物一网打尽。从法庭审判此案故意罗织很不公平看起来，似乎最后一说，也颇可信。

事实纵然如此，但是反对党到底要把这桩罪案栽到社会党人身上。于是所有的工人会，都被解散。Arbeiter Zeitung 报馆，也受警察严重的检查，Haymarket 大会中发言的人和 Arbeiter Zeitung 报馆印刷部、编辑部中的重要分子，都被逮捕。五月十七日，预审陪审官以投掷炸弹炸死警察 M. J. Degan 的罪状，控告 August Spies、Michael Schwab、Samuel Fielden、Albert R. Parsons、Adolph Fischer、GeorgeEngel、LouisLingg、OscarW. Neebe、Rudolph Schnaubelt 和 William Seligar 等十人。除 Schnaubelt 在逃，Seligar 以告密免罪外，其余八人，均付审讯。

审讯的手续既不合法，证据也不充分，并且有伪造的嫌疑。任被告人若何申辩，律师若何辩护，法官终是不睬。因为他们早有成见，此案不过是一个口实。有人说都是他们作出来的恶剧。到了八月二十日，判决书下了。Spies、Schwab、Parsons、Fielden、Fischer、Engel、Lingg 七人判了死刑，Neebe 十五年监禁。他们到州高级法庭去上告，仍然认可原判；到合众国高级法庭控诉，他们说没有审理此案的审判权，却之不理。山穷水尽，只剩下了一条路：就是请求政府特赦或减刑。有的被告取了这个方法，结果只把 Schwab、Fielden 两人减为终身监禁，Lingg 仰药自尽，Spies、Parsons、Fischer、Engel 于一八八七年十一月十一日惨遭绞刑。

他们死义的时候，都很悲壮。Spies 君当那绞绳放在颈上的时候，有一句临终的宣言，说："我们在坟墓中的沉默比我们的演说更能动人的时候快来了。"Parsons 的最后一句话，是"让民众的声音得被听见"。Fisher 的死状，尤其壮快，他以踊跃的跳步、光明的颜色，上了断头台，高呼："这是我一生最快的一刹那。"这样构成了这一段冤狱！

过了六年，John P. Altgeld 被选为 Illinois 州长，冒许多困难，精查此案的真相，得到他们八人确实无罪的证据，才把还在生存的 Fielden、Neebe、Schwab 三人释放出来，并声告当时审理此案的检查官、审判官、警官等，以贿赂关系同谋捏造证据的种种事实。这段冤狱,算是得了昭雪。但是死者已矣!他们的牺牲的精神,冤枉的罪案,只有引起后人的同情罢了!

我再把这八位悲剧中的人物的略传,记在下面:

August Spies,那时才三十一岁。生于德国,一八七二年移居到美国。一八七七年为社会工党(Socialist Labor Party)的会员。他曾作过实业经理人,后来在 *Arbeiter Zeitung* 报充当编辑长,直到他被捕的时候。社会革命俱乐部成立,他便加入这种运动。他是马克思派的学者。用英、德文作文,都是一样的。在八人中是最有学识的人。

Albert R. Parsons,一八四四年生于美国 Alabama 州 Montgomery 地方。十五岁时,曾习排字术。南北战争时,曾在南部联盟方面当过兵役,但他在一八六八年刊行一种报纸,专鼓吹保障有色人种的权利,因此颇招他的亲的嫉恨。一八七五年,加入社会民主工党(Socialist Democratic Labor Party)。一年后,又组织芝加哥劳工组合的织工会议,他是首先加入一八八〇年社会革命运动的一个人。一八八四年后,发刊 *The A larm* 报。他是一个有辩才且有魔力的说士,是一个有才能的组织家。由一八七五年至一八八六年间,他曾在群众大会里演说过不下一千次。他为组织社会工党(Socialist Labor Party),后又为组织万国工人会(International Working people's Association),奔走各处,足迹遍十六州。

Michael Schwab 的才能,比 Spies、Parsons 的才能略逊,但他也是一个受过良(好)教育的德国人。年三十三岁,被捕时来美已八年了。那时他正辅助 Spies 作编辑部员。他虽不是创造的作者,却也很明通,演说也很畅利。他所以于劳工运动很有影响的缘故,全在他那对于劳工阶级利益伟大的热心、无限的献身。

George Engel，是八人中最年长的。一八三六年生于德国 Kassel 地方。艰难困苦的生涯，使他养成了一种惨厉的精神。他酷恨这现在的社会，是缘于个人的感情，不是社会哲学的结果。他一到美国，便加入社会改造的运动，为一最热心的献身者。

Louis Lingg，年只二十二岁，是一个笃诚、狂热的社会运动者。

Samuel Fielden，一八四七年生于英伦，当过织工、车夫，并是一个辞职的 Methodist 宣教师。他的社会主义的知识，大部分得自报章上的论述和公开的讨论。他的演说，直截了当，也有雄辩的煽动的气味，群众很欢迎他。

Adolph Fischer 比 Lingg 长两岁，生于德国，十五岁时移居美国。他的社会主义的教育，受自他的父母。他被捕的前数年，才倾信无政府主义，是一个百折不挠的社会运动家。

Oscar Neebe，一八四九年生于纽约，一八六六年来芝加哥居住。从那时以后，就和各方面劳工运动发生关系。他曾当过一回国民劳工联合的代表，后来加入社会工党和万国工人会。他未曾作过无政府党人的宣传运动，始终在工联运动上尽力。在一八八六年的八小时运动中，也占首要的地位。

四

法国的"五一"纪念日，也曾受过鲜血的洗礼，染印在它的历史上。

一八九一年四月下旬，礼路地方的织物工业中心地、雇有二万多工人的福尔梅市，起了同盟罢工的风潮。一直延到"五一"纪念日，还没有平息。

欧洲旧俗，五月一日本来是一个令节。是日，士女都出游野外，摘取鲜花，欢欣歌舞。这一天福尔梅市的青年男女，也结队成群地出游原野，拿美丽的花，装饰在身上，笑语而归。

忽然满街起了杀气，军警和工人起了冲突，把工人捕去了数人。出游回来的青年士女，看见军警暴乱的样子，很是愤慨，便一齐唱着悲壮的歌，喧噪起来。在前引道的，是一双青年男女：女年十八岁，名叫玛利亚·卜伦德，手拿着一枝白桑荼西花；男年十九岁，名叫多孟德·季洛特，手拿着三色旗。民众并没有什么武器，不过空声骚动罢了。

军警的指挥官，再三用刀枪袭击群众，结果只是增加他们的愤慨，愈加激昂起来。军官又发开枪的命令。按法国的法律，在这个时候，必须击三次大鼓，以为开枪的警告，乃军官不守法律遽发枪击的命令，实在是违法的行为。

在这次非法的暴行之下，死了九人，伤了廿四人。也有在咖啡店里吃饭的客中流弹而死的。那引导群众的一双青年男女，一个血溅着三色旗，一个血溅着白桑荼西花枝，都作了这次血祭的牺牲。此外还有少女三人、青年男子四人，听说其中还有一个年才十岁的小孩。

这一天在塞奴的都市苦里西，官吏于民众也有虐杀的事情。

苦里西的电报局员，早起把赤旗带（戴）在胸前，不多时就被警官夺去了。午前，工人成群结队地等候着演说的机会，直到正午，没有什么事情发生，可是警探已竟布满了街衢。

午后二时，鲁法罗呵的同志团体，忽然涌（拥）入苦里西。他们要以自由独立的意气，纪念这个日子。

他们高呼着"自由万岁"，在街上游行，和警官小有冲突。

他们以后又进到一个酒店里,高声合唱工人解放的歌。警察署长闻而大怒,发令袭击酒店。警官或用刀或用手枪,直奔酒店,汹汹而来,工人乃不得不出于正当防卫。结果警官方面,伤了六人,暂行退却。

于是又为第二次的袭击。这回警官得了胜利,工人大部分逃去,只捕住狄侃、达尔达尔、鲁菲优三人。

三人的裁判,过了四个月才确定了。检察官要求死刑,但陪审官很公平持正,判决鲁菲优无罪,达尔达尔三年监禁,狄侃五年监禁。

最近一九一九年的"五一"纪念日,法国巴黎也曾起了骚动。是日巴黎市民,照例举行大示威运动,参加者多系少年,并且有外国人很多。午后,军队和群众发生了大冲突,军队遮断群众前进的道路,群众拼命冲破警戒线,消防队欲用水龙击散群众,群众仍悍然前进,警察用棍棒乱打。群众过 OperaHouse 前,齐呼"推倒政府"。入夜形势更险,骑兵和群众又大冲突,群众用手枪自卫,死十八岁少年一人,警察受伤的四百二十三人,其中受重伤的二百五十人。这一天巴黎全市罢工,又值阴雨,光景更觉凄惨。

五

我写了这一段"五一"运动史,不禁起了好些感想。现在把他写出来,作本文的结论。

二三年前,《劳动》杂志上有过一个题目:《不入支那人清梦之五月一日》。那时中国人对于这"劳工神圣"的纪念日,何等淡漠!到了去年,北京《晨报》在五月一日那一天,居然出了一个"劳动节"

纪念号，一般人才渐渐知道这个纪念日的意义。到了今年，不但本志大吹大擂地作这"五一"祝典，别的同志的同业，同声庆祝的，也有了好几家，不似从前那样孤零落寞了！可是到了今天，中国人的"五一"纪念日，仍然不是劳工社会的纪念日，只是几家报馆的纪念日。中国人的"五一"运动，仍然不是劳工阶级的运动，只是三五文人的运动；不是街市上的群众运动，只是纸面上的笔墨运动。这是我们第一个遗憾！

"五一"运动的历史，胚胎于八小时工作问题，已如上述。去年华盛顿的劳工会议，对于工作时间问题，居然规定了下列四项：

（甲）一日八时间，一星期四十八时间。

（乙）只有在特别紧急的时候，才准有法定时间外的做工。

（丙）法定时间外的做工，须另加百分之二十五的工银。

（丁）关系法定时间外的做工，有工人团体的地方，须与工人团体协议，此协议的结果，有法律上的效力；无工人团体的地方，由政府决定。

以上四项，都是确定八小时工作制的规定，不能不说是这次劳工会议一件很大的成绩了。可是这个成绩，是三十年来，工人依自己阶级直接行动的努力，早已得到的。"五一"运动，已经发生了一种新意义。英、美的工人，早已更进一步，做"六小时""三十六小时"的运动了。劳工会议的规定，还只是先进国劳工依自己阶级的努力已经获得的收获，或其以下。难怪意大利和别国的工人代表灰心失望！这是我们第二个遗憾！

华盛顿劳工会议的成绩，虽然不能满足我们的希望，然而要他那四项——适用到我们的劳工社会来,我们那些苦工人,也许可以得享些幸福。谁知中国和日本、印度等国,又被他们认作特殊国除为例外了!那关于日本、印度等国的,我且不提,单把那关于中国的特殊规定,写在下面:

(甲)每星期休息一日。

(乙)以一日十时间、一星期六十时间为原则。对于不满十五岁的人,以一日八时间、一星期四十八时间为原则。

(丙)对于使用百人以上的工场,适用《工场法》。

(丁)在各国租界内,亦适用同一规定。

再让一步,就是这种特殊规定,果然能够实行,也未始不是这一班苦人的幸福。无奈他们的愚昧,真是可怜!就是这个,他们也不知道起来设法使它实行。这是我们第三个遗憾!

我们在今年的"五一"纪念日,对于中国的劳工同胞,并不敢存若何的奢望,只要他们认今年的"五一"纪念日作一个觉醒的日期。

我们在今年的"五一"纪念日,对于世界的劳工同胞,希望很大。希望他们由"八小时""四十八小时"的运动,到"六小时""三十六小时"的运动,给"五一"纪念日加一新意义,为"五一"运动开一新纪元。

我们最后对于"五一"纪念日的自身,希望它早日完成那"八小时"运动的使命,更进而负起"六小时"运动的新使命来。

起!起!起!勤劳辛苦的工人!今天是你们觉醒的日子了!

我这篇记述,是根据下列诸书作成的:

1. Morris Hillquit——*History of Socialism in The United States*. p. 209—221.

2.《解放》创刊号,山川菊荣著《五月祭与八时间劳动的话》。

3.《改造》大正八年九月号,新妻伊都子著《致不真面目的劳动论者》和山川菊荣著《答新妻氏》。

4. Karl Liebknecht——*The Future belongs to The People*. p. 126—128.

(第七卷第六号,一九二〇年五月一日)

劳动者底觉悟

陈独秀

（在上海 船务栈房 工界联合会演说）

世界上是些什么人最有用最贵重呢？必有一班糊涂人说皇帝最有用最贵重，或是说做官的读书的最有用最贵重。我以为他们说错了，我以为只有做工的人最有用最贵重。这是因为什么呢？我们吃的粮食，是那种田的人做的，不(是)皇帝、总统、做官的、读书的人做的；我们穿的衣服，是裁缝做的，不是皇帝、总统、做(官)的读书的人做的；我们住的房屋，是木匠、瓦匠、小工做的，不是皇帝、总统、做官的、读书的人做的；我们坐的各种车船，都是木匠、铁匠、漆匠做的，还有许多机器匠、驾船工人、掌车工人、水手、搬运工人等，才能把我们的货物和我们自己送到远方，这都不是皇帝、总统、做官的、读书的人的功劳。这世界上若是没有种田的、裁缝、木匠、瓦匠、小工、铁匠、漆匠、机器匠、驾船工人、掌车工人、水手、搬运工人等，我们便没有饭吃、没有衣穿、没有房屋住、没有车坐、没有船坐。可见社会上各项人，只有做工的是台柱子，因为有他们的力量才把社会撑住；若是没做工的人，我们便没有衣食住和交通，我们便不能生存。如此，人类社会，岂不是要倒塌吗？我所以说只有做工的人最有用最贵重。但是现在人的思想，都不是这样，他们总觉得做工的人最无用最下贱,反是那不做工的人最有用最贵重。我们现在一方面盼望不做的工人,快快觉悟自己无用的下贱;一方面盼望做工的人快快觉悟自己有用、贵重。世界劳动者的觉悟,计分二步:第一步觉悟是要求待遇,第二步觉悟是要求管理权。现在欧美各国劳动者的觉悟,已经是第二步;东方各国像日本和中国劳动者的觉悟,还不过第一步。在表面上看起来,欧美日本的劳动者,都在那里大吹大擂地运动,其实日本劳动者的觉悟和欧美大不相同。因为他们觉悟后所要求的,有第一步、第二步的分别。第一步觉悟后所要求的,是劳动者对于国家、资本家,要求待遇改良(像减少时间、增加工价、改良卫生保险教育等事);第二步觉悟后所要求的,是要求做工的人自身站在国家资本家地位,是要求做工的人自己起来管理政治、军事、产业,和第一步觉悟时仅仅要求不做工的人对于做工的人待遇改良大不相同。第一步要求还是讨饭吃,必须到了自己做饭吃的时候,油、盐、柴、米、菜、蔬、锅、灶、碗、碟等,都拿在自己手里,做工的人的权利,才算稳固。否则无论如何待遇改良,终是仰仗别人的恩惠、赏饭。中国古人说:"劳心者治人,劳力者治于人。"现在我们要将这句话倒转过来说:"劳力者治人,劳心者治于人。"各国劳动者第二步觉悟、第二步要求,并没有别的奢望,不过是要求做工的劳力者管理政治、军事、产业,居于治人的地位,要求那不做工的劳心者居于治于人的地位。我们中国的劳动运动还没有萌芽,第一步觉悟还没有,怎说得到第二步呢?不过,我望我们国里底做工的人,一方面要晓得做工的人觉悟确有第二步境界,就是眼前办不到,也不妨作此想;一方面要晓得劳动运动才萌芽的时候,不要以为第一步不满意,便不去运动。

(第七卷第六号,一九二〇年五月一日)

谈政治

陈独秀

（一）

本志社员中有多数人向来主张绝口不谈政治，我偶然发点关于政治的议论，他们都不以为然。但我终不肯取消我的意见，所以常常劝慰慈、一涵两先生做关于政治的文章。在他一方面，外边对于本志的批评，有许多人说《新青年》不讨论政治问题，是一个很大的缺点。我对于这个批评也不能十分满足，曾在"我的解决中国政治方针"演说中回答道："我们不是忽略了政治问题，是因为十八世纪以来的政制已经破产，我们正要站在社会的基础上造成新的政治；我们不是不要宪法，是要在社会上造成自然需要新宪法的实质，凭空讨论形式的条文，是一件无益的事。"因此，可以表明我对于政治的态度，一方面固然不以绝口不谈政治为然。一方面也不愿意和一班拿行政或做官弄钱当作政治的先生们谈政治。换句话说，就是：你谈政治也罢，不谈政治也罢，除非逃在深山人迹绝对不到的地方，政治总会寻着你的；但我们要认真了政治的价值是什么，决不是争权夺利的勾当可以冒牌的。

以上的说话,虽然可表明我对于政治的态度,但是过于简单,没有说出充分的理由,而且不曾包含我最近对于政治的见解,所以现在要详细谈一下。

(二)

我们中国不谈政治的人很多,主张不谈政治的只有三派人:一是学界,张东荪先生和胡适之先生可算是代表;一是商界,上海的总商会和最近的各马路商界联合会可算是代表;一是无政府党人。前两派主张不谈政治是一时的不是永久的,是相对的不是绝对的,因为他们所以不谈政治,是受了争权夺利的冒牌的政治的刺激,并不是从根本上反对政治。后一派是从根本上绝对主张人类不应该有一切政治的组织,他们不但反对君主的贵族的政治和争权夺利的政治,就是民主的政治也要反对的。

我对于这三派的批评:在消极的方面,我固然很有以他们为然的地方;在积极的方面,我就有点异议了。

前两派只有消极没有积极的缺点,最近胡适之先生等《争自由的宣言》中已经道破了。这篇文章开口便说:"我们本不愿意谈实际的政治,但是实际的政治却没有一时一刻不来妨害我们。"要除去这妨害,自然免不了要谈政治了。

后一派反对政治,从消极的方面说起来,也有一大部分真理。他们反对政治,反对法律,反对国家,反对强权,理论自成一系统,倒没有普通人一面承认政治、法律、国家,一面反对强权的矛盾见解。强权是少数人的或多数人的,广狭虽然不同,但若是没有强权便没有法律,没有法律还有什么政治国家呢?因此我们应该明白强权国家政治法律是一件东西的四个名目，无政府党人一律反对，理论倒算是一贯。古代的社会契约（Social contract）和中世纪的自治都市（Commune），不但不是普遍的，而且是人类政治组织没有进化到近代国家的状态。近代国家是怎样？Franz Oppenheimer 说：国家的唯一目的，就是征服者支配被征服者的主权，并且防御内部的叛乱及外部的侵袭。这主权的目的，也就是征服者对被征服者经济的掠夺（详见 Christensen's Politics and Crowd Morality, p. 72 所引）。Christensen 说：国家是掠夺别人并防止别人来掠夺的工具，它的目的并不是制止每人和每人间的战争，乃是使这战争坚固而更有效力。罗素说：国家的骨子，就是公民集合力的仓库。这力量有两个形式：一是对内部的，一是对外部的。对内部的形式是法律及警察，对外部的形式是战斗力所表现的陆海军。国家是一定区域内全住民的集合体依政府指挥用他们联合力所组织起来的。国家的权力，对内仅限于叛乱的恐怖，对外仅限于战败的恐怖；所以它阻止这两样是绝对的。在实际上它能够用租税名义夺人家的财产，决定结婚和继承的法律，惩罚它所反对的意见发表，因为要把一种人民所住的地方划归别国它能置人于死地，并且他想着要打战便命令一切强健男子到战场去赌生命。在许多事件上，违反了国家的目的和意见，就是犯罪（见 Russell's Principles of Social Reconstruction, p. 45, 46, 47）。过去及现在的国家的作用实在是如此，我所以说无政府党反对国家，反对政治，反对法律，反对强权，也有一大部分真理。

　　从消极方面说起来，无政府党否认国家政治，我们固然赞同。从积极方面说起来，我们以为过去的现在的国家和政治，过去的现在的资本阶级的国家和政治，固然建筑在经济的掠夺上面。但是将来的国家和政治,将来的劳动阶级的国家和政治,何人能够断定它仍旧黑暗绝对没有进步的希望呢?反对国家的人,说它是掠夺机关;反对政治的人,说它是官僚的巢穴;反对法律的人,说他是资本家私有财产的护符;照他们这样说法,不过是反对过去及现在掠夺的国家,官僚的政治,保护资本家私有财产的法律,并没有指出可以使国家政治法律根本摇动的理由。因为他们所反对的,不曾将禁止掠夺的国家,排除官僚的政治,废止资本家财产私有的法律,包含在内。

或者有人说:就是将来的禁止掠夺的国家,排除官僚的政治,废止资本家私有财产的法律,仍然离不掉强权,所以不从根本上绝对废除国家、政治、法律,这几种强权,实现自由组织的社会,不能算彻底的政革。

我们对于这种意见,可以分开理论和事实两方面讨论。

从理论上说起来,第一我们应该要问:世界上的事理本来没有的,我们从何处彻起?所以懂得进化论的人,不应该有彻底不彻底的观念。第二我们应该要问:强权何以可恶?我以为强权所以可恶,是因为有人拿它来拥护强者无道者,压迫弱者与正义。若是倒转过来;拿它来救护弱者与正义,排除强者与无道,就不见得可恶了。由此可以看出强权所以可恶,是它的用法,并不是它本身。我们人类文明最大的效果,是利用自然征服自然:例如水火都可以杀人,利用水便得了行船,洗濯灌溉的效用;利用火便得了烧饭菜,照亮,温暖身体的效用;炸药和雷电伤人更是可怕,利用他们便得了开山治病及种种工业上的效用。人类的强权也算是一种自然力,利用它也可以有一种排除黑暗障碍的效用。因此我觉得不问强权的用法如何,闭起眼睛反对一切强权,像这种因噎废食的办法,实在是笼统的武断的,决不是科学的。若有人不问读书的目的如何,但只为读书而读书,不问革命的内容如何,但只为革命而革命,自然是可笑。现在若不问强权的用法如何,但只为强权而反对强权,或者只为强权而赞成强权,也未免陷于同一的谬误。

从事实上说起来,第一我们要明白世界各国里面最不平最痛苦的事,不是别的,就是少数游惰的消费的资产阶级,利用国家、政治、法律等机关,把多数勤苦的生产的劳动阶级压在资本势力底下,当做牛马机器还不如。要扫除这种不平这种痛苦,只有被压迫的生产的劳动阶级自己造成新的强力,自己站在国家地位,利用政治,法律等机关,把那压迫的资产阶级完全征服,然后才可望将财产私有,工银劳动等制度废去,将过于不平等的经济状况除去。若是不主张用强力,不主张阶级战争,天天不要国家、政治、法律,天天空想自由组织的社会出现。那班资产阶级仍旧天天站在国家地位,天天利用政治、法律,如此梦想自由,便再过一万年,那被压迫的劳动阶级也没有翻身的机会。法国的工团派,在世界劳动团体中总算是很有力量的了。但是他们不热心阶级战争,是要离开政治的,而政治却不肯离开他们,欧战中被资产阶级拿政权强迫他们牺牲了,今年"五一节"后又强迫他们屈服了,他们的自由在哪里?所以资产阶级所恐怖的,不是自由社会的学说,是阶级战争的学说。资产阶级所欢迎的,不是劳动阶级要国家政权法律,是劳动阶级不要国家政权法律。劳动者自来没有国家没有政权,正因为过去及现在的国家、政权,都在资产阶级的手里,所以他们才能够施行他们的生产和分配方法来压迫劳动阶级;若劳动阶级自己宣言永远不要国家不要政权,资产阶级自然不胜感谢之至。你看现在全世界的国家对于布尔什维克的防御,压迫,恐怖,比他们对于无政府党厉害得多,就是这个缘故。

　　第二我们要明白各国的资产阶级,都有了数千年或数百年的基础,站在优胜的地位,他们的知识经验都比劳动阶级高明得多,劳动阶级要想征服他们固然很难,征服后想永久制服他们不至死灰复燃更是不易。这时候利用政治的强权,防止他们的阴谋活动;利用法律的强权,防止他们的懒惰、掠夺,矫正他们的习惯、思想;都很是必要的方法。这时候若反对强权的压迫,若主张不要政治,法律,若提倡自由组织的社会,便不啻对资产阶级下了一道大赦的恩诏,因为他们随时得着自由,随时就要恢复原有的势力地位。所以各国共和革命后,民主派若失了充分压服旧党的强力,马上便有复辟的运动。此时俄罗斯若以克鲁巴特金的自由组织代替了列宁的劳动专政,马上不但资产阶级要恢复势力,连帝政复兴也必不免。克鲁巴特金《国家论》中所称赞的中世自治都市是何以失败的,他所指责的近代资本主义的国家是何以发达起来的?这主要的原因,不用说一方面是自治都市里既不是以劳动阶级为主体,又没有强固的政治组织,因此让君主贵族们垄断了政权;一方面是新兴的资本家利用自由主义,大家自由贸易起来,自由办起实业来,自由虐待劳动者,自由把社会的资本集中到少数私人手里,于是渐渐自由造成了自由的资本阶级,渐渐自由造成了近代资本主义自由的国家。我们明明白白晓得中世自治都市是放弃政权失败的,是放任那不法的自由(unconscionable Freedom)失败的,劳动阶级的枷锁镣绞分明是自由主义将它带(戴)上的。现在理想的将来的社会,若仍旧妄想否认政治是彻底的改造,迷信自由主义万能,岂不是睁着眼睛走错路吗?我因此深信许多人所深恶痛绝的强权主义,有时竟可以利用它为善;许多人所歌颂赞美的自由主义,有时也可以利用它为恶；万万不可一概而论，因为凡强权主义皆善，凡自由主义皆恶，像这种笼统的大前提，已经由历史的事实证明它在逻辑上的谬误了。

　　第三我们要明白人类本性的确有很恶的部分，决不单是改造社会制度可以根本铲除的：就是社会制度——私有财产制度，工银劳动制度——所造成的人类第二恶性，也不是制度改变了这恶性马上就跟着消灭的。工银劳动制度实在不应该保存，但同时若不强迫劳动，这时候从前不劳动的人，自然不会忽然高兴要去做工；从前受惯了经济的刺激（Economic Stimulus）才去劳动的工人，现在解除了刺激，又加上从前疲劳的反动，一定会懒惰下来，如此一时社会的工作效率必然锐减。少数人懒惰而衣食，已经酿成社会上的不平等，若由少数增至多数，这社会的生活资料如何维持呢？人类诚然有劳动的天性，有时也自然不需强迫。美术化的劳动和创造的劳动，更不是强迫所能成的，自来就不是经济的刺激能够令它进步的。所以工银制度在人类文化的劳动上只有损而无益。至于人类基本生活的劳动，至少像那不洁的劳动，很苦的劳动，既然没有经济的刺激，又没有法律的强迫，说是人们自然会情愿去做，真是自欺欺人的话。凡有真诚的态度讨论社会问题的人，不应该说出这样没有经验的话来。制度变了，制度所造成的人类专己自私的野心，一时断然不易消灭。倘然没有法律裁制这种倾向，专制的帝王贵族就会发生在自由组织的社会里，若要预防它将来发生，抵抗它已经发生，都免不了利用政治的法律的强权了。更有一件事，就是人类的性欲本能和永续占有冲动合起来发生的男女问题，这问题是人生问题中最神秘不可思议的部分，不但社会制度革命不能解决它，并且因为解除了经济的政治的压迫和诱惑，真的纯粹的男女问题更要露骨地发生。这时候的男女问题内,并不夹杂着政治的经济的影响和罪恶;倘由这种问题发生了侵犯个人及损害社会安宁的罪恶,也应该有点法律的裁制才好。

据以上的理论和事实讨论起来,无政府党所诅咒的资产阶级据以造作罪恶的国家、政治、法律,我们也应该诅咒的。但是劳动阶级据以铲除罪恶的国家、政治、法律,我们是不应该诅咒的。若是诅咒它,倒算是资产阶级的朋友了。换句话说,就是我们把国家、政治、法律,看做一种改良社会的工具,工具不好,只可改造它,不必将他抛弃不用。

(三)

不反对政治的人也有两派:一是旧派,他们眼中的国家,就是"我国家数百年深仁厚泽"的国家,学生这样嚣张还成个什么"国家"的国家;他们眼中的政治,就是"吴佩孚只是一个师长不配参与政治"的政治;他们眼中的法律,就是"王法""国法""大清律"的法律。这派的意见,我们犯不着批评。一是新派,他们虽不迷信政治、法律和国家有神秘的威权,他们却知道政治、法律和国家是一种工具,不必抛弃不用。在这一点上我很以他们为然。但是他们不取革命的手段改造这工具,仍旧利用旧的工具来建设新的事业,这是我大不赞成的。这派人所依据的学说,就是所谓马克思修正派,也就是 Bebel 死后德国的社会民主党,急进派所鄙薄所攻击的社会党也就是这个。中国此时还够不上说真有这派人,不过颇有这种倾向,将来这种人必很有势力要做我们唯一的敌人。

他们不主张直接行动,不主张革那资产阶级据以造作罪恶的国家、政治、法律的命,他们仍主张议会主义,取竞争选举的手段,加入(就是投降)资产阶级据以作恶的政府、国会,想利用资产阶级据以作恶的政治、法律,来施行社会主义的政策,结果不但主义不能施行,而且和资产阶级同化了,还要施行压迫劳动阶级反对社会主义的政策。现在英法德的政府当局哪个不是如此?像这样与虎谋皮为虎所噬还要来替虎噬人的方法,我们应该当做前车之鉴。

他们主张的国家社会主义,名为社会民主党,其实并不要求社会的民主主义,也不要求产业的民主化,只主张把生产工具集中在现存的国家——现存的资产阶级的军阀官僚盘踞为恶的国家——手里。Wilhelm Liebknecht 批评这种国家社会主义道:这种国家社会主义,实在说起来只可叫做国家资本主义(State Capitalism),取其貌似投时所好来冒牌骗人罢了。德国的国家社会主义,严格说起来就是普鲁士的国家社会主义,它的理想就是军国的、地主的、警察的国家,它所最厌恶的就是民主主义(见 Wilhelm. Liebknecht, No Compromise, No Puliticol Trading, p. 15)。这种国家社会主义的国家里面,劳动阶级的奴隶状态不但不减轻而且更要加重。因为国家成了公的唯一的资本家,比私的数多的资本家更要垄断得多。这种国家里面,国家的权力过大了,过于集中了统一了,由消灭天才的创造力上论起来,恐怕比私产制度还要坏。这种国家里面,不但无政府党所诅咒的国家、政治、法律的罪恶不能铲除,而且更要加甚。因为资产阶级的军阀官僚从前只有政治的权力,现在又假国家社会主义的名义,把经济的权力集中在自己手里,这种专横而且腐败的阶级,权力加多罪恶便自然加甚了。若是把这名义与权力送给世界上第一个贪污不法的中国军阀官僚,那更是造孽不浅。

他们反对马克思的阶级战争说很激烈,他们反对劳动专政,拿德谟克拉西来反对劳动阶级的特权。他们忘记了马克思曾说过：劳动者和资产阶级战斗的时候，迫于情势，自己不能不组成一个阶级，而且不能不用革命的手段去占领权力阶级的地位，用那权力去破坏旧的生产方法。但是同时阶级对抗的理由和一切阶级本身，也是应该扫除的。因此劳动阶级本身的权势也是要去掉的（见《共产党宣言》第二章之末）。他们又忘记了马克思曾说过：法国社会主义及共产主义的著作，到德国就全然失了精义了，并且阶级争斗的意义从此在德国人手中抹去，他们还自己以为免了法国人的偏见……他们自以为不单是代表无产阶级利害的，是代表人类本性的利害，就是代表全人类利害的。这种人类不属于何种阶级，算不得实际的存在，只有哲学空想的云雾中是他存在的地方。他们只有眼睛看见劳动阶级的特权不合乎德谟克拉西，他们却没眼睛看见戴着德谟克拉西假面的资产阶级特权是怎样。他们天天跪在资产阶级特权专政脚下歌功颂德，一听说劳动阶级专政，马上就抬出德谟克拉西来抵制，德谟克拉西倒成了资产阶级的护身符了。我敢说，若不经过阶级战争，若不经过劳动阶级占领权力阶级地位的时代，德谟克拉西必然永远是资产阶级的专有物，也就是资产阶级永远把持政权抵制劳动阶级的利器。修正派社会主义的格言就是："从革命去到普通选举！从劳动专政去到议会政治！"他们自以为这是"进化的社会主义"，殊不知 Bebel 死后德国的社会民主党正因此堕落了！

（四）

我的结论是：

我承认人类不能够脱离政治，但不承认行政及做官争地盘攘夺私的权力这等勾当可以冒充政治。

我承认国家只能做工具不能做主义，古代以奴隶为财产的市民国家，中世以农奴为财产的封建诸侯国家，近代以劳动者为财产的资本家国家，都是所有者的国家，这种国家的政治法律，都是掠夺的工具。但我承认这工具有改造进化的可能性。不必根本废弃它，因为所有者的国家固必然造成罪恶，而所有者以外的国却有成立的可能性。我虽然承认不必从根本上废弃国家、政治、法律这个工具，却不承认现存的资产阶级（即掠夺阶级）的国家、政治、法律，有扫除社会罪恶的可能性。

我承认用革命的手段建设劳动阶级（即生产阶级）的国家，创造那禁止对内对外一切掠夺的政治法律，为现代社会第一需要。后事如何，就不是我们所应该所能够包办的了。

（第八卷第一号，一九二〇年九月一日）

对于时局的我见

陈独秀

昨天有两个相信社会主义的青年,问我对于时局的意见,我说:中国政治中心虽在北京,上海是经济中心,所以时常发出对于政治上有力的舆论。现在安福倾覆后上海方面对于时局的舆论,颇不一致,我以社会主义者的见地,略述如下:

(一)总想"不劳而获",是中国人最大的毛病。这次打倒安福派,只是吴佩孚一军的力量,别人都坐观成败。若是事后说便宜话,或是提出过大的要求,这是一定没有效果的。我们想"获",必须要"劳","不劳而获",是不可能而且很可耻。至于左袒安福和假的先生们,正应该闭门思过,若还厚起面皮,拿国民的名义来唱高调,只好请他到假国去做安福国民,中华民国实不能容这样没廉耻的人!

(二)我以为世界上只有两个国家:一是资本家的国家,一是劳动者的国家。但是现在除俄罗斯外,劳动者的国家都还压在资本家的国家底下,所有的国家都是资本家的国家,我们似乎不必妄生分别。各国内只有阶级,阶级内复有党派,我以为"国民"不过是一个空名,并没有实际的存在。有许多人欢喜拿国民的名义来号召,实在是自欺欺人,无论是国会也好,国民大会也好,俄罗斯的苏维埃也好，都只是一阶级一党派的势力集中，不是国民总意的表现。因为一国民间各阶级各党派的利害，希望各不相同，他们的总意不但没有方法表现，而且并没有实际的存在。

（三）国家、权力、法律，这三样本是异名同实。无论何时代的法律，都是一阶级一党派的权力造成国家的意志所表现，我们虽然应该承认它的威权，但未可把它看做神圣。因为它不是永远的真理，也不是全国民总意的表现，它的存废是自然跟着一阶级一党派能够造成国家的权力而变化的。换句话说，法律是强权的化身，若是没有强权，空言护法毁法，都是不懂得法律历史的见解。吾党对于法律的态度，既不像法律家那样迷信它，也不像无政府党根本排斥它。我们希望法律随着阶级党派的新陈代谢，渐次进步，终久有社会党的立法，劳动者的国家出现的一日。

（四）在社会党的立法和劳动者的国家未成立以前，资本阶级内民主派的立法和政治，在社会进化上决不是毫无意义。所以吾党遇着资本阶级内民主派和君主派战争的时候，应该帮助前者攻击后者。后者胜利时，马上就是我们的敌人，我们对于他们的要求，除出版结社两大自由及工厂劳动保护的立法外，别无希望。因为吾党虽不像无政府党绝对否认政治的组织，也决不屑学德国的社会民主党，利用资本阶级的政治机关和权力作政治活动。

（第八卷第一号，一九二〇年九月一日）

国庆纪念底价值

陈独秀

我们对于一切信仰一切趋赴的事，必须将这事体批评起来确有信仰趋赴底价值，才值得去信仰趋赴，不然便是无意识的盲从或无价值的迷信。

我们中华民国双十节是建设共和国的国庆纪念日，从元年到今年已经是第九次了；其间受反革命的帝制派的压迫几乎不成个纪念日的光景曾有好几次，最明目张胆地强行禁止开会纪念的，就是去年反革命的帝制派天津警察厅长杨以德和今年反革命的帝制派上海镇守使何丰林。在这班反革命的帝制派仇视共和禁止国庆日的纪念，本是当然的事，我们不去论他；但是信仰共和趋赴共和的人，也要确乎明白纪念这共和国庆日有什么价值。

讨论这个问题当分两层：一是共和的价值，一是中国共和的价值。

我们对于共和价值的批评，固然不像反革命的帝制派及无政府党人把共和看得一文不值，也不像一班空想的政论家迷信共和真能够造成多数幸福。我们十分承认却只承认共和政治在人类进化史上有相当的价值。法兰西大革命以前的欧洲，俄罗斯大革命以前的亚洲，打倒封建主义不能说不是他的功劳。但是封建主义倒了，资本主义代之而兴，封建主义时代只最少数人得着幸福，资本主义时代也不过次少数人得着幸福，多数人仍然被压在少数人势力底下，得不着自由与幸福的。教育是智慧的源泉，资本主义时代的教育是专为少数富家子弟而设，多数贫民是没有份的；他们的教育方针也是极力要拥护资本主义的学说及习惯的，因此这时代的青年自幼便养成了崇拜资本主义的迷信，以为资本主义是天经地义，资本家是社会不可少的中枢。共和国里当然要尊重舆论，但舆论每每随多数的或有力的报纸为转移，试问世界各共和国的报纸那一家不受资本家支配？有几家报纸肯帮多数的贫民说话？资本家制造报馆，报馆制造舆论，试问世界上那一个共和国的舆论不是如此？共和国里表示民意的最具体的方法就是选举投票，以财产限制选举权的国里不必说了，就是施行普通选举的国里，也没有穷人可以当选的道理，花几十万元才得着议员这是很平常的事。最穷的日本国，最近的议员运动费也必须十万元左右；相传有一位极有名望的人主张"理想的选举"，决计不出运动费，不过他的朋友亲戚代他用了酒席车马费七千元，到处传为美谈；试问这种美谈没有人帮助的穷人得的着吗？全国的教育、舆论、选举，都操在少数的资本家手里，表面上是共和政治，实际上是金力政治，所以共和的自由幸福多数人是没有份的。主张实际的多数幸福，只有社会主义的政治。共和政治为少数资本阶级所把持，无论那国都是一样，要用他来造成多数幸福，简直是妄想。现在多数人都渐渐明白起来要求自己的自由与幸福了，社会主义要起来代替共和政治，也和当年共和政治起来代替封建制度一样，按诸新陈代谢的公例，都是不可逃的运命。

我们对于中国共和价值的批评，并不觉得他比别的国共和格外无价值；对于他在中国将来并无希望，也和在别的国一样或者还要更甚一点。过去的纪念像黄花岗壮烈的牺牲，接着就是十月革命，废黜君主，建设共和，在中国历史上不能说不是空前的盛举，在这一点上看起来，我以为全中国人都应该觉得双十节的确是中国历史上唯一的纪念日。只可惜这历史上空前的盛举是一时偶发的，太没有持续性（这种现象是中国民族可恐怖的最大弱点），以至于多数人得不着幸福固属当然（上面曾说过共和政治不能造成多数幸福），即次少数人也没有像欧美中产阶级都得着了幸福，自由权利与幸福还是为最少数人所独占，直到如今还完全是封建主义复恢了固有的势力，支配一切。尊祀孔子及武人割据，这两件事就是封建主义支配一切精神方面及物质方面的明证。中国共和政治所以如此流产的原因，一方面是革命的共和派没有专政的毅力和远见，急于和反革命的帝制派携手遂致自杀了；一方面是一般国民惑于调和的邪说，又误解共和以为应该给全国民以自由权利连反革命的帝制派也算在内，反革命的帝制派得着了自由，共和政治哪有不流产的道理。由封建而共和，由共和而社会主义，这是社会进化一定的轨道，中国也难以独异的。现在虽说是共和失败了封建制度恢复了势力，但是世界潮流所趋，这封建主义得势，也不过是一时现象，我以为即在最近的将来，不但封建主义要让共和，就是共和也要让社会主义。在这一点上看起来，除追怀先烈以外，这国庆纪念日已没有可以令人狂信的价值了。但有人以为由封建而社会主义。中间还必须经过共和时代，所以眼前还是政治问题要紧；又有人以为中国封建式的武人为患，是政治造成的，不是经济造成的，所以眼前只是政治革命要紧，还不须经济革命。我看这两种话都似是而非。由封建而社会主义虽是一定的轨道，然这轨道却不能够说必须要经过若干岁月才可以改变方向。西欧共和政治经过长久的岁月的原因：一是西欧的代议制度来源甚古，共和政治比较的容易支持；一是他们社会主义的思想刚与共和同时发生，当时都还迷信共和可以造成多数幸福。现在的东方各国却和他们情形不同，所以俄罗斯共和推倒了封建半年便被社会主义代替了，封建和社会主义之间不必经过长久的岁月，这是一个很明显的例。至于说中国只须政治革命不必经济革命，我便有七个疑问：（一）中国社会的资本已集中在最少数的武人官僚手里，用政治革命手段，是否可以免得由甲派武人官僚手里的资本转到乙派武人官僚手里，是否可以使社会的资本归社会公有？（二）中国士大夫的人格是否已与封建式的武人同化，他们的政治道德是否可以适用代议制不需人民直接行动，除了多数人的援助他们的力量是否能够打倒封建式的武人建设共和政治？（三）共和政治是否能够造成多数幸福？（四）抛弃多数的幸福是否能够使人心安定共和巩固？（五）中国此时资本家生产制还未十分发达的时候，是否应该乘机创设社会的工业，是否应该提倡私人的工厂酿成经济不平行之危机？（六）中国除了劳动界有了阶级的觉悟，组织强大的革命团体，绝对打破资本家生产制，有何方法可以抵制外国由经济的侵略进而为政治的侵略？（七）单是政治革命，能否解决官、匪、政客，游民兵过多的问题？我不但不反对政治的革命，而且很盼望他早日实现；但我断然不能迷信他能够将中国从危险中救出；若有人迷信他，说中国此时只须政治革命不需经济革命，我便要请他解答上面的七个疑问。

以上所讨论的共和的价值和中国共和的价值，似乎都是我们在国庆纪念日应有的觉悟。

(第八卷第三号,一九二〇年十一月一日)

实行社会主义与发展实业

周佛海

社会主义为救现代社会一切恶弊的万能药。恐怕就是反对社会主义的人，良心上也是承认的、不过里面还须讨论的，就是中国于最近的将来，能否实行社会主义一问题。近一年来谈社会主义的杂志很多，虽其中也有短命的。但是都似乎有不谈社会主义，则不足以称新文化运动的出版物的气概。在这个社会主义风行全国知识阶级的内面，反对他的人当然不能说没有。但是求其发表议论，积极地攻击他，汲取研究的态度，把他能否适用于中国一问题，详加讨论的，我简直没见过，没听过。我当时心中就生了许多疑惑：我们中国人未必都觉悟了吗？未必都相信社会主义吗？未必在中国实行社会主义都没有困难地方，都没有须商榷的地方吗？不然，出版物上，怎样没看见一篇积极地反对社会主义，或对于他抱疑惑的文章呢？果真都觉悟了，果真都相信社会主义，果真中国实行社会主义，没有困难地方。没有须商榷的地方，那是我日日所梦想，所希望的，哪还有对于这个现象，抱不满的道理。但是其实不然，中国人是否都觉悟了，是否都相信社会主义，我不能执途人一一而问之，所以就不敢决定他们没有。但是中国要实行社会主义，就是据我以社会主义为终身宗教的人来看，确是有些困难地方,确是有些须商榷的地方(后面详说),何以竟没有人来提及呢?可见得这些主张社会主义的,先生们,没有把社会主义的本身下一番切实的研究工(功)夫,即对于社会主义,有相当的知识,而没有把他和中国的现状,连起来研究一下。大概都是时髦主义,东挪西扯地说几句马克思主义,说几句共产主义,来出出风头。其对于实行上的问题,他们梦中都没有想到,又何怪他们不发现出实行上的困难?所以我对于没有反对或讨论社会主义的文章的现象,不但不欢喜,并且非常悲观。就是悲观这些先生们只是谈社会主义,而没有实行社会主义的决心。所以我很欢迎反对或讨论他的文章。

自从罗素到中国来后,我预想谈社会主义的,一定会要大加勇气,大吹大擂地来谈了。哪晓得结果适得其反。因为罗素有"中国须发展实业,振兴教育"的两句话,反引出反对社会主义的讨论来了。这虽出我意料之外,我恐怕还要生出好结果,就是大家都会要一去盲从的态度而取研究的态度了。所以有些人对于为这种讨论的人,大加攻击,我却不然。我不但不攻击他,反非常欢迎他这种议论。一个问题越有反对,才越能引起讨论。设若没有这种反对议论,就是我这篇文章,也不至于做了。

反对社会主义的议论,是以中国现在宜发展实业,振兴教育,不宜空谈社会主义为论据的。对于振兴教育一问题,将来再做专文讨论。现在只讨论实行社会主义和发展实业的关系。

一、中国现在是否有实行社会主义的必要和资格

我先要讨论中国现在是否有实行社会主义的必要和资格,然后再进而论实行社会主义和实业发达与否没有关系。

有些人以为欧洲社会主义所以发生的,是因为产业革命的结果:小资本变为集积的大资本;家庭劳动,变为工厂的劳动。资本家和劳动者两阶级的对立一成立，两者的悬隔一太甚，于是才有社会主义出来救治这种弊病。所以近代工业不发达的国家，不至于发生社会主义，就是发生了，也不容易入人之耳，中国现在，简直可以说没有资本家，没有劳动者。既然没有劳资两阶级的对抗，当然就没有从这个对抗，生出来的恶弊，既没有这种恶弊，当然无需救治他的药。所以结论就是没有行社会主义的必要。这种议论骤听之似乎有理，其实不然。我要问中国实业是否有发达的一日？就是资本家与劳动者，是否有阶级对抗的一日？我又要问中国现在是否有贫富悬隔的现象。对于第一个问，谁也不敢答没有。既有劳资两阶级对抗的一日，那么，由这个对抗所生的恶弊，也有发生之一日。像这种恶弊的可惊，可怕，以及悲惨、残酷的程度，我们只要看一看各工业发达国的劳动阶级的生活状态，和资本阶级堕落腐败的状态，就可知了。我们是否硬要等到这些弊病，随着资本主义流到中国来，并且等他根深蒂固了之后，才来谋救治呢？详说起来：就是硬要等到劳动者陷于悲惨的境遇，才来救济他；资本家作出大恶来，才来谋推翻他吗？无病而呻，都固然是没有意思；无病防病，那就不是无意思的行动了！例如当虎疫症（Cholera）流行的时候，我们还是等到受了传染，病上了身之后，才去就医；还是于未受传染之前，先行预防注射呢？（行了预防注射之后，是否绝对不受传染，这是医学上的问题，我不能决定）我恐怕没有这样蠢的人，硬要等到濒死的时候，才去就医！硬要等到病上身才去就医，即能救一死，而所受的痛苦，所费的手续，究竟与行预防注射时所受的，所费的，要相差多少？这个原理也就可以适用于预防资本主义上面。有人说我们何妨等到资本主义成立后，再来设法，乃一定要干这样"庸人自扰""无的放矢"的事？我则以为这种"急来抱佛脚，平时不烧香"的劣根性,我们总要极力排斥。等到资本制度根深蒂固的时候,你就来想推翻他,恐怕也没这样容易了。那时非经长期的争斗,受极大的牺牲,决不能推翻地盘已固的资本制度。试看欧洲劳动运动,已几十年了;各大国除俄国及灰色改造的德国外,他们是否已推翻资本制度?我们看一看他们怎样艰难,怎样争斗,怎样牺牲,就越觉得中国于资本制度未稳固之先,就更有实行社会主义的必要了。我们并不是怕斗争,然而也不必故意去找斗争;我们并不是怕牺牲,然而也不必故意去找牺牲,我们若要免掉长期的斗争,和巨大的牺牲;我们就不得不于资本制度还没有坚固的基础之先,实行社会主义了。换一句话说:就是中国现在有实行社会主义的必要。加以中国贫富悬隔的现象,日甚一日,这种必要的程度,就更加一层了。

次论到中国是否有实行社会主义的资格。

有人说实行社会主义,为绝对不可缺的武器,就是劳动阶级。国内没有劳动阶级,绝对是行不成社会主义的。试问中国有无劳动阶级?虽然通都大邑,也有了几个,他们的势力怎样?在这种状态下面,当然没有行社会主义的资格。这话虽然似乎有理,其实不然。社会主义是为劳动阶级而生的,所以要实行他,非有劳动阶级不可:这是我们所承认的。然而劳动阶级之所以必要,是因为要他对抗资本阶级的。因为资本阶级有了阶级的结束,势力伟大,所以劳动者要和他们斗争,也非有阶级的结束,增大势力不可。设若没有资本阶级,劳动阶级已不成为实行社会主义上的唯一武器了(至于没有劳资两阶级时,应否实行社会主义已于前面说明)。那么,我就要问他是否承认中国现在有劳资两阶级。设若他承认有资本阶级,那么,一定就有劳动阶级——因为他俩是互相关联的。既有劳动阶级，我们就可拿他来对抗资本阶级了。怎样没有实行社会主义的资格呢？设若他承认现在中国没有劳动阶级，那么，当然也就是没有资本阶级了。既然没有资本阶级，那么，就不能拿有无劳动阶级的理由，来决定有无实行社会主义的资格了。质言之：就是在没有资本阶级的社会里面，虽然没有劳动阶级，也可以行社会主义的。所以中国现在即使没有劳动阶级，也断不至于失掉了实行社会主义的资格。至于中国现在富力不充，将来一遇列国的封锁，就要坐以待毙；所以也是没有实行社会主义的资格一问题，等到后面再详说。

由上所述，我敢下结论道：中国现在有实行社会主义的必要和资格。

二、社会主义与"人"的生活

有人说中国现在硬穷极了，一般下等的人，简直不是在过"人"的生活。所以我们最要紧的问题，就是要使他们得过"凡"的生活，不必空谈社会主义。而要使下等人民过"人"的生活，就是要开发富源，发展实业。这个话似乎很有理的。但是我要问社会主义，是不是以使一般人得过"人"的生活为目的的？社会主义是不是不肯发展实业的？若说"空谈"社会主义，于事无益；这确是真的。但不是"空谈"，而是"实行"又便怎样？设若只是"空谈"，则空谈社会主义，固然是无益；然而空谈开发实业，又是有益的吗？设若是"实行"，则实行在资本制度下面发展实业，所得的结果，与我们努力前进，趁早实行社会主义所得的结果，那样好些？要使下等社会的人民，得过"人"的生活，固然是我们承认为极重要的事。但是要使他们过"人"的生活，而其方法乃出于资本制度，我恐怕其结果乃是南辕北辙，适得其反。一天关在工厂里面，做十点钟以上的工，所得还不足以养活;这是不是"人"的生活？早晨天未亮就出去,晚上天黑了才回来;什么人生的愉快,家庭的愉快:他们一点都没尝过;这是不是"人"的生活？其余一切的悲惨情形,简直是说不尽。在资本制度下面发展实业,使下等社会所得过的"人"的生活,如是而已！我们要想使他们过的生活,就是这样吗？设若就是这样,我恐怕中国现在一般穷民所过的生活,比这个还好得多,至少也比这不得坏。现在一般的穷民,固然是衣食不足,生活不安定;然而在资本制度下面的工人,谁能保他丰衣足食,生活安定？现在一般贫民,固然也是一日到晚地做工;但是与其在树木青葱,空气新鲜的原野里做工,和一日到晚地关在煤气充天、空气污浊的工厂里做工,谁是"人"的生活？一日到晚地在青天白日下做工,和一日到晚地跼在矿坑深处,连外面的晴雨都不知道,像牛马一样地做工,谁是"人"的生活？在社会主义制(度)下,固然免不掉在工厂矿山里做工,然而那时工作的条件,和工作的设备,比资本制度下面的总要好得多,总不至于过像资本制度下面的工厂矿坑这样的"非人"的生活。所以不说要使人过"人"的生活则已,不然,除掉了实行社会主义一法外,简直找不到第二个方法。若说资本制度,反是使人过"非人"的生活的。欧美各国劳动者的生活状态,我没亲眼见过,然据我看见日本劳动者的生活状态,简直是和动物一样,还说什么"人"的生活！假设中国实业发达,就到了日本现在这样程度;而劳动者所过的生活,还不是和日本现在的劳动者的一样？我们能承认他是"人"的生活吗？人家大错已铸成,现在正在极力地谋打破;而我们乃照着他的覆辙走去,这真是舍福求祸了。所以我重复地说一句道:要使一般贫民得过"人"的生活,非实行社会主义绝对做不到。

三、社会革命与牺牲

有人说道:"现在要实行社会主义,就免不掉社会革命。中国经过这几年内乱,元气消磨殆尽,还能经得起一次革命吗?设若还有革命,就是他的催命符;就是使他陷于万劫不可复的境遇。所以我们现在只有发展实业,以培养元气。等到资本主义发生弊病时,再由政府的力打破他,来实行社会主义。就是要行社会革命,当时元气已充,也可以受得住战乱的牺牲了。"现在行社会革命,要生出种种牺牲,这是我们所预料的。中国现在,已受不起革命,也是我们所知道的。但是设若我们既有了实行社会主义的决心,就等到实业发达,资本制度确立以后才来行,是否能免牺牲?果有余力经得起革命?现在实行社会革命,固然是要牺牲,然而就是等到实业发达后,其牺牲就要更大。当资本制度未成立以前,想着方法避开他而实现社会主义;与资本制度地盘已固,实力已充,再来谋推翻他而实行社会主义;其牺牲的孰大孰小,虽三尺童子也能知道。我现在举两个正相反对的例来证明:俄国一九一七年的三月革命,乃是有产阶级 Bourgeoisie 革贵族阶级 Aristocracy 命,不算得完全社会革命;这大概是人人所承认的。惟其因为有产阶级刚代贵族阶级而兴,基础还没巩固;所以十一月革命,没有受什么大牺牲即完成社会革命。一八四八年的法国二月革命,人人都知道他内里社会革命的彩色很浓。但是因为一七八九年大革命后,有产阶级的基础已渐渐巩固,所以虽然有社会革命的举动,其结果穷民被打死几万,而有产阶级还依然如故。所以既决心行社会主义,不但早晚都要受牺牲,并且愈行得晚,则牺牲必愈大。既然早晚都须经过一次,我何妨早忍心受过这次,早来谋幸福呢?既然将来的牺牲要大些,我们何不舍将来的大牺牲,而就现在的小牺牲呢?至于说等到实业发达后,才有受牺牲的余力,这却不然。设若将来牺牲的程度,和现在所必受的是一样,那么,元气多培养一层,就多有一层实力;虽受牺牲,而不至于破产。无奈那时的牺牲,比现在的要大得多。元气虽加一层,而牺牲却也要大一层;其结果就是正加负还是等于零。所以于元气薄弱时受小牺牲,和于元气充足时受大牺牲,其结果都是一样。牺牲既然免不掉,结果既然是一样,我们当然走早一日受牺牲,早一日谋幸福的这条路。

至于说将来可用政府的力,来打破资本阶级,这真是梦想。因为等到资本阶级发达了的时候,政府就是资本阶级,资本阶级就是政府。最少政府一切的行动,都要受资本阶级的支配。马克思道:"现在的政府,是处理有产阶级的一切事务的公共委员会。"要想以他们的公共委员会的力来打破他们,不是梦想吗?

总而言之:我们早晚都要牺牲;所以与其缓一日受大牺牲,不如早一日受小牺牲。

四、在资本制度下发展实业的恶弊

在现在这个状态下面发展实业,我们不能说全无益处;然而仔细考察,就可见他的害处远过于他益处了。在现在状态下面,发展实业,只有四个办法,一是由国家来办,二是由资本家来办,三是由劳动者集款来办(这是罗素说的),四是用协作社来办。现在的国家,你要他破坏则有余,——现在恐怕连破坏的力量都没有了——要他来发展实业,一定是靠不住的。所以第一个方法不足恃。劳动者连自己的饭都没有吃的了,哪还有力来办实业?那么,第三个方法也靠不住了。组织协作社来办,固然是好的;然而肯组织协作社的,是热心而无钱的人,有多钱的人不肯来组织协作社。你试随便向哪一个拥有巨资的人,问他还是愿意独自当个资本家,或为大资本家内一个大股东来办实业;还是愿意加入协作社。我敢确定他们不愿意加入协作社。所以即有几个热心的人来组织协作社,来办实业,也不过占全数的极小部分,其余的大部分,不得不让资本家来占了。所以说来说去,其结果要发展实业,还只有由资本家来干。而资本家发展实业,最大且最显著的恶弊,厥有数端,现在分别地说来:

（一）财阀和军阀官阀打成一团。现在要到内地各省会各都会去办实业,非和本地的武人官僚联络成一气,他们就要用种种方法,使你的企业不能成立。所以要想企业成功,一定要和当地武人官僚,一鼻孔出气;或邀他们入股,或竟送股份给他们;或约互相维持。那么,军阀,官阀,财阀遂合并而为一了。从来军阀,官僚,虽有腐败政治,压制贫民的势力,而苦财力不充,财阀虽有财力,而苦没有势力。现在军阀官阀,则假财阀的财力而助其势力;财阀则假军阀官阀的势力,而助其财力。于是狼狈为奸,彼此都可以畅所欲为,政治之黑暗,贫民之痛苦,遂因之益甚。我们只想推翻军阀官阀已竟不易,而复加以财阀与他们的结托;财阀只以其财力,已可制贫民之命而有余,而复加以军阀官阀和他们的提携。其结果就是支配者的势力越固,被支配者所受的压迫越甚。将来社会上的黑暗悲惨,不知要到什么程度。对于贫民还有什么利益可言?

（二）军阀官阀摇身一变而为财阀。现在的军阀官阀,即以最小限度而言,谁没有拥资数十万? 现在国民打破军阀官阀的呼声,一天高似一天;他们见势头不佳,于是将以所拥有的资财,摇身一变而为财阀。再由财阀的资格,来操纵政治,肆行阴险狡诈的伎俩,以压制贫民。那么,军阀官的名目虽消灭,而他们的恶毒,还依然存在,不过表现的形式不同罢了。所以用资本家来发展实业,就是使军阀官阀有蜕化的余地,以保存其固有势力。

(三)酿成将来的大乱。有人说即使军阀官阀,变为财阀,而他既变为财阀,即不利中国有内乱;所以中国的内乱,就可以稍止。这却是确事。但是现在的内乱虽可稍止,而将来的大乱,就萌芽蕴蓄于这个稍止的时期内了。财阀既得势,则资本阶级当然确立;将来要打破资本阶级,须经长期的斗争,这固然是个原因。财阀既得势,则不独社会上贫富阶级,将愈悬隔,愈明了;政治亦必愈黑暗,愈腐败。于是政治革命,将和社会革命同时爆发而不可复遏。彼时财阀在政治上社会上既有稳固的基础,一时不能推翻;而财阀欲用其政治上:社会上的势力,完全扑灭贫民的反抗,也是绝做不到。于是长期的大乱,就要从此开幕了。所以内乱虽可稍止,而这个稍止的时间,就是给长期的大乱的种子以酝酿成长的机会。

上面所述的,不过是在中国现状下面,用资本家来发展实业,所必生的特殊恶弊(Special evil)。至于用资本家来发展实业,所必生的一般的恶弊(Genral evil),例如资本阶级的道德堕落,劳动阶级的生活困难等事,已有工业最发达的各国,实地演出来给我们看了。若要把他一一举出,至少也要成一篇长文。所以就不说,谅大家也早已知道了的。由资本家来开发实业,既有这样一般的恶弊,复加以中国的特殊的恶弊,我不知将来的社会,要呈一种什么现象。所以有人对我说,由资本家来发展实业,虽然有些弊病,我们总不能"因噎废食";我就答他道,我们明明地见着他这些恶弊,我们又甘心"食鸩止渴"吗?

有人又问道,"此后外国的资本,将如急风暴雨地侵入中国;我们要防止他这种侵入,只有奖励本国资本家来办实业一方法。设若本国资本家一推倒,外来资本,不是要即刻侵入吗?"外国资本的侵入,固然是极可怕的;然试问本国资本家就不被推倒,能抵抗他的侵入吗?现在他们还没有被推翻,而外国资本的侵入,是否已经抵抗住了?我又要问资本家一倒后,我们就不发展实业吗?谋抵制外国资本,除资本家以外就没有别法吗?设若说现在资本家不能抵制外国资本。是因为资本家少了,设若资本家一多,企业一盛,当然就可以抵制;那我就敢断言以资本家来发展实业,不独不能抵制外国资本,反是为他作前驱,开门揖盗地引他进来。不信,试看现在有几个大企业,不是中外合办?因为和外国人合办,于资本家有两种利益:一是经济上的;一是政治上的,经济上的,就是利用外国资本家的财力;政治上的,就是借外人的势力来保护,以免武人官僚的压迫。有这两种原因,我敢确定在中国现在这个状态下面,叫资本家来办实业,决难免他们喜欢和外人合办。那么,就是叫他们引外国资本进来,还说什么抵制!

总而言之,资本家来办实业,社会上多数人决不能受他们利益,他不过帮着外国资本家来掠夺压迫中国人罢了。

五、实行社会主义与外交问题

有人说中国现在实业不发达,仰给外国的东西甚多。设若实行社会主义,列强将以对待俄国的手段,来对待我们,把我们一封锁,那时物质缺乏,没有求处,这不是自杀吗?这确是个最大的问题,我前面说中国实行社会主义时,有困难的地方,就是指这一点。因为我们现需要外国的机器,原料,制造品,专门人才以及一切日用所必需的东西,非常之多。那么,没有机器,没有原料,没有专门人才,我们就要发展实业。又怎样来发展呢?况且日用所必需的东西一缺乏,生活都不能维持了,遑论及他。这个问题在我脑内盘旋了好久,总不得解决。想来想去,只想得一个方法。就是我想我们实行社会主义,俄国一定要来帮助的;那时我们所需的东西就可仰给予他。然而这不过是无聊中的自慰方法,我知道是不十分靠得住的。所以这个难关,总是哽在心里不快活。我想热心社会主义的人,也会有这个同病罢。

然而现在得了解决的方法了。我们定可以超过这种困难了。我们所怕的,不是列国像封锁俄国一样,来封锁我们吗?设若他们过来封锁这确是困难。但是谁又能决定他们一定要来封锁呢?而我却敢确定他们绝不至于来封锁。协约国和俄国通商的消息,已一天一天地传起来了。英俄通商的条约且将成立了。这就是证明协约国知道封锁人家,于自己也是没有利益的;就是证明他们封锁的失败。他们既有了这一次经验,还敢重演第二次失败吗?再进一层,我们要研究协约国为什么要封锁俄国。据我的观察有三个原因:(一)劳农政府单独与德媾和;(二)宣言废弃一切国债;(三)向各国宣传他们的主义。协约国要封锁俄国的,我想就是为这三大原因。试看主张封锁最力,且极不赞成和俄国通商的,乃是法国一事实就可证明了。法国为什么这样?一、因为德国是法国的深仇宿怨,而俄国乃于战事吃紧的时候,单独和德国媾和;二、革命前只有法国在俄国投的资本最多;三、俄国宣传主义,法国就要首当其冲。从这里看起来,可知他们封锁俄国,是为这三个原因了。试问中国将来,也有这三个原因吗?第一个不成问题。中国当然没有的。第二个,我们只要承认一切国债(俄国最近也曾这样宣言),就可以免掉。第三个,只要我们不向外国宣传,当然可以没有。协约国封锁俄国的原因,我们既然一个都没有,我就敢断言他们不至于来封锁中国。况且封锁中国,于他们也有巨大损失。第一,因为他们需中国的原料品甚多；第二，他们要以中国为销行他们的制造品的商场。所以他们绝不至于和中国断绝经济关系以自苦的。但是这里还有个疑问。就是我们要推翻资本家，就不单是本国资本家，而必连外国在中国的资本家一起推翻；外国人在中国经营的事业很多，他们既然受了这种损失，他们的国家，一定会不承认我们社会主义的组织的。但是这也有解决的方法。就是只要他们依从我们的产业经营法，工厂管理法，以及一切关于产业上的法规，我们尽可许他们依旧在中国经营事业。就是俄国最近，也曾决定这个办法。我们实行社会主义，既然于他们都没有损失，他们为什么一定要来反对我们呢？

　　有人又怕列国将要像援助台尼金（Danikin）、柯尔恰克（Kolchak）和欲台里起（Yudenich）、兰格尔（Wrangel）一样，援助中国的反社会主义便派他们和我们战争。我也敢断言这件事是没有的。协约国所以要援助他们。打倒劳农政府的，也就是因为上述的三个原因。我们既然一个都没有，他们怎样又甘心情愿做这个恶人？况且外国人不愿意中国有战争，比中国自己还要甚些——日本除外。设若社会主义占了优胜地位，他们绝不至于援助将死的反社会主义派，延长战争，使他们自己受损失的。设若社会主义还没有占优胜地位，那就是我们的运动没有成熟，就是反对派没有外人的援助，我们也不能成功。而怕列国援助反对派一事，是不足虑的。

　　综上所述：就是叫资本家来发展实业，绝没有好结果；实业就没有发达，也可以行社会主义。不过这个社会主义，要绝对地不受一切旧政党——无南无北，不管他是护法是违法——支配，不受一般臭伟人政客以及一切过去人的操纵,这才算真正的社会主义。

一九二〇年十二月十日

(第八卷第五号,一九二一年一月一日)

社会主义与中国

李 季

英国克卡朴所著的《社会主义史》中有一句话："在马克思死去一世纪之内,却还有何种文明国家没有为社会主义所征服,恐怕难得使人相信。"近世科学的社会主义始祖马克思死于一八八三年,距今不过三十八年,而澳洲的社会主义实行已久,俄国的社会主义由理论进而为实行,也将近四年,虽因对内对外,战争不绝,以致阻力横生,不能放手做去,然俄国劳农政府的成绩已有可观。同时最近几年中世界各文明国中社会主义运动的进行,也蓬蓬勃勃,一日千里,迥非从前可比了。就现今世界的趋势看起来,各文明国在这五六十年之内,次第变为社会主义化的国家,决非难事;故克氏此书的预言并不是一种幻想。

"西洋的社会主义二十年前,才输入中国。一方面是留日学生从日本间接输入的,译有《近世社会主义》等书。一方面是留法学生从法国直接输入的,载在《新世纪日刊》上。后来有《民声周刊》简单的介绍一点"(见蔡元培先生的克氏《社会主义史》序)。及至辛亥革命,南京政府成立,便发生一种社会主义运动。当时社会党成立于南京,各省也多有支部;然不久都被袁世凯解散了。我国社会主义运动遂因此匿迹销声了。自一九一七年十一月俄国布尔什维克政府成立后，又有少数人提倡社会主义；及五四运动以后，社会主义的学说盛极一时，并很受一般青年学子的欢迎。这可算是一种很好的现象。

然就我国的现情而论，不独一般劳动的平民不知道社会主义是什么，就是知识界的人，甚至于欢迎社会主义的人能真正了解社会主义之内容的，我敢说是居最少数。现今欧、澳、美各洲有组织的工人不知道社会主义的居最少数，而我国知识界的人真知道社会主义的居最少数；两两相较，恰成一个反比例。由此看来，在马克思死去一世纪之内，号称文明古国的中华，恐怕没有实行社会主义的希望了。

俗语说得好，"事在人为"。又说，"有志竟成"。我们中国虽事事落在人家的后面，然只要认定目标，急起直追，未见得不能和各先进国并驾齐驱，也未见得不能出乎他们之上。试看俄国的社会主义运动后于英、法、德等国，而他的实行社会主义，却先于诸国。这不是我们一个很好的先例么？

我近来常听见好些懂得西文的新顽固说："欧、美各国资本主义的发达，已经登峰造极；所以发生一种反响，造成一种社会主义。这正是对症下药的。我们中国现在穷极无聊，大资本主义还没有见端，若高谈什么社会主义，岂不是无的放矢么？"他们又说："世界上并没有不经过资本阶级而能达到社会主义的，如俄国未经过资本阶级，所以很难成功。中国若想社会主义的实现，不得不提倡资本主义。"现在一班自命为稳健派的新顽固党多半具同一见解；他们不独是"不要社会主义"，反要"提倡资本主义去发达中国的实业。"他们这种似是而非的论调，虽不足以欺有识的人，然一班老顽固见了，必定兴高采烈，把他当做新四书五经互相号召；一班资本家见了，必定欢天喜地，把他登在报纸上，借以骗钱，和南洋兄弟烟草公司把"罗素博士之名言"登在报纸上骗钱一样；一班脑筋简单的青年见了，必定为他所惑，对于社会主义不肯加以研究；就是一班欢迎社会主义的青年见了，也未必不呈一种徘徊歧路和裹足不前的状态。照这样看起来，他们这种莠言对于我国的社会主义的运动将发生一种阻力了。他们说这种话，不是别有作用，就是不知道或误解社会主义的学说。我现在为图大家明白社会主义的学说起见，先把欧美各国学者对于社会主义所下的解说撮出几种，给大家看一看，然后加以说明，并且驳斥那些新顽固所说的话，借以表明社会主义是一种最好的学说，是救我国全体人民的唯一良策。

克卡朴的《社会主义史》说，"德国最著名的经济学家罗协（Roscher）以为社会主义'不独是和人性相符合的，他并且含有要求大家对于公众的福利，加以更大之注意的种种倾向。'赫尔德（Held）说，'凡属要求个人的意志服从团体之各种倾向，我们都可以看做社会主义的活动'。耶讷（Jare）对于社会主义所下的解说，更加详细，他的解说如下：'倘若有一种主义所说的是国家有一种权力可以矫正，现时人世财产的不平等，依法将财产均分，有余的就取出来，不足的就弥补他，而这种情形是永久的，不是遇了什么特别的事件，才是这样——例如饥荒，公共的灾祸等等，这种主义我们就可以称为社会主义'。拉威列（Laueleye）说，'社会主义的目的，第一在使社会里面的各种情形，更加平等；第二在借法律或国家的权力，使种种改革的事体实现出来'。汪协尔（Von Scheel）乃单说社会主义是'受压迫各阶级的经济哲学'"（见克卡朴《社会主义史》上卷第六页）。以上各种解说不是太笼统，就是流于错误；然却和克氏所说的一样，他们"将世人对于社会主义的性质所具的意见,实实在在反映出来了"。"社会主义"这个名词出现于世虽有了八十八年,然他的解说却仍然是不定的。想要了解他的真意义,详尽无遗,当亲自参加这种运动,绝非三言两句所能够包括的。我现在再把美国列德莱(Laidler)博士对于社会主(义)所下的解说,写在下面。他说,"从广义说起来,社会主义运动的目的在实现一种社会状况,使机会均等,正义,自由,民主主义,和博爱,在这种状况之下,都为人类的遗传物"(见列氏《社会主义之思潮及实验》第五章。按此书已由我译出一大部分,不日可以译完)。

照上面最后的一种解说看起来,或者有人要问,社会主义不是和孔教的大同,佛教的慈悲,及耶教的博爱相同么?这三种教久已流行于世,现在他们分门别户,入主出奴,闹个不休,何必还要提倡社会主义去和他们相争呢?其实这三教成立于数千年以前,他们的教义都建筑在他们的时代之经济制度——即生产及交换方法——上面,当然不适用于现代。现代所谓社会主义,不但和古代教义不同,并且和马克思以前的乌托邦社会主义不同。现代社会主义是由于看出现代经济制度——即生产及交换方法——的破绽,非改造无以救济;改造的方法是采用阶级战争的手段,废除现今资本制度的生产和交换方法,建立一种土地,和资本公有的经济制度,使一阶级掠夺他阶级的事实以及工银劳动等等都归于消灭。

社会主义的优点,大家看了上面的两段话,总会明白,用不着我来学颂扬圣德的先生们,加上"至矣尽矣,蔑以加矣"的话头,替他鼓吹。就是一班新顽固也并不否认社会主义的好处,他们的意思不过是说中国没有大资本家,所以用不着社会主义。现在我要讨论的第一件事是中国到底有没有大资本家这个问题。

我们中国有许多事情原来是很古怪的,现在连带资本家也是很古怪的。试看那外国的资本家,如美国的煤油大王、钢铁大王等等,都是拿自己手中的资本去干那掠夺的事业。中国的资本家自己没有极巨的资本,不能从事大规模的掠夺,遂输入外国资本,造成一种"两重式"的资本家。外国的资本家因把资本输入中国,在我们国内掠夺一次,而中国的资本家仗着外国资本的势力又掠夺一次,你看利害不利害。现在中国的十大矿产只有一二处没有外国资本;现在的汇业银行、懋业银行、中法实业银行、中义银行等等——这些东西不是大资本家的产业么,不是中国大资本家联合外国资本家来共同掠夺么?"两重式"的资本家,利害可怕,自不用说,我现在单说完全中国的资本家也是一样地利害可怕。

我去年下半年亲自到过山东峄县枣庄中兴煤矿公司,现在把这个公司的大概情形,写在下面,给大家看一看。中兴公司是完全中国的大资本家办的,资本为三百八十万元,在这五年之内,共赚千万元,内中有工人六七千人。在大煤井内的矿工每日继续做工十二点钟,在小煤井内的矿工,因上下不便,每日继续做工二十四点钟,若稍一休息,遇着一班监工和练习生,就要挨打。工人挨了打是不敢反抗的,因为公司中有一个警察局,工人若反抗,警察马上就将他捉去了。工人不独没有星期休息,就是当过年过节的时候,也是要照常做工,不能休息的。倘若有人疑我故意张大其词,来耸人听闻,请他到商务印书馆买一本《中国十大矿产调查记》,把内中关于记载中兴公司的各节看一遍,便知道我的话并不是闭门虚造的。

至于工人的工钱,在矿洞中做工的人每日做工十二点钟可得银二角余以至三角,除掉吃饭,每日或可余铜子数枚;在地面做工的人,每日只得铜子二十四枚,刚够吃饭,因为工人每日需吃面三斤，计铜子二十一枚，余下三枚连吃菜吃烟都在内。至于穿衣，住屋，和养家的银，简直没有法子去赚。我写到这里，不禁又令我想及柯尔（Cole）在他的《工业自治》里面所说的"他们每天逢着巨富和赤贫，高红利和低工银这些可耻的对照"的话头了。去年唐山煤矿中冤枉死了几百工人，社会大起不平之声，替他们呼冤。然中兴公司三四年前一次死了四百六十余人，去年上半年一次又死了七十余人，社会上何曾知道啊？平常一匹骡子从三四岁做工可至十五岁或二十岁才死。在中兴公司矿洞中的骡子每日（二十四点钟）做工八点钟，只能经过五年就要死了。你看工人在矿洞中每日要做工十二点钟以至二十四点钟，岂不是不如畜牲么？骡子每天做工八点钟，尚减少一半或三分之二的寿年。工人每日要做工十二点钟以至二十四点钟，我请大家想一想，到底将减少若干寿年？（中兴公司的矿工得肺病的非常之多）

我现在要问那些新顽固，在五年之内赚一千万元的中兴公司，是不是我国大资本家的产业？劳动者终日替他们做工，得了二十四个铜子，他对人生不可少的衣食住三大要素，只解决一项——食——这真是他们的命该如此么？外国工人每日做工八点钟，他们所得的工资除掉维持自己的衣、食、住外，还可养家，还可剩下储蓄；他们尚不满意于资本家的掠夺，要实行社会主义化的生产。我们中国的工人终日劳动，尚不能自给；乃一班知识界的新顽固还说中国实业不发达，要提倡资本主义去办实业，岂非丧心病狂么？幸而中国实业不发达，像中兴公司这样的资本团体，还居少数，使大多数的劳动者得在较此略好的状况中苟延残喘；否则我国冠绝全球的劳动力，不出几十年恐怕会丧失过半，反要向欧美各国输入工人啦。

俄国的农民占全国人口百分之八十五；我国因没有调查录可查，不易知道农民的确数。然据我个人的推测，我国农民和全国人口的比例数一定比俄国还要大些。

我们现在再进而考察我国一般农民的状况，是否令人满意，是否有行社会主义的必要。我是湖南平江人，我住在乡下十四年，我的亲戚朋友多半是乡下人，所以我对于农民的状况，颇知道一点。我们湖南的农民大多数是租人家的田地耕种的。每人每年至多只能耕田两石，出谷量的最大限度为八十石。农民如耕田两石，以半数送地主作为租谷，则所余的只有四十石。农民一人每年因吃饭耗去的谷子约十石，便只余下三十石了。他一人用度之外，还要赡养父母和妻室儿女，预备粮牛种子，肥料，农具，以及乡里戚族的庆吊费等等。他虽可以种一点杂粮，如茵豆之类，借以增加收入，然这些东西总不足维持他家庭的生活。他的父母妻子虽不是纯粹安坐而食的，然他们也只能帮助他耕种这些田地。例如他的老父和子或可替他牧牛和砍柴，他的老母和妻子或可替他纺织和烹饪，借以供给一家的需要。总之，他终岁劳动，所入能和所出相抵，就算是幸事。我这种计算还没有把他租田时批金，以及买牛钱，买农具的钱一并加入。倘若把这些钱数一概计算起来，那么，无论他如何勤奋，他总不能跳出困苦的范围。还有一层，我这种计算若令农民看见了，他真正要骂我做书呆子；因为我的计算，是依农民耕种的力量和出谷量的最大限度作根据的。其实我国内地各省，无论何处，都是人烟稠密的，一个农民到哪里去找两石田耕啊？我国农民知识幼稚，对于虫灾水灾和旱灾等等多不知道防备，所以意外之灾时常出现，农民即或就耕了两石田，他又何能希望收入八十石谷子啊？大家如果听见"湖北沔阳州，三年两不收""旱灾年年有，轮流在九州""年年防饥,夜夜防盗"的歌谣,及去年北五省的旱灾,大概也就明白农民的收入是极无把握的了。

农民终岁劳动,只能从收入中取得半数,有时还少于半数——例如略遇灾害,出产减少,地主仍照原来定额收租之类,地主不必劳动,也得半数,甚至多于半数,这桩事已是不应该的。乃一班地主吃了不劳而获的东西,还不安分,竟造出一种什么"衣食父母"的话,去压制农民。"衣服父母"的意思就是,地主把田地给农民耕种,农民才有饭吃,才有衣穿,所以他应当把地主看做父母。大家听了这种令人肉麻的话将发生一种什么感想?

我记得上海某报记者曾说,"我们中国的农民所耕的田地,多半是自己的,他们多半是属于有产阶级"。我当时看了,便觉得奇怪,我就自己问道,为什么我们中国二十二行省中,除掉我所亲自看见和听见的湖南地方外,其余各省的农民多半是属于有产阶级?同是中国的农民,为什么我们湖南人这样倒霉,各省人那样亨幸福呢?后来我遇着外省人就问他们那些省份的农民所耕种的田地是不是他自己的。我所遇的答案总是说农民自己没有田的。后来我又在报上看见某报记者,说他自己在内地旅行,虽没有深入腹地,却觉得中国穷到极点了。我看了这段话,我才知道这位先生是一个市民,是不常到乡下去的,他那农民多半是属于有产阶级的话原是出于杜撰,用起来哄一哄城市人民的。不然,农民既多半是属于有产阶级,而内地尽是农民,他在内地旅行,何致看见"中国穷到极点了?"

现在我们再退一步说,假定某报记者,所说中国农民多半是属于有产阶级那句话是真的。农民既有产业,我们便不能说他的田地,不多不少,刚够他自己耕种。他的田地如果不足,必定向别人租地,则他便是一个被掠夺的人。他的田地如果有余,则他处置剩余田地的方法,不出两途:一将田地租给别人耕种,二雇人耕种。他若用第一个方法,则他成为一个掠夺家,关于这一层,上节已经说明了,不必再讲。他若用第二个方法,他也成为一个掠夺家。何以故呢?譬如他除掉自己耕种的田地外,尚余下一块出谷六十石的田地;他将雇一个人耕种这种田地。他每年付给雇工的工资和饭食,及其余费用最多不能超过三十石谷的价值,其余三十石谷就是一种盈余价值,为他所掠夺了。

我们中国虽没有很多的大资本家,却有无数的小资本家。大资本家所掠夺的数目很大,如像在五年之内赚一千万元的中兴公司是,小资本家掠夺的数目很小,如像上节假得定白三十石谷的农民是;他们的掠夺在数目上虽有差别,然在性质上是绝对没有差别的。我国既有一种资本主义的制度,既有一种掠夺的事实,那么,一种大公无我的社会主义去纠正他,应当受每个有理性和有良心的人之欢迎和赞助。我国当着这个时候,小资本主义已经根深蒂固,大资本主义正在勃然兴起;现在才谈社会主义,已经是缓不济急,怎么叫做"无的放矢"呢?我们中国已有了无数的小资本家,就和一个人得了许多小病一样,而社会主义就是医治这种病的圣药。现在那些新顽固说"中国若想社会主义实现,不得不提倡资本主义。"这就好比说"一个人若想实行服药,不得不使他大病特病"。唉,天下哪里有这种蠢材啊!

那些新顽固多半是自命为深通西洋情形的。他们所以说必定须资本主义发达到极处,然后社会主义才能够实现,大概自以为是根据学理的。因为马克思和恩格斯的著作曾说,产业集中,资本家数目减少,中等阶级消灭,工人痛苦增加,和工业危机继续出现,使社会分为界限判然的两阶级,之后,然后工人借政治组织之力,攫得政权,实行社会主义。……(见马恩两氏的《共产党宣言》,恩氏的《乌托邦》和《科学的社会主义》,及马氏的《资本论》等书。)马恩两氏固然是近世科学的社会主义之始祖;他们两人固然有许多独具只眼的见解;然他们也同是圆颅方趾的人类,并不是什么"神"。当他们著书立说的时候,为当时的环境所限,他们依照这种环境的趋势,推测将来的情形,后来时过境迁,自然是有些不大中肯的地方。如马克思的产业集中说,对于西洋各国的工业方面固然是言中了,然在农业一方面的集中运动却没像他所说的那样快。又如:"他所谓一方愈富,一方愈贫,与历史事实完全相反。事实上劳动社会后来也渐渐提高。大战的影响,劳动阶级,且得益不少,工资因此提高了。他的科学的推算,以为社会主义实现最早的国家,一定是经济制度最完备的国家。他以为理想社会的实现,一定在英、美、德、法等国,不料事实上竟在经济制度极不完备的俄国。"(见杜威博士《五大讲演》上卷第六十四页)所以我们对于古人的学说,当参照现在的情形,加以考虑,断不可一味盲从,做出那"孔趋亦趋,孔步亦步"的样子。并且我们要晓得马氏固然极力陈说资本集中,产业发达的结果,社会主义必然实现,马氏却未曾说,必须资本集中,产业发达,然后社会主义才能实现,否则决不能实现。

那些新顽固说"世界并没有不经过资本阶级而能到社会主义的。中国若想社会主义实现,不得不提倡资本主义。"这种无意识的曲说是我所绝对否认的。因为实行社会主义,并不必经过资本主义的发达;大家如不信我的话,我就要找出一个例给大家看一看,我们中国的南方不是有个澳洲么?澳洲自英国人移殖后,他的政府和社会的组织都是社会主义化的。澳洲各处政府是一种真正平民的政府,而国家事业和私人事业的区别,并不明了,新西兰的国有煤矿,南部和西部澳大利亚的采矿机器以及生命保险,火灾保险,公共托拉斯等等都是澳洲所首创政府事业。澳洲的劳动法令非常之多。如一千八百九十四年纽西兰和南部澳大利亚所实行的劳动界纷争强迫仲裁制,一千八百九十六年维多利亚所组织的最小限度工资部,一千八百九十八年纽西兰所通过的养老年金制,以及各处保护劳工的工厂条例,普及教育的教育条例,和破除大产业制,保护定居农民,处罚拥有土地而不寄住在这种土地上面的土地条例等等,不过是澳洲劳动法令中几种法令罢了。我现在要问那些新顽固观今的澳洲各处没有经过资本阶级,何以能达到社会主义?

　　大家看了以上各节的理论和事实,自然知道社会主义是救我们中国的良药,也自然知道那些新顽固所说资本主义不发达,不能实现社会主义的话,是荒谬绝伦,大错特错的了。

民国十年一月四日作于广州看云楼

（第八卷第六号,一九二一年四月一日）

从科学的社会主义到行动的社会主义

〔日本〕 山川均

马克思的学说,有许多人将它分为社会学说和经济学说两种。马克思学说是一个体系,原不能这样截然区别出来,但为研究便利起见,把它分为社会学上的学说和经济学上的学说两种,也不见得就有什么妨害。

然而马克思的这两种学说,更可以细分为四项。

恩格斯在马克思的墓前,曾经有了一篇告别的演说,把马克思比做达尔文。这便因为达尔文在生物学领域内发现出来的东西,马克思在人间社会里发现了;达尔文阐明了生物个体的进化,马克思却阐明了人类社会的进化了。

成了马克思学说体系的基础,成了出发点的东西,就是这个社会进化的原则,马克思学徒叫它作"唯物史观"。

达尔文发现了生物进化的法则,马克思也同样的用唯物史观把人类社会进化的法则说明了。但是生物进化的法则在实际上转动着的枢纽(Mechanism)是什么呢?达尔文为要答复这个问题,就发明了生存竞争和自然淘汰的假说。同样,人类社会倘是依着唯物史观的法则进化,这唯物史观的进化在实际上转动着的枢纽又是什么呢？马克思回答说，这是阶级争斗。阶级争斗说就是马克思的第二项学说。

复次，马克思又说明阶级争斗根柢里横亘着的经济上的历程（Process）。马克思从他的价值学说出发，把资本制度下劳动盘剥的机械的历程分析出来。马克思经济学说，就是把那躲在阶级的意识和阶级争斗根柢上所有经济实事的分析说明；梭勒尔说，《资本论》是阶级争斗的历史的研究，这话确有一面的真理。

但是马克思经济学说里，更有重要的真理，不可忘却。马克思又同样的从价值学说出发，把资本制度应当崩坏的纯经济的纯机械的历程也说明了。

所以马克思经济学说的任务是在说明资本制度应当崩坏的纯经济的纯机械的历程。马克思一面说明了这纯经济的纯机械的历程，同时又认识了资本主义移到社会主义的历程上那自动的人类的要素。马克思以为革命的无产阶级就是从资本主义移到社会主义的历程上自动的要素。那修正派错误的地方，就是将马克思经济学说所证明资本制度的纯经济的纯机械的历程误认为说明资本主义推移到社会主义的马克思学说的全部。

马克思依据了这第四项重要学说，就是革命的无产阶级学说，就将实现社会主义之实际上的历程阐明了。

罗素曾经做过《到自由之路》（Proposed Roads to Freedom）一书。他在这书中努力描写那可以使我们得着最大自由的新社会的组织和构造。但是读了罗素《到自由之路》一书的人，都会知道这小绅士阀的哲学者，好像连那到自由的"路"，还没有告诉我们。他不但没有把到自由的"路"告诉我们，就是他自己也不曾想知道什么是到自由的"路"。他是到俄国去过的。俄国无产阶级走到了自由的"路",已经明明白白摆在那里。可是罗素对于俄国无产阶级"建议"(Proposed)于他的"路",他却不要看。这条"路"并不止是"建议"的"路",这条"路"就是已被俄国无产阶级踏实的"路"。可是罗素——这仰慕自由的哲学者——却不想走这条"到自由的路"。他不但不想走这条"路",而且连那横在他面前的"到自由的路",看都不愿意看。罗素不过是描写了自由社会便满足的一种智的手淫者罢了。他是仰慕自由的人。但我们却不能忘掉无产阶级方才踏上"到自由的路"的时候,首先起来呼号反对的便是这个哲学家所代表的小绅士阀伪善者的阶级。

《到自由之路》的著者,什么"路"都不曾告诉我们。马克思在五十年以前,却已将这"路"明白指示我们了。能够把"到自由的路"指示我们的,也只有马克思一个人。马克思在一八七一年著过《法国内乱》(Civil War in France)一书,那书上说,"劳动阶级单靠掌握现成的国家机关要达到自己的目的是不能的"。他又在一八七四年著的《哥达纲领批判》(Gotha Program)里所说的更是明白,他说:"从资本主义社会到社会主义社会的中间,必须经过革命的变形的时期。这时期中须有一个政治上的过渡期。这政治上的过渡期,就是无产阶级的革命的独裁政治。"马克思在五十年前早就发现了革命的无产阶级与独裁政治的学说,把唯一的"到自由之路"指示我们了。

但有一件事却也不可忘记:马克思革命的无产阶级独裁的学说,并没有含着离开唯物史观说独立或者把唯物史观说修正的意思,这是唯物史观说当然的结论与应用。

依马克思说:历史是依唯物史观的法则进化的,它的作用,在根本上是机械的。资本制度因为它的内部包含着矛盾,终必按着机械的历程崩坏。但这机械的历程，必定要成为人的心理现象表现出来。只有一层，这个历史的唯物的历程，并不是在一切人的意识上平均正确地反映出来，首先感觉到的大抵是少数的无产阶级，多数的无产阶级，只是仿佛感觉着。所以大多数的人还是半无意识地被历史的必然性拘束着。因此革命事业，必定是这些少数无产阶级的先锋首先着手实行。所以无产阶级独裁政治，在一方面说，是无产阶级强制粉碎反对阶级，使他们和自己阶级同化吸收的一种组织；同时在别一方面，又就是使大多数的无产阶级从资本主义的心理解放出来的组织。

然而罗素和或种无政府主义者，他们却排斥一切的强制，要求"自由"。这些"想在二十四点钟内实现理想社会的人"，他们的前提，就是一切人在资本制度之下都能够从资本主义的心理解放出来。否认一切有组织的强制，这无非是等候一切人们自觉，这不外是否认革命。他们就是一面要自由，一面又否认"到自由之路"。

依马克思经济学说看来，社会主义是始于空想而成为科学。而由革命的无产阶级和无产阶级独裁政治的学说看来，科学的社会主义，又是始于行动的社会主义而成为实行的社会主义。

这篇文章是日本社会主义者山川均先生特意为本杂志做的，他把行动的社会主义介绍给我们，这实在是一篇最切要的最有效的文字，读者都自然能够知道，用不着我来絮说。只是我要借着这个机会，把山川先生介绍给读者。

山川先生自少就研究思想问题，能通英、德、法三国语言，笃信社会主义。二十岁时因办《青年的福音》杂志受了三年六个月的监禁，后来又因办《平民新闻》，遭了忌讳，被监禁一月半。后来又因办《劳动者》杂志，触犯《新闻条例》受监禁两月；又因赤旗事件（社会革命），受妨害官吏执行的罪名被监禁两年；后又和荒烟寒村办《青服》杂志，主张联合权和罢工权，被禁锢四个月。他这种抵抗官权努力运动百折不挠的精神真够令人佩服。他现在和他的夫人菊荣女士合编《社会主义研究》杂志。著作有《动物界的道德》《社会主义的立场》《社会主义者的社会观》《马克思传》《马克思资本论大纲》《劳动组合运动史》《马克思经济学》《劳动运动与社会主义》《马克思学说体系》《劳农俄国研究》等书。

译者李达附识。

　　山川均、堺利彦两先生本来都要做一篇文章来；但堺先生要到北海道巡回讲演去了，没有空闲，所以现在本社只接到山川先生的一篇。山川先生原也很忙，而且同他夫人山川菊荣先生一样，现在正患肺病。他在这样的情状里却还替本社做这样扼要的文章，本社同人真是非常感激。

　　山川先生的原文，本想翻成罗马字文刊在志末，但因为时间的关系，就省却了。而且李达先生的译文，已很忠实，不附原文似乎也没有什么妨害。

陈望道　附记
一九二一年四月十二日，在上海

（第九卷第一号，一九二一年五月一日）

讨论社会主义并质梁任公

李 达

近来讨论社会主义的人渐渐多了,这确是一个好现象。因为社会主义的真谛若能充分地阐发出来,批评者就不会流于谩骂,信仰者就不会陷于盲从。而且知识阶级中表同情于资本家的与表同情于劳动者的两派,旗帜越发鲜明,竭智尽力,各为其主,而社会主义与反社会主义两方面,皆可同时发展,以待最后之决胜。所以我说现时讨论的人越多,越是好现象。

《改造》杂志二月号特辟《社会主义研究》一栏,一时知名之士如梁任公、蓝公武、蒋百里、彭一湖、蓝公彦、费觉天、张东荪一班人,均有长篇文字,表明对于社会主义的态度。他们的文字均有点研究,我读了非常感佩。但是这几篇文字之中,也有误解社会主义的,也有同情于社会主义的,也有积极赞成资本主义的,也有恐怖伪劳农主义的,我觉得这种地方,却也应该详细研究分别讨论。只是我没有许多闲暇,作从容的论辩。所以只就梁任公一篇代表的文字,讨论一个大概。

梁任公是多方面的人才,又是一个谈思想的思想家,所做的文字很能代表一部分人的意见,很能博得一部分人的同情。就是《复东荪书论社会主义运动》的一篇文字,虽然明明主张资本主义反对社会主义，而立论似多近理，评议又复周到，凡是对于社会主义无甚研究的人，看了这篇文字，就不免被其感动，望洋兴叹，裹足不前。我为忠实主义起见，认定梁任公这篇文字是最有力的论敌，所以借着这篇文字做一个 X 光线，窥察梁任公自身和梁任公所代表的知识阶级中一部分人总括的心理状态，试作一个疑问质询梁任公，或者对于主义上有些少的阐明补正也未可知。这也许是梁任公所说"冀普天下同主义之人有以教之"的一点反应了。

梁任公本文的旨趣，约分五层，兹摘录大概如下。

（一）误解社会主义。梁任公首先误解社会主义为社会政策派的劳动运动，所以说，"吾以为中国今日之社会主义运动，有与欧美最不相同之一点焉。欧美目前最迫切之问题，在如何而能使多数之劳动者地位得以改善。中国目前最迫切之问题在如何而能使多数人民得以变为劳动者"。因此推论中国产业不发达，生产机关极少，不能行均产主义。所以又说，"我虽将国内资产均之又均，若五雀六燕铢黍罔失其平，而我社会向上之效终茫如捕风"。于是又论到社会主义运动，说："故吾以为在今日之中国而言社会主义运动，有一公例当严守焉。曰，在奖励生产的范围以内，为分配平均之运动。若专注分配而忘却生产则其运动可为毫无意义。"此一层是梁任公误解社会主义的本质的议论。

（二）提倡资本主义，反对社会主义。梁任公又以为中国生产事业极其衰落幼稚，中国人消费所需之生产品，皆仰外人供给。而制造此类消费品的资本家、劳动者和工厂，均在外国而不在中国，中国人受不到外国资本家的恩惠，中国无业人民，又不能到外国工厂做工。中国国内未梦见工业革命之作何状，工厂绝少，游民最多，并无劳动阶级。既没有劳动阶级就不能行社会主义运动。所以说:"欲行社会主义生产方法必须先以国内有许多现行之生产机关为前提。若如今日之中国,生产事业,一无所有,虽欲交劳动者管理,试问将何物交去?"社会主义既不可行,则为改造中国社会计,当然不能防止资本阶级之发生,而且要借资本阶级以养成劳动阶级,做实行社会主义的准备。此一段是梁任公提倡资本主义,反对社会主义的立言。

(三)高唱爱国主义,排斥外国资本家。梁任公看见国内无业游民过多,贫困日甚。加以受外国产业革命影响,"我国人之职业直接为外国劳动阶级之所蚕食;而我国人衣食之资,间接为外国资产阶级之所掠夺"。所以中国生产事业,必须由中国资本家自己开发,以便造成多数生产机关,吸收本国多数无业游民使为劳动者。所以说,"中国生产事业若有一线之转机,则主其事者,十九仍属于将本求利者流。吾辈若祝祷彼辈之失败耶?则无异自诅咒本国之生产事业以助外国资本家张目"。末了又说:"欲使中国多数人弃其游民资格而取得劳动者资格,舍生产事业发达外其道无由。生产事业发达,凡吾国人消费所需皆由吾国人自生产而自供给之,至少亦须在吾国内生产而供给之。"若对于本国资本家采抗阻态度"必妨害本国生产,徒使外国资本家得意而匿笑。且因此阻碍劳动阶级之发生,于吾辈之主义为大不利"。"然则所当采者为何?则矫正态度与疏泄态度是已。所谓矫正态度者,将来勃兴之资本家,若果能完其为本国增加生产力之一大职务,能使多数游民得有职业,吾辈愿承认其在社会上有一部分功德,虽取偿较优亦可姑容。"由此一段可推知梁任公爱本国,爱本国资本家劳动者之热情,故发而为排斥外国资本家劳动者之言,也许是爱国主义和资本主义结合的一种表现了。

（四）提倡温情主义，主张社会政策。梁任公既然主张用资本主义开发本国产业，而资本制度发生的恶果，当然要循外国资本制度的旧径，发出无穷的弊害。要想补救此种弊害，只有采矫正态度与疏泄态度，不可抗阻，亦不可坐视。所以说，"唯当设法使彼辈（资本家）有深切著明之觉悟，知剩余利益断不容全部掠夺，掠夺太过必生反动，非彼辈之福。对于劳力者生计之培养，体力之爱惜，知识之给予皆须十分注意。质言之，则务取劳资协调主义，使两阶级之距离，不至太甚也。至所用矫正之手段，则若政府的立法，若社会的监督，各因其力之所能及而已"。又说，"所谓疏泄态度者，现在为振兴此弃毙之生产力起见，不能不瞩望于资本家，原属不得已之办法。却不能恃资本家为国中唯一之生产者，致生产与消费绝不相谋，酿成极端畸形之弊。故必同时有非资本主义的生产，以与资本主义的生产相为骈进"。此一段是他提倡温情主义，施行社会政策的主张。

（五）误会社会主义运动。梁任公误解社会主义运动为劳动者地位改善，所以反对。又误解为均产，所以反对。又误解为专争分配所以也反对。又误解社会主义运动为利用游民，所以说，"劳动阶级运动之结果能产出神圣之劳动者。游民阶级运动之结果，只有增加游民"。又说，"游民阶级假借名义之运动，对于真主义之前途无益而有害"。这是梁任公反对中国社会主义运动最精刻的地方。但是依他所主张的运动方法却不外以下两层。即对于劳动者，"第一，灌输以相当之知识。第二，助长其组织力。先向彼辈切身利害之事入手，劝其办一两件（如疾病保险之类）办有成效，彼辈自感觉相扶相助之有实益，感觉有团体的好处，则真正之工会，可以成立"。工会次第成立，有组织完善之工会，然后可以行社会主义运动。但梁任公所主张的工会运动，不在敌抗本国资本家，而在敌全世界资本家，所以说，"全世界资本主义之存灭，可以我国劳资战争最后之胜负决之"。又说，"谋劳动团体之产生发育强立，以为对全世界资本阶级最后决胜之准备"。他主张运动的规模非常之大，而所用的手段又非常之小。未知是否有效，实有讨论之余地。

以上梁任公论社会主义运动的大概，以下逐条讨论。

第一，社会主义是什么？社会主义运动又是什么？我以为这应该首先在这里说明。

社会主义成了现实的势力活动而来的，还是十八世纪以后的事情。瓦特发明蒸汽机关以来就引起欧洲产业革命的导火线，新机械陆续发明，归特权阶级所有与利用。家庭工业变成工厂工业。手工业者骤然失业，不得不到特权阶级的大工厂中，做机械的奴隶。新机械不需劳动者多年的练习，又不需专用男性，而吸收妇女与少年。劳力供给过多，惹起男女的竞争，助长工银的低落，占大多数的消费者无产阶级，不能消纳工厂中的生产品，资本阶级不得不向海外觅销场，于是惹起国际战争；于是惹起经济恐慌；于是贫富的悬隔愈甚；于是欧洲的劳动者觉悟他们实在是被引到错路上来了。他们觉悟他们自己的正当权利，于是觉悟到以共同生产共同消费为原则的社会主义。一言以蔽之，资本主义给了他们一个好教训，但这教训的代价不小，使他们知道以自由竞争及私有财产为根本的社会组织是毕竟要使他们陷于资本主义的迷途，而把自身做它的牺牲的；要谋社会全体的福利，只有把这种自由竞争和私产制度永远除去，而建设永久的共产社会。阶级由对峙而斗争，而社会主义运动的大势以成，这是欧洲社会主义运动的由来。

所以社会主义在根本改造经济组织谋社会中最大多数的最大

幸福，实行将一切生产机关归为公有，共同生产共同消费。

社会主义运动，就是用种种的手段方法实现社会主义的社会。至于所采取的手段，有急进缓进的分别，然就现时最新的倾向而言，一方面在联合一切工人组织工会，作为宣传社会主义的学校，学习管理生产机关，一俟有相当组织和训练，即采直接行动实行社会革命，建设劳动者的国家。它一方面则联络各国劳动阶级为国际的团结，行国际的运动，以期扫荡全世界资本阶级。

中国现在已是产业革命的时期了。中国工业的发达虽不如欧美日本，而在此产业革命的时期内，中国无产阶级所受的悲惨，比欧美日本的无产阶级所受的更甚。先前恃丝业、茶业、土布业、土糖业，以至制钉业、制铁业谋生的劳动者，今皆因欧美日本大工业的影响，次第失业，又不能赴欧美日本大工场，去充机械的奴隶，得工资以谋生。加以近年来国内武人强盗，争权夺利，黩武兴戎，农工业小生产机关，差不多完全破坏。中国无产阶级的厄运，实不能以言语形容。所以我说中国人民，已在产业革命的梦中，不过不自知其为梦罢了。

中国旧有的小生产机关，既然受了欧美日本产业大革命的影响，差不多完全破坏，而新式生产机关又非常的少，因此之故，中国大多数无产阶级的人民，遂由手工业者变而为失业者，专成为欧美日本工业生产品消费的失业劳动者了。所以中国的游民，都可说是失业的劳动者。

我并不主张利用游民实行革命。但是劳动者不幸失业而成游民，若有相当的团体训练，何以绝对不许他们主张自身的权利？梁任公一定要他们回复到了赁银奴隶的地位以后，才准他们发言，是何道理？

至说中国现时社会实况与欧美略有不同,这是我们所承认的。但是不同的地方,也只有产业发达的先后不同,和发达的程度不同,而社会主义运动的根本原则,却无有不同,而且又不能独异的。

所以在今日的中国而讲社会主义运动,在如何设法得以造出公有的生产机关,如何方能避去欧美资本主义生产制度所生的弊害,而不专在于争生产品的分配。梁任公既误认了这对象而主张"在奖励生产的范围内为分配平均之运动",这明明是主张贫人丐富人恩惠以谋生的运动,只可说是乞丐的社会主义运动。梁任公这公例,我就首先不承认了。前提既然不当,以后因此前提演出来的推论,当然也是不对。

照以上所述看起来,我们晓得欧美社会主义运动,决不是梁任公所说的"劳动者地位改善",也不是他所说的"均产",也不是专在于争分配了。

第二,要想为中国无产阶级谋幸福而除去一切悲痛,首先就要使他们获得生活必需的资料。要使他们获得生活必需的资料,首先就要开发生产事业。所以发达生产事业的一件事,无论是资本主义者,或是社会主义者,都是绝对承认的,只不过生产方法不同罢了!

资本主义有资本主义的生产方法,社会主义有社会主义的生产方法。今就这两种生产方法分别比较于下。

资本主义生产组织,一切生产机关,概归最小数资本阶级所私有,最大多数的劳动者,均为劳银的奴隶,完全受资本阶级所支配。劳动者与资本家的关系是人与物的关系。劳动者制造出来的剩余生产尽归资本家,自己仅得些小工资过活,还不能赡养一家。资本家专讲自由竞争,对于生产力绝对不谋保持均平,供给与需要不能相应，只顾盘算劳动者的剩余劳动，增加生产力，谋生产多量的商品，增加自己的私产。一时需要减少，生产过剩，其结果资本家别谋妙法填补，劳动者却因此大受恐慌，招来失业的苦痛，这就是产业组织不受政治力支配的恶果。社会主义生产组织却不是如此，一切农工业生产机关，概归社会公有，共同劳力制造生产物平均消费。商品生产可以全废，生产物不至于压迫生产者。人与人的生存竞争完全消灭。生产消费完全可以保持均平。一人利用他人，压迫他人的事实绝对不会发生，也没有经济恐慌人民失业的危险。所以资本主义的生产组织，是无政府无秩序的状态，社会主义生产组织是有秩序有政府的状态。这两者的利害得失，我想无论何人都容易判别出来。

世间不懂社会主义的人，把社会主义看做洪水猛兽一般，当着这社会主义潮流澎湃而来的时候，这类人就大惊小怪，好像对于项城称帝、张勋复辟一样，纷纷议论顺逆的态度。他们以为一旦实行社会主义，就破坏生产机关，或者将生产机关分散，生产事业就要永远停止，人民就得不着生活资料了。梁任公误解社会主义为均产主义的说法，也就是因为忘记了社会主义更有很好的生产方法的缘故。他或者不是不知道社会主义有很好的生产方法，而以为资本主义是一个必不可免的过程。那么，我就要告诉梁先生。若忧劳动者不经过资本主义不能自觉，这是个教育的问题。若忧劳动者自己没有发达生产的资本，那时资本却在劳动者自己身上。资本家要雇劳动者，共产的劳动者只须自己出气力。若说劳动者在起初毕竟少不得金钱的资本，那么资本家的金钱本来是要归还给劳动者的。

将来社会的经济组织必归着于社会主义，我想无论何人都当承认的。中国生产事业虽十分幼稚,远不如欧美日本,然在稍远的将来,中国的社会组织必有追踪欧美日本的一日。据现时趋势观察起来,欧美日本的社会改造运动,已显然向着社会主义进行,中国要想追踪欧美和日本,势不得不于此时开始准备实行社会主义。

就中国现状而论,国内新式生产机关绝少,在今日而言开发实业,最好莫如采用社会主义。譬如我们要建造新建筑物,只好按着我们的理想去造,不必仿照他人旧式不合理想的式样暂时造出不合理想的建筑物,准备将来改造。欧美各国的经济组织,正如旧式不合理想的大建筑物一样,规模太大,转换不易,要想根本改造,实在是最难之事。请看欧美社会改造运动家,那样的努力那样的牺牲,犹然达不到改造的目的,这就是最好的实例。梁任公说"吾辈畴昔所想念总以欧美产业社会,末流之弊至于此极,吾国既属产业之后进国,正可惩其前失毋蹈其覆辙,及至今日,而吾觉此种见解十九殆成梦想"。然据我的推想,梁任公所说的不过是没有经验的"梦想",因为他并未向着这个目标进行,并没有努力运动,又岂能期望社会主义自然实现吗?

梁任公主张要设法使中国国境以内建设适当之生产事业,以吸收失业游民使不至冻馁而死,资本阶级纵掠夺剩余生产亦可姑容。这样说来,我们的目的若果是专在使游民得衣食资料,那就有两条近路可走。第一,设法不开发工业,极力奖励旧式手工业生产,或者提倡国货,排斥外货,依梁任公所说,"凡吾国人消费所需,皆由吾国人自生产而自供给之"。照这样办,我国的生产事业也可望发达,游民可以减少,劳动阶级可以成立。社会运动得有主体,新社会亦可以实现了。第二,就是完全抛弃国家主义,主张将中国全土交各强大之资本国家共管。各国就可以用最大的加速度的生产力在中国开发产业。此时中国游民，不患不能得生活资料了。中国全国人民若尽成为劳动者，则以劳动阶级资格和世界资本阶级为最后之决战，世界的社会主义就可实现了。单凭思想，这两条办法，或者也可以试办。只有一层，就第一办法说，现在已不是闭关自守的时代，而且受不起外部的压迫，要维持旧式生产事业是绝对难办到的。就第二办法说，是爱国主义者所绝对不肯承认的。除了这两法以外，若一方面要采用欧美式资本主义，一方面要固执国家主义来谋本国实业的发展，那就是大大的烦闷了。我们有件事应当注意的，就是资本主义的背面，存有军国主义。若美，若英，若法，若德，都是资本主义最发达的国家，也是军国主义最强盛的国家。欧美姑且不说，就说新具工业国的日本，日本的工业发展的路径，不皆是海陆军助长而成的吗？中国是万国的商场，是各资本国经济竞争的焦点，是万国大战争的战场。各资本国在中国培植的经济势力，早已根深蒂固，牢不可破。当着产业万分幼稚的时代又伏在各国政治的经济的重重势力之下的中国，要想发展资本主义和各资本国为经济战争，恐怕要糟到极点了。梁任公认此是唯一可行之道，我看这唯一可行之道，反不免是空想罢。

　　至于梁任公说，中国现在没有劳动阶级不能行社会主义运动，若要行社会主义运动，唯有奖励资本家生产，"有资本阶级然后有劳动阶级，有劳动阶级然后社会主义运动有所凭借"。若照这样说，简直是为实行社会主义，才造劳动阶级；为造劳动阶级，才奖励资本主义，梁先生就有故意制造社会革命的嫌疑了。

　　中国境内的资本家是国际的，全国四万万人——由某种意义说，都可算是劳动者。虽然有许多无业的游民，然而都可以叫做失业的劳动者。所以就中国说，是国际资本阶级和中国劳动阶级的对峙。中国是劳动过剩，不能说没有劳动阶级，只不过没有组织罢了。

若依梁任公说，中国若是没有劳动阶级，当然就没有资本阶级了。政治方面没有贵族和平民阶级的中华民国，又没有资本劳动阶级，就可以算作无阶级的国家了。社会主义运动就是要实现消除阶级的国家，中国既无阶级，又何须制造阶级？若因为行社会主义运动才提倡资本主义以制造劳动阶级，是梁先生有意制造社会革命，就不应非难社会主义运动的人了。我有一句好笑的比喻，譬如一个天然足的女子，就用不着我们说缠足的解放。若是因为要解放伊，故意为伊缠足，使伊得着有被解放的资格，然后再替伊解放，岂不是陷于"循环定理"吗？

诚如梁任公所说，资本主义可以达到社会主义，因而我们一面去"挖肉做疮"。那么，梁先生亦觉此法迂缓否？若是梁先生不怕亡国，我看还是照我前边说的话，让外国资本家到中国来开发实业，到了程度，中国社会革命自然也可以成功的。否则，索性慷慨点，也不要讲什么主义。世界的趋势，是必须要实现社会主义，资本主义是必须灭亡的。让他们外国的资本家来到中国做逋逃薮，燹火余光，也必须熄灭的，等它将熄灭的时候，中国的劳动者一齐起来，联合世界的社会主义劳动者，同扑灭此荧荧余烬共建社会主义的天下，岂不省事！

第三，资本主义，在今日的中国并不是拯救失业贫民的方策。我们要知道劳动者的失业，就是因为新机器发明产业革命招致而来的。一架机器可抵数十百人的劳力。在资本制度的社会里，新机器增多一架，就增多失业者数十百人，所以在今日产业革命正在开始的中国，若更奖励资本制度的生产，并不曾将产业革命的流弊根本除去,产业革命还是产业革命,不过将外国人的资本家变成中国人的资本家罢了。若果中国提倡资本主义生产,效力速,则一时间产业革命的影响烈,旧工业之下的失业者亦愈众。而能"丐余沥以求免死者"不过千分之一二而已,然而同时外国商业的掠夺不能说就可以抵制得了的。则又无非使中国的劳动者受一个两重的压迫罢了,救济一语还是空谈。效力迟咧,不消说了,梁先生对于资本主义所抱的希望都成泡影!要等中国的资本主义发达到一面可以和外资抗衡,一面可以尽数吸收国内的劳动者,其中要经过如何长的时日。恐怕那个时期未到,"而我中国的四万万同胞,且相索于枯鱼之肆"了!我们在这里做梦,外国的社会主义劳动者"且将嚱笑于其后"了!只有抱着国家主义的人听见自己国内也有资本家,也有兵强国富才眉飞色舞罢了。

其次讨论温情主义。梁任公既然主张资本主义,其当然的顺序,要归结于施行社会政策的。这种滑稽的办法,我们实在不敢苟同。现社会中经济的组织,不外两个大原则,就是自由竞争和私有财产。这两大原则就是现社会中万恶的根源,社会主义运动就是要把这两原则完全撤废。讲社会政策的大都不然,只主张借资本阶级的国家的立法,施行几项温情政策,略略缓和社会问题,并不是想根本地解决社会问题的。自由竞争和私有财产,还是依然存在,资本家仍可以行自由放任主义,积极地发展自由竞争,无限制地扩张私有财产。无产阶级呻吟于资本家掠夺支配之下,绝对得不到丝毫的幸福。简单说,社会政策,就是处理社会问题的结果,并不是要铲除社会问题的根本原因。梁任公正在欲实行资本主义却就提倡社会政策,在方法上已是南辕北辙。还有一层,社会政策在欧美各国说起来,是资本主义和军国主义极端发挥以后所生的必然的结果,若果在资本主义和军国主义未发达的国家说,社会政策就行不去,而且也不能——见诸实行的。就中国说,资本主义正在萌芽时代,人民因产业革命所蒙的苦痛尚浅,若能急于此时实行社会主义,还可以根本的救治;若果要制造了资本主义再行社会政策,无论其道迂不可言,即故意把巧言饰词来陷四百兆无知同胞于水火之中而再提倡不彻底的温情主义,使延长其痛苦之期间,又岂是富同情者所忍为?资本主义是社会的病,社会主义是社会健康的标准,社会主义运动是治病而复于健康的药。只要问中国现在的社会病不病,什么病便下什么药。一定要把中国现在的病症移做资本主义的病症而后照西洋的原方用药,这种医生是不是庸医?"庸医杀人!"中国人民的元气已经丧到不能再丧了。梁任公对于资本主义所取之矫正态度说"唯当设法使彼辈有深切著明之觉悟,知剩余利益断不容全部掠夺太过,非彼辈之福"。梁先生以为靠这一句空话,资本家便能奉行,劳动者便能安乐了么?资本家若果能有著明深切之觉悟,他们一定能觉悟到他们的最后命运——就是他们终于不能存在而必须让给社会主义的世界。若是没有觉悟,他们一定唯利是图。他们宽待劳动者,无非是免得受罢工的损失,而可以安稳地扩张资本势力;换句话说,即是使劳动者安于奴隶状态而不思反抗。况且谁可以矫正资本家?国家是受资本家维持的,绅士式的知识阶级是受资本家豢养的,社会改造论者的空言是无补的,有实行力者唯有劳动家,而劳动家却被温情主义缓和了。梁任公要想在温情主义之下使劳动者觉悟,是不明社会问题的真相。要想由资本主义而温情主义而社会主义是不明欧洲社会进化的历程。

提倡某种步调与社会中事实有某种步骤是不同的。因为社会实况的中间，实行温情主义的时候，就有反对的呼声。反对的呼声，就是促劳动者觉醒的。提倡的人可不能自己反对自己。所以我说由梁任公的温情主义的主张是不能达到社会主义的。

第四，资本主义是国际的，并无所谓国界。资本主义既是侵略，所以无论何种社会主义，对于资本主义国际的势力必须采用国际的对抗方法。

资本家在各国蔑视国境并且超越国境营国际的生活。如所谓银行团国际信托等等，均有国际的生活，为国际的行动。各国资本阶级驱使劳动阶级如牛马。所以在现时资本主义国家的世界，必须厉行国际社会主义运动，支持国际的方针，和资本阶级国际的行动挑战。

劳动者没有祖国。社会党划分人类，以阶级不以国。若要假设一些纵线将国与国分开，就可另引一横线与各纵线相交，将资本阶级和劳动阶级截为两段。社会党只注重这横分线，不注重纵分线。社会党因为要增加本阶级反对别阶级的力量，想把所有的垂线取消，因为这些垂线纷乱劳动阶级的心理，妨扰劳动阶级的自觉，阻碍自己主义的进路，所以要谋国际劳动者的团结。

所以就社会主义者的立场而论，不论本国外国，凡见有资本主义，就认为仇敌总要尽力扑灭它。也不论在本国或外国，凡见有掠夺压迫的资本阶级，就认为仇敌，总要出死力战胜它。社会主义没有国界，资本主义也没有国界。我们不能说外国资本家所行的资本主义应该反对，本国资本家所行的资本主义就不应该反对。我们不能说本国资本家对于本国劳动者有所爱护别国资本家对于本国劳动者更加虐待。资本家务必掠夺劳动者然后方能大行其资本主义；我们不能说本国资本家的资本主义所生的弊害比外国资本家的资本主义的弊害少。外国资本家把商品舶到中国卖,席卷金钱,存在自己衣袋里;中国资本家造出商品在中国卖,席卷金钱也是存在自己衣袋里。同是一样的藏在自己衣袋里,中国的无产阶级不能向他们领取分文使用,在劳动者有什么区别?

况且就现在的资本家说,他们并不排斥外国劳动者;不但不排斥,而且非常欢迎。资本家雇用劳动者,不问国界,也不问是亡国奴或是未开化的人民,只要他们甘愿受低廉的劳银做工,资本家无不欢迎。中国的劳动者遍布世界,各国资本家很欢迎他们,而且对于本国的劳动者反不愿雇用,因为本国劳动者要求高价的劳银,并且有时不肯受虐待。总而言之,资本家是虎,我们不能说,本国的虎比外国的虎不会食人;我们也不能说,只可抵抗外国的虎,不必扑杀本国的虎。资本主义是流行世界的瘟疫,瘟疫的菌能够流播全世界,我们不能说,本国的瘟疫不可怕,而外国的瘟疫可怕;我们也不能说,只可消灭外国传来的瘟疫,不必消灭本国的瘟疫。劳动者没有祖国,所以要谋国际的团结,要扫灭全世界所有的资本主义。这是马克思的教训,要谈论社会主义或资本主义的人,至少要了解这一点,不然,就要说门外汉的话了。

第五,梁任公要谋中国劳动阶级的产生发育强立,以为对全世界资本阶级最后决胜之准备。梁先生的目的,可说是非常远大,可是所主张的手段,只说要对劳动者灌输知识,助长组织,而先从疾病保险入手以促成真正的工会,借工会以与世界资本阶级作战,以期达到那远大的目的。这种手段,如何的迂缓固不待言,而且这也并不算是什么革命的手段,实不过是改良主义的社会政策派的劳动运动罢了。我想借此机会把社会主义运动的手段略述一个大概。

社会主义运动的手段很多,我只举出最重要的三种。一为议会主义,二为劳动运动,三为直接行动。这三种手段,究竟哪一种宜于中国,我想和大家讨论一下。

先就议会主义说。议会主义主张劳动者组织团体为参政的运动,想借立法机关,成立改善劳动地位或矫正资本阶级的法案,慢慢地改造社会。这种手段,没有多大的效果,我们看看德国社会民主党的先例就知道了。社会党要和作对的资本阶级在议会中妥协,试问能够得到什么利益么?不过要求资本阶级的政府行使社会政策倡办慈善事业罢了。社会根本改造事业,永远不能达到。欧美各国社会党,得了多年的经验,受了俄国革命的提醒,多能觉悟到议会主义已经破产而倾向于有效的急进的方面了。

再说劳动运动。劳动运动是社会运动最大的武器。可是劳动运动是社会运动的一部而不是全部,社会党若专靠行劳动运动,不能达到革命的目的。工会本是社会主义的学校,是劳动者学习支配管理生产机关的教场,学会了组织训练,准备组织劳动者的国家。可是不能利用罢工的手段来举行革命。因为举行总罢工实行革命,劳动者非皆有相当的教育和训练不可。劳动者既然有如许的教育和训练,其结果当然要实现新社会了。然而事实上决不能与理想相合的。所以劳动运动只可作为一种必要的手段,却不能算作社会运动唯一的手段。

现在说直接行动。现代各国进步的社会党都觉悟了直接行动是社会革命的最有效的手段,都晓得采用了。直接行动是什么呢,就是最普遍最猛烈最有效力的一种非妥协的阶级争斗手段。直接行动,可分两种。一种是劳农主义的直接行动,一种是工团主义的直接行动。工团主义的直接行动,主张用突发的总罢工的手段,实行革命。劳农主义的直接行动,主张联合大多数的无产阶级,增加作战的势力,为突发的猛烈的普遍的群众运动,夺取国家的权力,使无产阶级跑上支配阶级的地位,就用政治的优越权,从资本阶级夺取一切资本,把一切生产工具集中到无产阶级的国家手里,用大速度增加全部生产力,这就是直接行动的效验。

以上三种之中,中国社会主义运动者,究应采取何种手段,我却不大留心这事。可是就我的推测而言,或者不得已要采用劳农主义的直接行动,达到社会革命的目的。因为议会主义的手段,在欧美曾经实验过,并没有多大的效果,可说是已经破产了。劳动运动的手段,只于工业国相宜,而于农业国不相宜。其理由俟有机会再行详述。所以中国将来的社会革命专恃劳动运动恐怕不甚容易。除了这两种手段以外,只有采用直接行动的一法。而直接行动的两种之中,我看或者要用劳农主义的。工团主义的直接行动,专靠总同盟罢工的武器,也只能适用于工业国,所以俄国的革命运动,就要采取另一种方式,即劳农主义的方式了。俄国是农业国,中国也是农业国,将来中国的革命运动,或者有采用劳农主义的直接行动的可能性。

所以中国社会党人,若也抱着与梁任公同一的宗旨,想组织中国的劳动阶级和世界资本主义宣战,我看还是不必去办疾病保险式的工会,不如采直接行动,和各国劳动阶级为适当之联络,共同努力运动,反为有效。我并不是不主张劳动运动,我只不过不认劳动运动为社会运动的全部罢了。

我的讨论说完了,现在我把这篇讨论文字的大旨,简单明了地条陈于下。

一、中国社会运动者,要联络中国人民和世界各国的人民,在社会主义上会合。

二、为中国无产阶级谋政治的经济的解放,做实行社会主义的准备。

三、采社会主义生产方法开发中国产业,努力设法避去欧美资本制产业社会所生之一切恶果。

四、万一资本主义在中国大陆向无产阶级磨牙吮血,则采必死之防卫手段,力图扑灭。

五、联络世界各国劳动阶级,图巩固的结合,为国际的行动,与世界资本阶级的国际行动对抗。

为达到上列的计划,采必要之运动手段:

一、网罗全部劳动者失业的劳动者,组织社会主义的工会,为作战之训练。

二、培养管理支配生产机关的人才。

三、结合共产主义信仰者,组织巩固之团体,无论受国际的或国内的恶势力的压迫,始终为支持共产主义而战。

四、社会党人不与现政党妥协,不在现制度下为政治活动,要行有效的宣传为具体的准备。

一九二一年四月八日于上海

(第九卷第一号,一九二一年五月一日)

太平洋会议与太平洋弱小民族

陈独秀

"我们社会主义者,往往不甚觉察列强对于被掠夺的各地之苛酷,常一再加以压迫而不休,其实若谓'非列强'的民族之独立,全靠列强间不和而保存,良非过言。华盛顿会议的危机,即列强间苟能妥协,则中国或将被列强分割而压迫,或不被分割而受列强其同样的压迫。诚然中国代表亦将列席于华盛顿会议,但在巴黎和会,中国未尝无代表,其结果曾何益于中国,中国不签约曾何补于土地的丧失?"

罗素先生对英国 Labour Leader 记者说的几句话,竟然唤不醒我们中国人的迷梦,实在可怜极了!

我们中国人尤其是知识阶级,尤其是美国留学生,对于华盛顿太平洋会议有两个唤不醒的迷梦:(一)他们以为此次华盛顿会议是中国免除外患千载一时的机会,列强们至少美国必然主张正义人道帮助中国抵抗日本。(二)他们以为此次华盛顿会议,倘列强不能妥协,冲突起来,限制军备案不能成立,太平洋诸问题不得解决,不但是太平洋沿岸弱小民族的不幸,简直是世界和平的不幸。

在这资本私有制度所必然产生的帝国主义时代,哪一个不是借口自由竞争实行弱肉强食,除非列强他们自己抛弃殖民政策,毁坏他们自己的商业,他们如何能够主张正义人道来帮助弱小民族,所以我们中国人第一个迷梦,可以说是"与虎谋皮"了。至于第二个梦,那太平洋会议的结果必和中国人梦中的说话恰正相反;因为列强间若是自起冲突,相互破坏个干净,这时候太平洋沿岸被他们压迫的弱小民族才有解放之一日;若是他们互相妥协了,则太平洋沿岸弱小民族如中国人朝鲜人西伯利亚人不但没有解放的希望,被压迫的程度将比从前更甚,尤其是中国若不急谋剧烈的反抗,迟早不免要受列强分管或共管的命运。所以太平洋会议列强若是冲突而破裂,正是太平洋弱小民族的幸事,如何反说是不幸呢?中国人这种观察完全错误,我所以说那太平洋会议的结果必和中国人梦中的说话恰正相反。

若有人不相信我的说话,检查一下太平洋会议的来源及召集会议的最近动机,便明白这会议的性质了。

此次太平洋会议远的来源就是英日同盟,这是英日同盟的作用,起初乃是英日合力排除俄国在华的势力;其后乃是英日合力排除德国在华的势力。在日俄战争以前,中国北方在俄国掌握之中,南方在英国势力范围之下,日本初兴想来中国得到好处,必须北破俄或南破英,否则不能插足,在日本当日联俄破英图中国南部,或联英破俄图中国北部本无成见,和英国商议盟约的同时也有密使在俄谈判,只因英国外交手腕敏捷些,日英同盟成立,俄国便败于日本;倘当日俄日同盟成立,形势便和现状不同了。日俄战后,日本乃代替俄国的地位和英国一北一南半分了中国。这时新兴的德国忽来插足山东,北日南英都同时戒严,英日都要巩固他们在华的势力,所以不得不续盟。现在俄德虽然没有力量损害英日在华的权利，然英国仍然依赖日本帮它压迫印度，日本也要依赖英国帮它抵制美国，所以第三次盟约本年虽要满期，英日都还有续盟的必要；但是美国加拿大澳大利亚都极力反对英日续盟，英国此时固然不愿意开罪美国，至于加拿大和澳大利亚的反对更足致英国的死命，英国处在两难，因此只有希望在华盛顿太平洋会议解决之一法，所以太平洋会议有表面上虽由美国发起，内幕中实为英国主动之说，总之英日同盟确为太平洋会议一主要的原因。这种英日分赃的同盟，在几次盟约上不啻将他们压迫弱小民族的野心和盘托出：这同盟起源于英日合力排除俄德，垄断在华的权利，所以盟约第一条即郑重声明两缔约国之特别利益，即：大不列颠国在中国之利益及日本在中国所有利益，这是不用说的了；其第二次盟约即将第一次盟约中维持韩国独立字样删除了，同时加入印度问题，开口即郑重声明该同盟以"保持两缔盟国在东亚及印度地域之领土权，并防护两缔盟国在该地域特殊利益等为目的"；第三条英国明白承认日本在韩国的权利，第四条日本明白承认英国在印度的权利；这种分赃的盟约是何等明目张胆！

以明目张胆的分赃同盟为主要原因的太平洋会议，于太平洋弱小民族是幸事还是不幸呢？

太平洋会议的最近动机，虽由美国上议院议员 Borah 及众议院议员 Portes 先后提议，然所以能够成立此会议的原因如下：

（1）英日续盟与否亟待解决；

（2）日美在中国在西伯利亚在前属德国的太平洋殖民地种种利害冲突；

（3）美日海军竞争甚剧，有酿成第二次大战的趋势，这是各资本主义国惟一的恐怖；

（4）美国急谋在中国发展资本主义的机会，"门户开放""机会均等"就是他们的武器。

试看上列的原因，哪一样是关于太平洋弱小民族的利益呢？

美总统所发华盛顿会议之通牒，不是明说为了军备限制问题和讨论远东问题吗？

他们所谓军备限制问题，乃是图列强间均衡的限制，免得列强间相互竞争扩充，酿成列强间自身的不幸；并不是相约平均废除军备即废除压迫掠夺弱小民族的武器；因为列强的军备或是依现状加以限制，即或照现状缩减一半，拿这军备来压迫掠夺弱小民族也十足够用。所以野心勃勃的列强间，能否实行限制军备，固然是个大大的疑问；即或能实行限制，也只是列强间自身的利益，和被压迫被掠夺的弱小民族毫无关系。

至于所谓讨论远东问题，乃是讨论列强间尤其是美日间如何均分及防卫在远东的利益，免得列强间因利害冲突而决裂，而战争与弱小民族以自然解放的机会；并不是列强间都忽然发了慈悲心，愿意抛弃帝国主义经济的和政治的侵略，来讨论怎样解决帮助远东诸弱小民族呵！

我们中国人尤其是美国留学生赶快不要做梦罢！

我们揣测此次太平洋会议的结果不出三个途径：一是列强间利害不一致，尤其是限制军备问题互相猜疑，然又互相回避不肯决裂，至于无结果而散；一是列强间分赃不匀，势必非武力不能解决，则此次会议即第二次大战的序幕，这是列强间的不幸，却是弱小民族大大的幸事；一是弱小民族大大的不幸，就是列强间在此次在会议席上或秘密谈判中，分赃均匀，互相妥协，英日同盟扩充为英日美同盟，或更扩充为英日美法（英国战后虽嫉妒法国，但在中欧局势上又不能不利用法国防御俄德,因此法国虽与远东问题无关也要拉入)四国同盟;可怜被压迫掠夺在此同盟势力之下的弱小民族,在列强自身内被压迫掠夺的阶级即无产阶级联合起来,和弱小民族携手努力世界的改造成功以前,决没有一日能逃帝国主义资本主义之铁蹄和算盘踩躏的。

在资本主义帝国主义的大海中,没有一滴水是带着正义人道色彩的呵!

我们中国人尤其是美国留学生赶快不要做梦罢!

(第九卷第五号,一九二一年九月一日)

评第四国际

李 达

（一）

第一国际是受了马克思的影响于一八六四年在伦敦创立的，第二国际是统续第一国际于一八八九年在巴黎成立的，第三国际是复活第一国际于一九一九年在莫斯科成立的。

第一国际拟定了无产阶级解放的方针，指示了世界革命运动的策略；第二国际把无产阶级组织了，训练了；第三国际把第一国际计划实现了，完成了。

第一国际是因为当时政治形势所迫，不得已归于停顿的；第二国际被一班机会主义改良主义的领袖引上错路，已丧失无产阶级的信仰了；第三国际起来揭发第二国际的虚伪，重新决定用武装的争斗，企图世界革命，建设国际劳农共和国，以劳农政府的形式实行无产阶级专政。

第三国际成立以来，恰好三年了，全世界共产党的运动发展得异常迅速。据第三国际书记部的报告，差不多无论什么国家，凡是有劳动阶级存在的地方，都有了共产主义党派的组织，而且他们的活动,很引起世人的注目,可知第三国际很得了世界无产阶级的同情和援助。所以第三国际正如旭日东升,无产阶级都景仰它,支持它;第二国际正如西山落日,快要沉没,无产阶级都唾弃它,离开它了。

然而同时成立的又有两个国际:一个是骑墙派所组织的二半国际,一个是极大派所组织的第四国际。二半国际是德意志独立社会党、法兰西联合社会党、英吉利独立劳动党等团体所组织的,他们既不加入第三国际,又不加入第二国际,徘徊歧路,无所适从,虽欲独树一帜,而自去年经英国劳动党拒绝后,已是不能支持了。只有第四国际是德国共产劳动党和荷兰葡萄牙游哥斯拉夫以及英国相似之团体所组织的,他们打着共产主义的旗帜,却不肯和第三国际合作,这确是耸动世界无产阶级观听的事实,很值得我们研究。

据第四国际的宣言书看起来,据第四国际理论的指导者郭泰的言论看起来,第四国际也和第三国际同奉共产主义,也赞成无产阶级专政。就这点说,可知第四国际所信奉的根本原理完全和第三国际相同,其不同处只因为一手段有差别。换句话说,第四国际所以和第三国际对立,并不是因为主义不同,乃是因为些少的问题闹孩子气罢了。

第四国际对于第三国际的政策所不满意的地方,大约可分为下列五点今依次论述于下:

一、指导者的问题;二、劳动组合运动;三、议会运动;四、农村运动;五、俄国的新经济政策。

（二）

无产阶级要实行革命，必有一个共产党从中指导，才有胜利之可言。一九一七年俄国革命之所以成功，与一八七一年巴黎共产团之所以失败，就是因为一个有共产党任指挥而一个没有。无产阶级革命的目标在夺取政权实行劳工专政。政权必须用武装方能夺到手，既用武装就不能不有严密的组织，什么劳动者自由的结合，完全没有用处。阶级争斗，就是战争，一切作战计划，全靠参谋部筹划出来，方可以操胜算。这参谋部就是共产党。关于这一点，我以为第三国际的主张是对的。

第四国际不赞成无产阶级有独立的政党，以为无产阶级革命应由全体无产阶级加入，而不承认少数先觉劳动者所组成的共产党立在指导地位。这种主张在理论上我是赞成的。谁也希望个个无产者都变成革命的英雄，因为无产阶级全体若都觉悟了，资本阶级自然要倒的。这样，与其依赖少数指导者来指导革命，当然不如使全体都变成指导人。但在事实上不是这样。"阶级"和"政党"并不是一样东西。就现在说，世界无产阶级大都被一班机会主义者、改良论者、基督教徒，以及有产阶级爪牙弄污秽了。换句话说，多数工人阶级觉悟的萌芽，都被那班黄色领袖践踏了。他们被那班领袖的邪说所迷，还不感觉无产阶级革命的必要，甚至有时还甘愿为有产阶级所利用。照这样，若如第四国际的主张，要希望全体无产阶级都变成革命的指导人，这恐怕要成问题了。无产阶级若没有一个共产党来领导，决不能从有产阶级手里，从那班昏迷的领袖们手里解放出来的。

大凡一个革命，总是少数发动，多数顺应的。少数有革命精神的先组织一个精密的团体，把这种精神贯彻到全体，从事组织、训练，以至于成就，却不是顺从多数的意见的。刚才说过，世界无产阶级还陷溺在不觉悟的途中，譬如欧战当时，各国大多数劳动者都被爱国的社会主义所惑，反把有产阶级争利益而战。像这种无觉悟的大多数工人，应该由少数有阶级觉悟的人来启发他们，引他们到觉悟的途上去。决不可以顺应他们的。若以少数觉悟的去盲从多数无觉悟的，就要糟到极点。所以无产阶级革命，应先由有阶级觉悟的工人组织一个共产党做指导人。共产党是无产阶级的柱石，是无产阶级的头脑，共产党人散布到全体中间宣传革命，实行革命。

共产党不仅在革命以前是重要，即在革命时也是重要革命之后又须监护劳农会尤其重要。除非到共产主义完全实现的时代，共产党不可一日不存在。

（三）

关于劳动组合运动的问题，第三国际主张共产党人加入一切已成的劳动组合，用坚忍持久的力量使其共产主义化；第四国际主张退出旧式劳动组合而另集共产主义劳动者组织共产主义劳动组合。对于这问题，我也承认第三国际的主张较为有效。

世界革命在俄国发动以来，到现在已四五年了，各先进国无产阶级所以至今还未响应，德国社会革命所以成为流产的原因，实因为有一个最大的障碍力。这障碍力就是各国已成的劳动组合。这些劳动组合大概都是在资本主义势力之下组织起来，其目的在于改善劳动者的地位。

他们向来被那班黄色第二国际的领袖们所指导,被磨钝了阶级的自觉心,所以弄得腐败不堪,被加上了黄色劳动组合的徽号。他们不但不知反抗有产阶级,甚至有时还替有产阶级出力来反对共产主义。现在德国属于这种组合的人员达八百万,在英国亦有同样的数目,试问以如许无产阶级觉悟的分子,夹在两阶级之间做缓冲机,共产主义的革命又怎能实现呢?然而他们虽然没有十分阶级的觉悟,却是有组织的无产阶级。共产党的天职,以组织训练无产阶级为己任的,所以一面要组织劳动组合以外的劳动者而加以训练,一面要唤醒劳动组合员而引为同志。这样,共产主义军队的势力才能够雄厚起来,方有胜利的希望。

若照第四国际的办法,把一切黄色劳动组合都看做是腐败不堪的东西,而主张共产主义分子一律退了出来。那么,结果无非分裂无产阶级为共产主义与非共产主义的两派罢了。共产主义者在无产阶级中另占一个区域,而非共产主义者将永远脱离不了那班黄色领袖的支配,永远受不到共产主义的洗礼,这简直是放弃有组织的无产阶级了。这简直是替那班黄色领袖,譬如雷金孔巴斯亨德逊一流人淘汰他们组合中的共产主义分子。殊不知那些黄色的劳动组合,固然是腐败不堪,令人失望,但若共产主义分子下了决心加入其中运动,不见得不能使他们共产主义化。假使有几万的共产党员加入各组合中组织共产主义的核心,散布共产主义种子使他发酵起来,一面更用别种宣传方法和那班黄色领袖抗争,结果一定可以得到若干同志加入自己的队伍中来。若是黄色国际所领袖的那许多黄色组合都共产主义化了,世界革命马上就会实现。

俄国共产党从少数党手里夺取劳动组合,正是用这个法子。

现在英美德各国劳动组合比大战以前大不同了。他们之中都增了左派的分子，这便是共产主义发酵方法的效验。但第四国际却不肯照办，偏要和旧式组合同盟绝交，用关门的法子以行其部落式的共产主义。德国共产劳动党脱离黄色劳动组合以来，八百万黄色的组合员更趋于保守了。这事在他仍以为洁身自好，我却以为是大大的失败。

（四）

其次关于议会运动的问题，亦有不同的主张。

第三国际主张共产党人参加第三阶级议会宣传革命。

第四国际主张对第三级阶议会同盟绝交。

我读《德国社会民主党运动史》的时候，看见柏柏尔布拉克老李卜克内西诸人最初在议会中的活动方法真是巧妙绝伦，铁血宰相大为所窘，而劳工们对于社会党的同情亦是有加无已。像这样利用议会宣传，实是极好的模范。

但是后来资本主义势力扩大，他们就忘记了社会革命的目的，只顾目前利益，借第三阶级议会为立法运动了，逐末忘本，遂至于卖却劳动阶级而不顾，这是惹起世人厌恶议会主义的根本原因。

然而第三阶级的议会却不是绝对不可以利用的。共产党对于革命运动，凡在可能的范围内，没有不利用。共产党人若是抱着革命目的跑进议会去，利用议会而不为议会所利用，定可以得到很好的成绩。小李卜克内西在德意志帝国议会揭破军国主义的假面具，很得了无产阶级的信仰；其次如贺格兰在瑞典干的也是一样。又如俄国多数党在克伦斯基时代的议会内所收的效果，也都很好。

宣传主义最好莫如利用资本阶级的报纸。资本阶级的报纸销路很广，许多都市和僻地的工人和农民，大概都看这类报纸。而且这类报纸说的话，比较上易使人民信用，共产党若能利用这类报纸作宣传，效力必大。而欲利用这类报纸宣传，至好莫如到议会去演说。议会中的演说词，无论什么报纸都不能隐瞒的，就是有些怀偏见的报纸要为有利于资本阶级的报告而共产党议员所辩论的事实总隐瞒不了。全国有国会，地方有地方议会，共产党若都有使徒走进议会去努力揭破资本阶级政府的虚伪，陈述资本主义的罪恶，宣布共产主义的好处，唤起劳动阶级的自觉，那么，像这类演说词，全国的地方的一切报纸，都必记载出来，宣传事业比这再好没有了。共产党处在第三阶级治下，很难发行痛快的印刷物而合法的出版品，又须顾虑到触及政府的条文。总之，无论怎样，共产党在议会中要说的话，平日决不能在合法的党报上登载的。

最紧要的，临到革命机会成熟的时候，临到内乱将起的时候，凡在议会的共产党员一奉到中央委员会的命令，就即时一致在议会内发作起来，和议会以外的无产阶级相呼应，一面毁掉第三阶级政府的机关，一面另组无产阶级的政府，这便是夺取政权最好的时机。利用议会宣传革命，实有这样好处。所以第四国际那种要和议会绝缘的主张，未免错过大好机会了。

（五）

其次关于农村运动问题，第三国际的主张亦很有条理。社会革命，工业劳动者固然是主力军，而非与农村无产阶级结合，就不易成就。这一点理论非常浅显，但第四国际领袖郭泰却不以为然。

他说,城市无产阶级之应联络农村无产阶级革命,在农业国的俄国是对的,在东亚各农业国也是对的,至西欧各国则不然,西欧各国农民至少也有一片土地,纯粹农村无产阶级很少,所以所取的方向和俄国是不相同的。这种话固然也有相当理由,但社会革命最初实应联络农村中这种半无产阶级,至少也要运动他们严守中立,才可以减少阻碍力。所以第四国际对农村运动的主张,并不见得不能适用于欧洲方面。

其次关于劳农俄国所行的新经济政策,譬如和农民妥协以及和资本主义国家通商等事,亦颇有非难。这种非难,实在没有理由。劳农俄国之行新经济政策,是否违背共产主义原则,我想共产主义者必能了解,决不会像资本阶级那样诬谤的。至于俄国之所以要和资本主义国家通商,系出万不得已。若使西欧果有几个大社会主义国家出现,俄国又何至于降格和资本主义国家通商!可惜第四国际的领袖郭泰的荷兰,班格哈司特夫人的英国不曾变为共产主义国家,不然,俄国便可和社会主义国家通商了。

(六)

由以上所述看来,第四国际所以和第三国际对立,是因为手段不同,并不是因为有什么非分裂不可的理由。我们知道:第三国际之所以脱离第二国际,是因为主义不同,即是前者是共产主义的,后者是非共产主义的;前者是主张无产阶级专政,后者是主张第三阶级民治的。至于第四国际既然和第三国际在原则上是一致,就不应因为些少进行计划不同而遽行分裂。若因些少进行计划不同而遽行分裂,则所谓国际的价值也就可想而知了。

资本主义已经把自己的坟坑掘好了。欧战刚告终的时候,资本主义已将属圹,不过因为东亚一块避难所,得以苟延残喘于暂时罢了。然而去属圹的时期终不远了,帝国主义的资本主义,正在准备着最末次的大战争,爆发就在目前了。

自从一九一七年世界无产阶级和世界资本阶级第一次在俄国交绥以后,无日不在战争状态中,所以无产阶级,应当用十分急进的作战的精神,利用一切可能的机会,猛烈地从事宣传、运动、组织、训练,务期军势充实,以便一鼓推倒资本阶级。千金一刻的光阴,只应努力实行,岂可清谈误事。否则,若当战事进行之中而犹高谈阔论,贻误戎机,这便是故意分裂无产阶级,等于放弃世界革命。我极希望第四国际的创始人,能够牺牲一点意见,勿固执"国家的布尔什维主义"或"爱国的布尔什维主义",勿帮助敌人攻击第三国际,务为和第三国际并合起来,完成世界革命。所以我的结语是:

阶级的白兵战快接近了,世界劳动者团结起来!

一九二二年四月二十二日于上海

(第九卷第六号,一九二二年七月一日)

二十七年以来国民运动中所得教训

陈独秀

现代中国国民运动,起源远在中日战争以后,当时所谓士大夫(即智识阶级与官僚),受战败之刺激,由反对李鸿章议和误国运动,一变而为维新自强运动。这个运动的中心人物,就是翁同龢、文廷式、张謇、康有为、梁启超等。当时政治思想分为二派:一是文人派,首领是在北京的大学士翁同龢;一是实力派,首领是在天津的北洋大臣李鸿章。隶属翁派的是些都下名士,是崇拜旧的中国文物制度的;隶属李派的是些办铁道轮船电报海军等洋务人才,是主张采用西洋军事交通制度的。在当时前一派属于守旧,后一派属于维新,两派在思想上,在政权上,中日战前即有不少的暗潮。战后维新自强运动起,两派思想互变,李派属于守旧,翁派属于维新,而暗斗愈烈。卒以翁派得清帝之助及时论同情,李遂失政权而入居北京。自康有为入北京上书变法救亡并设保国会,而翁派势力大张,翁康互相利用,结托清帝,遂造成戊戌变法的局面。

"戊戌变法""义和团""辛亥革命""五四运动"这四件事,都是中国革命的无产阶级开始表现它的社会的势力以前,小资产阶级之重要的国民运动。而也只有这四件事配说是国民运动,因为在这四个运动中,都有广大民众参加,不像什么西南"护国""护法"都是南北军人间的互斗，不但没有民众参加，而且没有丝毫民族对外的意义。

"戊戌变法"运动，所谓变法，不过是一种方法，其目的乃是由变法而自强而御侮而救亡，其动机乃由帝国主义的军事侵略而起。这次运动的优点有二：（一）当时所谓变法维新，较前此老维新派李鸿章等采用西洋的军事交通制度，更进一步主张采用西洋的行政教育制度，因此李鸿章等退为当时之守旧派。（二）当时之变法维新运动，不但在政治思想上生了大变化，即学术思想上也生了大变化。所谓思想上的变化虽然不出孔教范围，而因为西洋学术思想之输入，遂使孔教教义起了新的分化：一是康有为梁启超等之改革派，一是张之洞叶德辉等之护教派。张之洞著《劝学篇》，叶德辉著《翼教丛编》，均以明伦卫道之正统自居，斥康梁为异端邪说。这种辩论，使远在此前汉学派今古文之争扩大到政治上学术思想上普遍的冲突。

这次变法运动的弱点亦有二：（一）变法维新的内容，只主张在现政治之下谋行政及教育制度的改革，并未想到政治的根本改革及其准备，因此，遂引起后来立宪派与革命派之争；（二）变法维新的方略，未曾在社会上坚筑改革派民众组织的基础，专思以清帝的威权行之，当时的改革派不但没有抓住社会势力，并没有看清包围清帝之亲贵——统治阶级对他们作战的力量，因此他们遂至为袁世凯所卖，一败涂地，几乎全军覆没。他们的妥协性，使他们忽略了民众的组织，使他们忽略了革命的准备，这是在国民运动中第一次给我们的教训！

戊戌政变后，清廷的反动，日甚一日。同时，外国帝国主义之政治的经济的侵略，也日甚一日。全国，尤其是北方穷苦的农民及手工业者之生活困难与失业增加和帝国主义经济的侵略（外货输入）成为正比例。同时，清廷一方面对内厉行反动政策，一方面图结外人之欢心和缓其责难，保护外人及教堂之严令，纷如雪片地颁布到各县各镇乡。因此，遂逼成"义和团"事件。

"义和团"事件的起因十分明白：一是经济上的原因——农民对于帝国主义侵略的反抗；一是政治上的原因——清廷反动政局趋于极端之结果。

思想简单的北方农民及失业的游民无产阶级，凭了英法联军入京火烧圆明园，中日战争割地赔款，洋货充斥物价飞涨，教堂教徒势力薰天，政府因仿办洋学堂洋船洋枪炮等增加租税——这些多年的直觉，遂由白莲教的反清复明运动，一变而为义和团的扶清灭洋运动。恰当此时清廷反动的政局日趋极端，无论如何媚外，终不免外人借口要挟的责难，至外国容纳亡命的改革派，尤为清廷愤恨，及义和团运动起于山东，延及直隶东三省，端庄毓贤刚毅辈遂思利用之以铲除外人干涉，以偿其尽量反动之大欲。

义和团之蔑视条约，排斥外力外货及基督教，义和团之排斥二毛子三毛子——帝国主义者之走狗，都无可非难。义和团之信托神力，义和团之排斥一切科学与西洋文化，自然是它的缺点，然这些本来是一般落后的农业社会之缺点，我们不能拿这些特别非难义和团。

义和团真正缺点是：（一）只是冲动的暴动之一群，而没有相当的组织，致一败而遂瓦解；（二）与反动派合作而为其利用，致失社会上进步分子的同情。这是在国民运动中第二次给我们的教训！

义和团运动之失败，在国民运动上遗下两个极大的影响：一是因此暴露了清廷之罪恶与昏庸，戊戌以来社会上所谓维新党，分化为立宪与革命二派,这是好的影响;一是因此一般富于妥协性的知识阶级,附和二毛子三毛子的宣传,以排外为野蛮为耻辱,损坏了民族革命即反抗外国帝国主义之精神,这是恶的影响。这个恶影响为害于国民运动至大,远及于辛亥革命一直到现在。

自义和团事件至辛亥革命十二年中,立宪与革命之辩论,纷起于侨居日本及上海之知识阶级;同时,内地之商业资产阶级及知识阶级的"权利收回"运动亦轰然特起,最著者,若对俄之东三省主权收回运动;若对美之粤汉铁路收回运动;若对英之山西河南煤矿收回运动,安徽铜官山矿废约运动,沪杭甬路拒绝借款运动,苏直鲁津铁路废约运动;若对法之滇矿收回运动,拒绝沪绍航权运动。若对比之收回京汉路管理权运动。吉林、河南、四川都组织了保路会,成了大的群众运动。这些运动,遍于全国,明明是对于帝国主义者依辛丑条约向中国经济进攻之反抗。当时的革命党,应看清这乃是当时革命运动之唯一动力。

当时立宪与革命两派之争,前者是希望清廷的宪政来改造中国,后者是主张以革命的势力来改造中国,立宪论实在是当时一部分妥协的知识阶级之愚妄,然而革命的结果,也未达到改造中国之目的。这并不是革命主张之错误,乃革命方法之错误。辛亥革命方法错误之点正多,最重要的有二:(一)单调的排满,虽然因此煽动了民族的情感,使革命易于成功;同时并未抓住社会上客观的革命势力,即当时商民之经济的要求,亦即反抗外国帝国主义收回权利的要求。因此,革命之目的不为商民所了解,革命运动遂不得不随清室退位而中止。因此,中国的产业未能随革命成功而发展。因此,封建余孽得勾结帝国主义者扑灭革命势力,而帝国主义之长驱直入,革命后反比前清更甚。这是辛亥革命之大失败。(二)单调的军事行动,这种军事行动之基础,不但不曾建筑在民众的力量上面,即参加革命的军队,也只是被少数党人权力的煽动,并非是普遍地受了革命的宣传与鼓动。因此,军人以争夺权利而互斗的内战,血污了十三年民国史。这不但是辛亥革命之失败,直是辛亥革命之罪恶。

专做军事行动而忽略了民众的政治宣传;专排满清而放松了帝国主义的侵略,不但放松了,而且满口尊重外人的条约权利,力避排外的恶名,军行所至,皆以冒犯外人为大戒,致使外力因中国革命而大伸,清末权利收回运动,无形消灭,借外债,送权利,成为民国史之特征。同时军人以兵乱政,亦为前清所未有,至如军阀与帝国主义者勾结为患的局面,亦可以说是辛亥革命方法错误所遗下的恶影响。这是在国民运动中第三次给我们的教训!

以武力排满的辛亥革命,失了国民革命的真面目。国民革命的目的物——外国帝国主义者与国内军阀——因而虐焰愈炽,在此虐焰之下忍受了八年(自辛亥革命至五四运动)的中国青年,受了欧战后世界革命的潮流,遂发生五四运动。

五四运动重要的事实是:北京学生团三千余人,反对巴黎和约签字,民国八年五月四日,为外交的示威,火烧曹汝霖住宅,痛殴章宗祥;六月三日,北京学生讲演团被捕者千余人,上海学生罢课商人罢市工人罢工,要求罢免曹汝霖、陆宗舆与章宗祥三人并释放被捕学生,同时,南京杭州武汉天津九江山东安徽厦门广州的学生及搬运苦工,先后继起,一致声讨卖国贼及排斥日货;至十日北京政府下令罢免曹陆章,上海始开市开工开课。

此次运动的优点是:(一)纯粹的市民反抗外国帝国主义之压迫及以直接行动的手段惩罚帝国主义者之走狗——卖国贼;(二)

随之而起的文化运动和社会运动,加旧思想以重大的打击。

此次运动的弱点是:(一)民众运动的对象,只是当时感觉最甚地勾结国内军阀段祺瑞之帝国主义的日本,而忽略了国际帝国主义者对华侵略之全部情态,并且还有一部分领袖有求助于更险毒的敌人美国帝国主义者之倾向。此倾向,发展到华盛顿会议时,更恶化了全社会。(二)群众中无有力的组织与领袖将此运动继续扩大深入到社会各阶级中被压迫的群众,在欧战后世界革命的大潮中,失去了被压迫的中国民族解放运动大爆发的机会。当时在南方的国民党均因在"以武力和北方争地盘"的旧政策内,或更周旋于分赃的南北和平会议,并未看清中国革命之真关键——反抗国际帝国主义的民族解放,也未看清中国革命之新方向及新势力,他们对于学生运动取了旁观态度,甚至有一二领袖还加以怀疑或非难。在北方的青年领袖们根本上没有革命性,不但临事脱逃,并且公然提出回避革命的口号:"读书求学不问政治"。因此,在革命时机有革命倾向的五四运动,变成了秀才造反,中国懦弱的知识阶级,在此次运动中可谓原形毕露!这是在国民运动中第四次给我们的教训!

以上四个国民运动,都是小资产阶级(知识阶级包含在内)独唱的舞台,也就是屡次失败之根本原因。

可是最后的五四运动乃是在欧战后世界革命的怒潮中和中国城市工业开始发展中(民国八年西历一九一九年)发生的。因此,五四运动虽然未能达到理想的成功,而在此运动中最努力的革命青年,遂接受世界的革命思潮,由空想而实际运动,开辟了中国革命之新的方向。这新方向便是社会中最有革命要求的无产阶级参加革命,开始表现它的社会势力。

开始表现它的社会势力之无产阶级,无论在阶级争斗或民族争斗,它的力量虽然还幼稚,而在"只有失败而无妥协"这一点看来,这一个"革命阶级"的根性已充分表现出来。因此,这新方向的运动不过才开始进行,即已做出几个使帝国主义者惊心动魄的运动:

自海员罢工至镇压商团反革命(民国十一年一月十二日——民国十三年十月十五日)。

香港中华海员联合会,因要求加薪不遂,全体罢工,前后加入罢工之海员二万余人,全市搬运工人煤炭苦力公私佣工等同情罢工者数万人,罢工凡五十四日(一月十二日——三月五日),以达到加薪要求而解决。

在此次罢工中,我们可以看出同情援助者由全香港工人以至中国北方的铁路工人之阶级的觉悟,我们可以看出香港公私所雇华人全体罢工时之民族的觉悟,我们可以看出英国帝国主义者运输停止之恐慌及运输工人之威力,我们可以看出英政府保护英资本家(船公司)严厉的压迫罢工之一致(香港政府封禁海员工会,勒令各行船馆缴销牌照,以武力禁止海员及一切人民自由出境;上海英官则代船公司招工,并拘捕同情于香港罢工之工人数名)。

由海员罢工胜利起,至京汉路工"二七"惨剧止,这一年中,是中国工人阶级进攻时期。由香港广东而上海而长沙而萍乡而武汉,沿京汉津浦京奉路而抵山海关,罢工与工会运动,轰动全国,使军阀官僚资本家侧目而视。

工会运动中,比较有力的是铁路工人,京汉京绥正太粤汉津浦京奉各路都有了组织,京汉尤比较得完备,而军阀官僚对之也尤为嫉视。

当中国工会运动最高潮中(民国十一年,西历一九二二年),国际资本帝国主义已镇住了世界革命的怒潮,重复向世界工人阶级及远东被压迫的民族进攻了。同时,新兴的直系军阀正抱了武力统一的野心,恰好和新兴的工人阶级统一全国铁路工会的运动相抵触,冤家狭路,分外眼明,复加以汉口帝国主义者之教唆,沿京汉路各埠商人对于罢工工人之非难,民国十二年二月七日京汉路工之惨剧乃起。

"二七"惨剧给我们的教训是:使我们认识外国帝国主义者和中国的军阀官僚商人,他们同立在一条反革命的联合战线。

"二七"失败后,帝国主义者军阀官僚资本家同时向工人阶级进攻,各省(广东、湖南除外)工会或解散或改为秘密的小组,全国工潮一时遂低落下去。

广东虽无多产业工人,而一般劳动群众因为处在五六年来政治上反抗北方的南方政府统治之下,得到普通的集会结社之自由,较之有强固组织的资产阶级压迫下之大都市产业工人,反能发挥其革命性。因此,在全中国工潮低落之时,广东劳动群众不但能固守阵地,最近还能向帝国主义者及其走狗进攻——沙面罢工及镇压商团反革命都得到了胜利。

沙面英法租界新定入界苛例,实际上只是取缔华人,这本是对于中国全民族的耻辱。然而罢工抗议者只是被雇的工人与警察,商人毫无表示,而国民党右派党员,反有和英捕房勾结欺骗工人妥协者,幸而广州市工人群起援助并力持不妥协态度,香港海员亦表示同情,英法帝国主义者终至让步。

广东商团乡团,久有和工人农民对抗的形势及冲突,最近各县商乡团且联合在广州商团团长陈廉伯(英国汇丰银行买办)指挥之下，阴谋推翻孙中山政府。他们曾勾结国民党右派军人以罢市要挟政府发还了私运的枪弹。他们自己说后面有英人援助；他们自己说奉了曹吴的命令。他们居然以武力拦阻国庆日游行庆祝的市民，杀伤了工人学生数十人。罢了市不算，还号召各属商乡团集中广州，对政府及工人取攻势。工团军农民自卫军联合各校学生及陆军学生组织工农兵学革命大同盟和商团对抗。孙中山因民众之奋起，遂毅然排弃国民党右派妥协政策，以武力击散商团军，没收其枪械。

此次商团反革命之镇压，时间虽只一日夜，地域虽只广州一隅，其实比民国十三（年）中任何大的战争都有意义。因为它是中国的工人农民国民党左派的学生军人，对于外国帝国主义及国内军阀富商（商团）乡绅大地主（乡团）国民党右派的军人政客之战争，它是中国现在及将来革命与反革命争斗之缩影。

二十余年来国民运动给我们的总教训是：社会各阶级中，只有人类最后一阶级——无产阶级，是最不妥协的革命阶级，而且是国际资本帝国主义之天然对敌者。不但在资本帝国主义国家的社会革命它是主力军，即在被资本帝国主义压迫的国家之国民革命，也须它做一个督战者，督促一切带有妥协性的友军——农民手工业者革命的知识阶级游民无产者（兵与会匪）及小商人，不妥协的向外国帝国主义者及其走狗——国内的军阀官僚富商劣绅大地主反革命的知识阶级进攻，才能够达到国民革命之真正目的——民族解放。

(季刊第四期，一九二四年十二月二十日)

列宁主义与中国民族运动

陈独秀

列宁主义自然就是马克思主义,然而马克思主义到了列宁,则更明了、确定了,周密了,也扩大了。其更明了、确定、周密、扩大之点,最重要的便是资本制度与共产制度间之无产阶级独裁制及反帝国主义的国际民族运动这两个理论。后者尤于中国目前的民族革命有关,我们应该略知列宁对于民族问题的意见。列宁对于民族问题的意见和资产阶级的改良派对于民族问题的意见,完全不同。

列宁的意见:

(一)全世界一切有色无色人种的;

(二)行动上帮助民族解放运动;

(三)由被压迫者革命而分立,而自建国家;

(四)被压迫的民族共同反对帝国主义的国际问题;

(五)联合被压迫的民族运动和被压迫的阶级运动——推翻国际帝国主义;

(六)各民族间在政治上应该是自由分立的,在经济上应该是协作而统一的。

改良派的意见:

（一）欧美白人种的；

（二）口头上的民族平等；

（三）由压迫者恩赐民族自治——在宗主国统治下的自治；

（四）在帝国主义统治下之各国内的局部问题；

（五）利用民族联合或排斥异族的名义巩固帝国主义；

（六）各民族间在政治上应该是统一的，在经济上应该是分离而竞争的。

据上表看来，世界上一切被压迫的殖民地及被压迫的国家（即半殖民地），他们的民族运动，只有依照列宁这样伟大的、周到的意见而行，才能够澈底地解决，才能够得着真正自由，这是一件最明白无疑的事。改良派所谓民族问题，乃是宗主国应该采用何项政策欺骗殖民地的民族，使之永久服侍宗主国而不思反叛，以维持各帝国主义的宗主国永久对于殖民地政治上的统一经济上的剥削。他们所谓民族问题和民族解放运动，本是正相反背的一件事。改良派不但不赞成殖民地的民族解放，并且公然宣传：落后的民族，只有在宗主国统治之下，才有和平的幸福与进步。照他们的意见，各帝国主义的国家，对于殖民地政治的压迫和经济的剥削，都是不可少的高厚天恩。所以改良派的第二国际党，对于殖民地民族解放运动，始终不表同情，而且公然承认各帝国主义的国家有统治其殖民地的权利，公然以帝国主义的国家所剥削殖民地之余沥，掀动国内一部分工人贵族，使之维持构成本国帝国主义势力的大来源——剥削殖民地，使之拥护祖国之胜利，反对本国的殖民地之民族运动及工人运动，因此更进而使之拥护本国资产阶级之政权。这是改良派的第二国际党不可宽恕的最大罪恶，这就是第三国际党指它为帝国主义的走狗之真实事证，这也就是革命派的第三国际党和改良派的第二国际党根本不同之一重要点。

第二国际党所谓国际,乃以欧美白人种为限,其余有色人种,都是天赋给他们的被统治者、被剥削者资格,不在国际之列。第三国际党所谓国际,不但绝对没有人种的限制,其主要目的,乃是联合全世界所有被压迫的无产阶级与所有被压迫的弱小民族,推翻国际资本帝国主义对于全世界之统治与剥削,跻全人类于真正平等、自由之地位。这就是国际的无产阶级运动,同时也是国际的民族运动。第三国际党这个理想,这个运动,就是伟大的列宁主义之结晶。

欧战后,全世界被压迫的民族,饱受了威尔逊所谓"民族自决""人种平等"的欺骗,中国人也在内;在华盛顿会议,太平洋被压迫的民族又受了哈定一次欺骗,中国人也在内。我们因为这些欺骗的教训,应该明白:在帝国主义及其走狗第二国际党的势力统治下的世界,绝没有解决民族问题之可能;要民族解放成功,是必须依照第三国际党所指示,亦即列宁主义所指示,联合世界被压迫的阶级与被压迫的民族,共同打破帝国主义束缚全世界被压迫者的锁链。

现在的中国民族运动,是不是以推翻帝国主义为对象呢?大部分是的,然却有三个危险的倾向:

第一是大商买办阶级。他们现在虽未曾公然反对民族运动,然而他们始终和侵入中国的帝国主义势力有共同的利益。他们将来即进化到工业资产阶级,也是卖国的资产阶级,不是民族的工业资产阶级。因为他们一向在帝国主义势力支配下发展他们的经济力之关系,尽有在美国人"中美提携和平进步"或日本人"大亚细亚主义"等口号之下,与帝国主义者勾结的可能。他们这种勾结帝国主义所发展的工业，将用"输入外资"的名义卖尽国民经济的命脉及国家主权。这是中国民族运动第一个大患。

第二是不脱封建思想的知识阶级。如国民党一部分右派分子及青年党等，口中也说赞成民族运动；但是他们所谓民族运动的观念，完全立脚在国家主义上面，他们所谓民族运动的对象，是笼统的外族，不是帝国主义者。自资本帝国主义征服了全世界，全世界的经济关系成了整个的，因此全世界的革命运动也成了整个的。无产阶级革命与民族革命，是一个推翻国际资本帝国主义的世界革命之两方面。在此世界经济成了整个的时代，已经没有一个封建时代闭关孤立的国家，便不能有一个封建时代闭关孤立的国家主义；在此世界革命运动成了整个的时代，也已经没有一个孤立无援的民族，便不会有一个原始的、笼统的民族排外运动。中国民族是全世界被资本帝国主义压迫者之一，中国民族运动也是全世界反抗资本帝国主义之一，所以此时我们的民族运动，已经不是封建时代一个闭关的单纯的民族运动，而是一个国际的民族运动，而是和全世界被压迫的无产阶级及被压迫的弱小民族共同起来推翻资本帝国主义的世界革命之一部分。因为若不将资本帝国主义束缚全世界被统治、被剥削者的锁链全部毁坏，他在世界上存在一天，任何被统治、被剥削的无产阶级及弱小民族都不会得着自由。因此，我们应该懂得立脚在国家主义上面而不以资本帝国主义为对象的民族运动，乃是资本主义前的民族运动。换句话说，就是封建时代闭关的民族运动。不脱封建时代思想的民族主义者，即资本主义前的民族主义者，他们不了解资本主义发展到最高形式的帝国主义和被他剥削的弱小民族之间的关系，他们不懂得现代的民族运动特性和封建时代的民族运动不同，他们认不清弱小民族之敌人是谁，更认不清弱小民族的友人是谁。因此，他们自以为是民族主义者，实际上他们竟放过了民族运动之敌人，且会和民族运动的敌人妥协，而受敌人的教唆仇视民族运动之友人。如德意志民族党，一面和英、法、美帝国主义者妥协，承认《道威斯计划》，一面极力仇视反帝国主义的苏俄，便是一个显例。中国不脱封建时代思想的知识阶级也是如此。他们当中，或极力主张民族运动（如青年党），或自以为是民族主义者（如国民党右派）；然而他们都不赞成反对帝国主义，他们竟看不见剥削、压迫中国民族无所不至的帝国主义者，他们竟不觉得他们自己及自己的民族践踏在帝国主义者的脚下，反而攻击同情于中国民族运动的苏俄是"赤色帝国主义"。且竟附和官僚的研究系，对于反帝国主义的国际民族运动者，加以"亲俄""卖国"的罪名，实际上做了帝国主义者宣传的工具。这是中国民族运动第二个大患。

第三是工贼。在中国的民族运动中，工人阶级参加的力量，已经使帝国主义者及其工具——国内军阀与大商买办阶级——感觉得有利用工贼来破坏工人阶级团结力的必要。这班工贼有些是工人贵族，有些是冒充工会运动者即招牌工会之职员。他们不反对帝国主义者，他们不反对军阀官僚，他们不反对买办阶级，他们的唯一目的是破坏代表工人阶级利益的共产党，分裂工人阶级的团结力。帝国主义者军阀、官僚、买办阶级要利用他们就正在这一点。帝国主义者用以阻碍中国民族奋起的第一个工具是军阀官僚，第二个工具是买办阶级，这班工贼便是第三个工具。这班工贼不但勾结军阀官僚及买办阶级（交通系）是公开的，他们勾结帝国主义者也是公开的，他们已和帝国主义者的走狗第二国际党公开地发生关系。第二国际党为什么要和他们发生关系呢？不用说是为了要利用他们破坏中国民族运动中重要的力量——工人阶级的团结力,破坏第三国际党反帝国主义的国际民族运动在中国发展。这是中国民族运动第三个大患。

中国的民族运动,此时虽然有日渐发展的趋势;但是上述的三种力量若同时也日渐发展起来,至少也会减少中国民族运动成功的速度,和第二国际党的思想行动减少世界革命成功的速度一样。因此,我们敢说:在中国民族运动的现代,我们实有了解"列宁主义"——反帝国主义的国际民族运动——的必要。孙中山先生,他是了解这种必要的一个人,他临终时致苏联遗书如下:

苏维埃社会主义共和国大联合中央执行委员会亲爱的同志:

我在此身患不治之症,我的心念,此时转向于你们,转向于我党及我国的将来。你们是自由的共和国大联合之首领,此自由的共和国大联合,是不朽的列宁遗于被压迫民族的世界之真遗产,帝国主义下的难民,将借此以保卫其自由,从以古代奴役战争偏私为基础之国际制度中谋解放。我遗下的是国民党,我希望国民党在完成其由帝国主义制度解放中国及其他被侵略国之历史的工作中,与你们合力共作。命运使我必须放下我未竟之业,移交与彼谨守国民党主义与教训而组织我真正同志之人,故我已嘱咐国民党进行民族革命运动之工作,俾中国可免帝国主义加诸中国的半殖民地状况之羁缚。为达到此项目的起见,我已命国民党长此继续与你们提携,我深信你们政府亦必继续前此予我国之援助。亲爱的同志,当此与你们诀别之际,我愿表示我热烈的希望,希望不久即将破晓,斯时苏联以良友及盟国而欣迎强盛独立之中国,两国在争世界被压迫民族自由之大战中,携手并进以取得胜利。

谨以兄弟之谊祝你们平安。

孙逸仙

（季刊一号,一九二五年四月二十二日）

孙中山与中国革命运动

瞿秋白

（一）

孙中山时代的中国，是屈服于满洲贵族北洋军阀统治之下的中国，同时，亦就是受英、法、俄、日等资本国家侵略的中国。从一八六六到一九二五（从清同治丙寅到民国乙丑），六十年中的中国历史就是帝国主义的侵略远东史。在这六十年中，中国的经济，因受帝国主义国家的侵略，外货的输入，原料的吸收，外债的增加，赔款的勒索，路、矿、实业权利的攫取，领土、租界、港口的割让，不知道经过多少变更，六十年前的中国与六十年后的中国，在经济上简直是完全两样的国家。社会里的阶级关系也因此经过巨大的变更——士大夫的"世家"已经完全消灭；买办阶级已经大半变成所谓"中国"的体面商人；小农民、小商人、小手工业者之中，已经一部分变成现代的无产阶级。中国国际关系上的变更，日日促进中国社会里的阶级分化，统治者、压迫者已经掉换了好几十次。各帝国主义者对远东侵略的形势转变了种种花样——可是有一件事是至今还没有改换的，便是中国民族——大多数的平民始终还是受着压迫和剥削。六十年中所变更的只是压迫者的人和压迫的方法，而中国民众的受压迫和受剥削这件事实，是没有变更的，不但没有变更，而且剥削的范围更大了，剥削的程度更深了。因此，这六十年中中国平民的倾向革命、需要革命，也是没有变更的一件事实。

帝国主义的侵略、压迫、剥削一天天地增加起来，中国平民的革命运动也就一天天地扩大而且深入。中国古代的宗法社会和小农、小手工业的经济，遇见了帝国主义者的资本主义，都崩溃下去，发生中国的资产阶级和无产阶级，于是历史的舞台上，一个一个地发现新的革命力量。中国的革命运动因此在六十年中一步步地进化，而中国历史上第一个革命家——孙中山也就在这过程里逐渐地生长出来。

总之，最近六十年的中国是革命的中国，尤其是民族革命的中国——而孙中山的历史使命，便是完成这一民族革命。世界资本主义的发展，等到侵略中国的一时期，已经进了帝国主义的阶段。中国受列强经济、政治、文化上种种侵略而要反抗，受资本主义化而发生经济发展的趋势。无论如何，只要求这种发展的成功，便不能不实行革命，而且首先便是民族革命。因为中国经济发展的最大障碍，便是世界的帝国主义。帝国主义的阻碍中国发展还不仅在于经济方面，中国经济发展所需要的民权主义，根本上便与帝国主义势力不相容，更不用说中国大多数平民的生计的改善——中山先生所称为民生主义的了。六十年前的中国早已知道自己的历史使命，是在发展经济，以抵制帝国主义的侵略，这是中国民族加入世界史的最重大的责任；换一方面说，帝国主义的侵略，也必然先引起中国人的这种民族自觉。因此，我们可以说，从孙中山出生直到现在，中国民族的历史职任，一直是反抗列强帝国主义的民族革命。孙中山现在死了,这一民族革命离他的成功还遥远得很,然而中国革命运动,在孙中山引导之下,已经经过好几个阶段,而得到了他的正当的道路:因为要反抗列强,然后知道非颠覆满清政府不可,非建立共和不可,非为大多数中国平民争生活之改善不可,最后非联合世界上一切反帝国主义势力、被压迫的殖民地及弱小民族和世界的无产阶级不可。这一条中国革命运动所已经经过的道路,中国民族自觉地深入和前进,在现时看来是很明了的,然而从中山开始自己事业的初年的中国思想,进步到现在的国民革命的口号,中国平民群众及孙中山不知道经过几多困苦的经验、几多迷误的方法、几多重大的失败——这是一条荆棘的路。"反抗列强"是多么简单的"爱国"主义,四五十年前与中山同时的"政治家""士大夫"何尝不知道。然而只有孙中山寻着了解决这一问题的真正的答案——革命。为什么?因为孙中山感觉上代表中国的平民阶级,认识中国平民阶级的历史职任。所以只有中山能随着革命运动的经验,寻找着中国民族革命的道路。

(二)

中国的革命运动既然是民族革命、反抗列强的民族革命,那么,第一个问题,便是谁是中国的民族?这一问题,似乎问得很奇怪。可是在四五十年前,连"汉人才是中国民族"这一粗浅的答案,都不是公认的。当时,满清的官吏,所谓维新派的分子,也谋反抗列强,也极力想"谋富强"。中国人那时的民族自觉很模糊的,只想以全国对待外国,便是爱国主义:中国的朝廷,中国的人民都是自己的;那带着枪炮兵轮的外国人才是侵略中国的。所以在孙中山的少年时代,已经是"国家奋筹富强之术,月异日新,不遗余力,骎骎乎将与欧洲并驾矣,快舰、飞车、电邮、火械,昔日西人之所恃以凌我者,我今亦有之……"(孙中山《与李鸿章书》)。这种"朝廷"的革新政策,不能说不是中国民族自觉的第一步。满洲政府在当时似乎足以代表中国民族以反抗列强。不但孙中山当时是如此想,中国一般人民都是如此的想。必须要满洲政府几十次事实上证明它实在不是中国政府,而是满洲贵族自私自利的政府,而且是列强的奴才,那时中国平民再进而有革命的觉悟,想到要颠覆满洲贵族。这一革命的觉悟,据《孙文学说》的《中山自叙》,直到庚子之役,方在民间开始传播,而前此差不多倡排满革命者,大家都目为乱臣贼子、大逆不道。然而孙中山却在上书李鸿章后十年(上李鸿章书时在甲午),乙酉(一八八五)中法之战的时候,已经开始革命运动。中国平民革命运动的目标,本在于压迫剥削中国最强大的仇敌——列强帝国主义,前此三四十年时希望满洲政府革新富强,到此才打破这种幻想。既然这样,要反抗列强,便必须革命——推翻满清政府,所有中国人——汉人便都能负这种革命的使命么?中国的民族革命,一方面是对满洲贵族的,一方面亦就是反抗列强的——这种民族革命里"民族"的意义,似乎是指全体的汉人的了。事实上却大谬不然。抽象的全体的民族,实际上并没有这么一回事。满清政府时代的中国社会,显然分着士大夫和平民的阶级。经济上固然农、工、商三类人之中还包含着许多阶级,而在社会上士的一阶级是政府的雇佣奴才,它在经济未发展、工业未出现以前,帮着满洲贵族统治小资产阶级的平民。所以要推翻满清政府,必须要以平民做领导阶级,革命运动中方才有主力军,方才能得到胜利。《孙文学说》上说：

予由太平洋东岸之三藩市登陆……至纽约市,沿途所过多处……皆说以祖国危亡,清政腐败,非从民族根本改革无以救亡,而改革之任,人人有责。然而劝者谆谆,听者终归藐藐,其欢迎革命者,每埠不过数人或十余人而已。然美洲各地华侨多设立洪门会馆。洪门者,创设于明朝遗老……以"反清复明"之宗旨,结为团体……此殆洪门创设之本意也；然其事必当极为秘密,乃可防政府之察觉也。夫政府之爪牙为官吏,而官吏之耳目为士绅,故凡士大夫之类,皆所当忌而须严为杜绝……当予之在美洲鼓吹革命也,洪门之人,初不明吾旨,予乃反而叩之反清复明何为者,彼众多不能答也；后由在美之革命同志鼓吹数年,而洪门之众乃始知彼等原为民族老革命党也……内地之人,其闻革命、排满之言而不以为怪者,只有会党中人耳。

于是中国革命运动发现了这老民族革命党,辛亥以前的革命,差不多大半以会党为中枢——这是革命的社会基础。士绅阶级的态度是怎样呢？当时所谓保皇党的康梁派可以代表他们；他们只要利用狭义的爱国主义或所谓国家主义蒙蔽民众,想借此逼迫满洲贵族而和他们平分政权,保存自己统治阶级的地位,所以倡君主立宪、变法维新以谋富强的主张。这时,在当初谋富强以抗列强的总口号之下,显然已经发现阶级的分化：一方面民党以下层阶级为社会基础,从事于革命运动；别方面皇党以士绅阶级为后盾,而进行立宪运动。康梁派机关报的《新民丛报》,便竭力攻击民党的联络会党及主张民生主义：他们的论调,不外说："利用下等社会,必无所成而徒荼毒一方；政治革命与社会革命并行之后，无资产之下等握权，秩序不得恢复，而外力侵入，国遂永沦。"（见《朱执信集》）在这两层反对意见里，已经显然可见梁启超等代表士绅阶级的说话。本来士绅阶级不但不肯革命，而且摧残革命，帮助反动势力；名说也要变法维新、要谋富强，而又反对下等社会握权，反对土地国有、平均地权，反对改善下等社会的生活。所以康梁派不肯革命，以为满洲政府能代表中国民族，又曾倡国家主义以抵制民族主义。这种国家主义在当时就等于宣传"忠君爱国"，即使真能变法维新，当然仍旧是满洲贵族和中国士绅阶级联合而压迫平民的局面；实际上，中国大多数人民仍旧受着压迫和剥削；而在反抗这种压迫的革命过程中，士绅阶级当然会反过去求助于外人。所以要回答"谁是中国民族？谁是民族革命里的领袖阶级？"的问题，到此便非常明显了，"只有中国平民是中国民族的代表，只有中国平民是民族革命中的领袖阶级"。

（三）

中国革命运动实际上在辛亥以前，一直是以"下等社会"——平民阶级为中枢的，而孙中山的同盟会，也是以代表"下等社会"的会党做实力的基础。尤其是当时平均地权的口号，孙中山要借此组织并集中"下等社会"的力量于革命的标语。孙中山以"平民的感觉"觉到"上等社会"的奴才性和卖国性，本能地知觉中国革命事业必须以平民为中枢，才能成功，因为只有平民真正要反抗列强，真正受满清的压迫，只有平民真正要求革命，真正要求从专制政体及列强侵略压迫之下解放出来，力趋于"中国民族的经济发展"。

总之，孙中山在组织革命运动的初年，便早已知道：真正的中国民族代表是中国的平民——所谓"下等社会"，只有他们能负担真正民族革命的职任。

虽然如此，革命运动进行的过程中，反映着中国经济各种力量——阶级的斗争。辛亥革命的结果，革命的平民阶级竟完全失败，而反革命的军阀阶级却起而代替满洲贵族——压迫平民，并做列强侵略中国的工具。

中国的反抗列强，本不仅是平民的需要：满洲贵族、士绅阶级以及平民阶级——或所谓第三阶级及农民阶级，在民族自觉的初期，本有反抗"外国"的共同倾向。不过在历史的、经济的、政治的发展过程中，各阶级在总的反抗列强的倾向里，渐渐暴露各阶级自己的本性，各阶级都想利用这一反抗运动专图自己的利益。我已经说过，就是最早"富国强兵"的口号，也未始不是民族自觉的一种表现，不过这一口号实际上只代表满洲贵族治者阶级的利益；一切采用火器制造兵舰等的新政，未始不是反抗列强的一种运动，不过这种改革只利于当时的政府。满洲贵族自私自利的政策，却要蒙着爱国、排外的假面具。所以等到这种最初期的新政，一方面既不足以抵抗外力的侵入，别方面又刚刚加重人民的负担，反而增加革命潮流的"恶势"，那时，满洲贵族——尤其是在庚子之役之后，只有倒到列强的怀中，努力媚外，以求自存。士绅阶级便乘机进而要求立宪。当康梁变政失败之后，士绅阶级那种"得君行道"革新的运动，并不因之而停止，并不因这种极明显的失败而悔悟，并不因此而完全站到平民阶级方面来。这是因为士绅阶级的梦想，一直在于居中调和满洲贵族与中国平民的斗争，实际上便是欺罔民众，使与满洲贵族妥协，而结果必然是使革命流产。代表士绅阶级的

"改良派"的策略,总是造作许多"君主立宪"等的幻想,使民众暂时躲避"困难的"革命道路。当时革命派的职任,便在于暴露这种"改良派"——康梁派的罪恶,暴露他们口号的虚罔,打消"改良派"所造成的种种幻想,而使民众自己深信革命之必要。孙中山先生和民党那时的策略正是如此。可是满清政府客观上也帮助革命的进行不少——历史的和平的立宪运动,一直到一九一〇年各省谘议局请颁布《宪法》前后三次的入京请愿为止,无不受清廷的打击。九年预备立宪的欺人之谈,更使民众深信除革命外别无出路。

于是辛亥革命便一发而不可遏止了。辛亥革命的结果,只是颠覆满清贵族的民族革命,这次革命的唯一胜利只是推倒一腐朽不堪的满清政府。然而就只这一点胜利,也还完全靠平民阶级做中枢,士绅阶级在这革命里只有反动的作用。士绅阶级在革命前竭力阻遏革命,在革命后又竭力破坏革命;只要看康梁派在辛亥前主张保皇,在辛亥后联袁世凯而排斥民党,便可以了然。

(四)

可是所谓平民,也还包含了利益相反的种种阶级,在革命前分化还没有明显,而且共同的仇敌未去,所以内部的斗争没有表现出来。同盟会中可以兼收并蓄地包容种种不同的成分,也就因此。当时中国的社会组织,因受帝国主义的侵略,农民手工业者破产日多,于是游民的无产阶级数量日增,这是大多数当时的平民——小资产阶级中最流动、最革命的一部分,实是革命运动的中枢、革命运动的社会基础,虽然在革命组织里,形式上不能做原动力,诚如中山先生所言(《孙文学说》),然而这不过是形式上的事,以社会阶级关系的观点来看,这部分平民确是革命中的发难者。其次,便是半欧化的知识阶级及军官——这部分人,因为满清旧社会的崩溃,已经客观上没有插足士绅阶级的可能,而且受着新式的教育,应当能代表当时的民族意识,所以也是革命中的重要部分。可是知识阶级本身绝不会有独立的政治作用,其中的分子可以代表小资产阶级的平民而加入革命,也可以代表大商阶级,更可以混入军阀阶级——绝非靠得住的革命力量。再其次,便是大商阶级,在前清末年,这种大商阶级(或所谓工商界),有两个来源:一、是士绅式的资产阶级,这是资本主义初期"贵族的资产阶级化"中必然发现的现象,他们"代表"着人民争立宪,其实是清廷路、矿、邮电的新政中,这些"洋务官僚",靠着官署积累资本,到此已自有阶级利益,只想借立宪运动巩固自己的阶级地位,实行"提倡实业"等的"爱国"目的;二、侨商的买办阶级,这部分是因为与帝国主义接触,而来做外国资本与中国原料、或外国货物与中国市场间的中间人,因而积累资本,渐渐有独立投资于工业的倾向,所以比较地赞助革命——因为清廷的压迫及外国的侵略,无处不阻碍这种工业发展。

　　士绅式的、官僚式的资产阶级与侨商的买办的资产阶级,对于革命的态度,微有不同,然而他们对于"维新"或"革命"的希望,根本与小资产阶级不同,尤其与游民的无产阶级,有阶级利益的冲突。最后,便是最大多数的城市及乡村的小资产阶级、小商人及农民。这是数量上最大的群众。他们的政治要求,应当是很民主主义的政纲,他们的经济利益,不但和列强帝国主义相冲突,并且和士绅资产阶级及侨商资产阶级是相竞争的。可是小资产阶级在革命过程中总是动摇不定的,必须有一领导它的阶级,充分地去帮助它发展自己的革命性而遏止它的反动性,然后才能彻底地忠于革命。否则,它便容易受大资产阶级的欺罔,倒到反动派的怀抱里去,而受人家的利用。

所谓"平民"——辛亥以前可以概括的与满洲贵族及士大夫相对待的,实际上含着这许多不同的成分;到辛亥革命前后,已经分化得日益明显出来。然则这所谓"平民"之中等到革命爆发之后,政治上积极行动的是那几个阶级呢?上述的各阶级中,只有两个阶级是在政治上积极行动的:一、大资产阶级(士绅资产阶级及侨商资产阶级——这两部分虽然在革命前政纲上不甚相同,然而满清既倒之后,政治上的合作和联盟,对于他们是极自然的事);二、游民的无产阶级(所谓会党,所谓土匪,根本上不脱小资产阶级的根性,可是因为破产失业最受苦痛,他们那种暴动的反抗性是很厉害的)。当时工业的无产阶级数量上还极少,而且政治上还没有成一觉悟的自动的力量,可以说还没有"组成阶级"——所以自然没有能起而领导革命——引导大多数小资产阶级的农民,以至于游民的无产阶级。因此,我们在辛亥革命时,只看见大资产阶级及游民无产阶级的政治行动。无产阶级是经济上有组织、有团结力的阶级,只有它能领导革命;游民无产阶级便不同,虽然革命性很强,然而它自身便是一盘散沙,只能有极模糊的社会理想,只能顺着革命潮流随处发起无组织的暴动。这种阶级自然不能引导农民及一般小资产阶级实现胜利的革命。于是不久便使大资产阶级攫得革命运动的指导权,镇压游民无产阶级的暴动,和反动派妥协,而终至于使革命完全失败。平民中之阶级分化,在这种革命时期,最显而易见。

辛亥革命的时候,孙中山的革命口号——"平均地权",虽然在国民党自己并未努力去宣传和实行。可是所谓最下等的"下等社会"，尤其是长江下游的会党、各地失业的穷而无告的游民，往往奋起暴动。当时即使没有很明显的社会主义的要求，也就有不少地方，所谓"土匪"都染着革命潮流，高呼均分财产的口号，有些地方，并且有小农的暴动。恐怖的空气——"匪类""暴乱""暴民专制"的骂声，可以不绝地在各城市的"绅商界"里看得出、听得见的。这样的情形，至多不过三四个月——随后竟完全消沉了。游民无产阶级，当然梦想也想不到现代的社会主义；可是他们的要求，最早在革命以前，实在代表大部分饥寒交迫的小农、小商。不过游民无产阶级的均产主义，根本上是资产阶级的；他们内部决不会有无产阶级的集体主义，而只会有宗法社会式的"头目制度"，夹杂着小资产阶级的个人主义。他们对于富人的嫉恨，实际上并不适合他们取消贫富不均的理想，而终究是代表各个想自己变成富人的意识。所以即使游民的无产阶级暴动成功，或是真正成了一种实力，也很容易受头目的卖，而完全丧失其革命性，简直变成军阀、官僚。譬如革命初年江苏的徐老虎（宝山），便是最明显的例。

经过这种革命的潮流之后，马上便开始资产阶级的反动期。当时许多城市里，商会都大大地活动起来，并且编练"商团"维持秩序，大商阶级亟想取得政权，是当时很明显的事实。"商人"那时的政治活动，对于满清的地方官，对于当地的士绅阶级，确有些革命的作用；可是因为它的阶级利益，决不会和游民无产阶级联合引导当地的小农、小商，彻底地去实行革命，却只会受着了游民的恐吓，反而去和士绅阶级妥协，以"维持秩序"。不但如此，中国当时的大资产阶级，差不多纯是商业资本，经济力还很薄弱，政治上的积极性，也很有限，不能独立地取得政权，于是因为要"维持秩序、保障私产"，便不能不假手于新、旧军阀：各地"绅商"对于革命初期的都督或军政长，都是竭力奉迎，要借他们的武装，拥护自己的利益。其结果，渐渐造成革命后的新式封建诸侯——督军。到此，资产阶级大半仍旧退回受治阶级的地位，于是革命便完全失败。

　　读者或者以为上述的过程，只是当时的地方现象，并不能概括全国范围的政治变化。其实从南京临时政府，而袁世凯、宋教仁以至二次革命的过程，只是上述的社会阶级之相对关系的反映。辛亥革命的时候，一方面是反动的满清贵族和士绅阶级——袁世凯等清室的新军军阀；别方面是革命的平民各阶级——孙中山及民党，互相斗争的局势。士绅阶级及军阀，虽然在群众排满的口号之下，不得不形式上转移于"革命"方面，而实际上是想以此转移"革命"于自己手里，造成自己代替满清而为治者阶级的地位。革命方面势力的涣散既如上述，而且大资产阶级亟亟乎要维持秩序，而想和新起的军阀妥协——这样局势之下自然是真正的平民、真正的"下等社会"重受压迫而失败——孙中山所以不得不让袁世凯。社会阶级之中，那侨商资产阶级赞成革命于前，而想谋与反动派妥协于后。这种阶级分化反映到民党方面来，便形成民党中的右派——宋教仁及黄兴等。右派于孙中山让袁世凯之后，还是主张责任内阁，一直到袁世凯解除民党武装，大借款成功，右派还是梦想妥协。右派的主张，完全代表这种"革命"后资产阶级：怕骚乱、想和平、反对下等社会、求与军阀妥协——有一件最好的证据，便是宋教仁等改同盟会为"国民党"时的新党纲：（一）政治统一；（二）发展地方自治；（三）种族同化；（四）注重民生；（五）维持国际和平。请看，同盟会时代的国有土地、平均地权的党纲，变成了极模糊的"注重民生"四字。当时主张与袁世凯议和让位的是这些右派；主张改政纲而容纳一班士绅阶级的，亦是这些右派。民党内部右派的胜利,便是革命运动中资产阶级的反动和妥协的明证。可是,孙中山的革命主张被右派搁而不行,"下等社会"受大资产阶级的压迫而不能进行革命。总之,大资产阶级战胜真正平民之后,不久,军阀的政权因此便大稳固,更用不着资产阶级对他妥协了。何况帝国主义者趁此竭力帮助,于是他们——军阀便一转而压迫及于资产阶级自身,于是民党连右派也受压迫和贿买,二次革命便完全被镇压下去。此后,资产阶级更不容"下等社会"抬头了,不但袁世凯称民党为乱党,一班资产阶级,甚至于小资产阶级都认民党为乱党了。

孙中山却始终代表真正的平民,一直反对妥协,主张讨伐袁世凯,只因受右派牵制,终致于失败。辛亥革命里没有一个彻底的、团结的、真正能领袖革命的阶级,所以失败;然而孙中山和中国的平民从此更觉悟革命的职任。帝国主义固然趁此更加扩张它的势力,利用国内各派的军阀互争而从中取利,指使他们压迫中国的平民,阻碍中国的发展;中国的平民——小商人小农等也越益明了自己的敌人,不仅是满清贵族,而是帝国主义,而是一切种种的妥协派、大资产阶级。

(五)

二次革命失败之后,中国的反动政局,直到现在,根本上并没有变更:满清贵族已推翻了,然而代替他而统治中国的仍旧是反动的军阀阶级和士绅阶级。中国的民族革命至今没有成功。民族革命的主体——中国平民,经过了阶级的分化,一部分士绅式的资产阶级结合了军阀阶级,侨商中的买办阶级也早已退出革命的战线,他们在辛亥革命中的作用，纯粹是反动的。只剩得大多数的小资产阶级——全国的小农、小商人，客观上十分需要彻底的民权主义的革命，可是主观上没有政治上的积极能力。至于游民的无产阶级，本来只有破坏的、暴发的反抗能力，在革命的过程中，不但不能做指导阶级，而且这种阶级的内部崩裂和个人主义，反而成就军阀阶级的反动力量——兵匪的蔓延扰乱，是一切军阀统治的根本。而民族革命的对象——列强帝国主义，不但没有丝毫损丧，反而利用国内军阀的互争和反动，用尽种种的方法扩张自己的势力。

既然如此——民族革命的职任还没有尽，民族革命的力量却已经自就崩坏，那代表中国民族革命及大多数小资产阶级民众的革命运动，便只能利用各派军阀及各国帝国主义之间的冲突和互争，作军事上的应付。护法以来的南北战争，客观上确能削弱北洋军阀和凭借这种军阀的各国帝国主义之势力；然而这种斗争的社会基础是间接的——大多数民众并不能赞助这种斗争。革命之中而没有革命的阶级做它的社会基础，积极地参加和领导，这种革命当然是不能成功的。我们在这一时期，只看见革命营垒的内部崩溃——右派的民党，妥协的、投降的反动的分子随时随处发现，只看见辛亥以前多少有些革命性的社会阶级一天一天地反动。

虽然如此，帝国主义自己的发展，日益倾向于灭亡——它内部的矛盾不得不爆发；欧洲大战使帝国主义国家的势力在殖民地上大大地削弱，中国这时也能偷着机会稍稍发展自己的工业。于是五四运动以来，中国工业无产阶级渐渐地上了历史的舞台。五四运动本身是中国资产阶级发展的结果，是中国民族自觉的一大进步。随后中国无产阶级——铁路工人、矿山工人、海员以及其他工人的罢工运动，组织工会的运动，工人阶级的政党组织，都大大地开展出来。民族革命运动中便得着了一支生力军——革命的无产阶级,真正能做革命的先锋的,而且是革命运动的领袖阶级。所以,此后的民族革命运动便能有群众的、广大的范围,渐渐地将以前模糊的革命政纲变成很明了的革命口号——反对一切军阀,推翻帝国主义。

孙中山在革命运动开始的时候,便明白地感觉到革命的主要阶级是大多数的贫苦的平民,尤其是农民,所以革命口号是"平均地权";他在革命过程里,很正确地找着革命中的同盟者——"下等社会"的会党。他的革命主张,经过好几十次的失败,经过了辛亥革命后右派背叛革命的大失败之后,始终不变,孙中山是代表中国平民的民族革命的首领——所以虽然在反动潮流很利害的时期,平民各阶级都不能积极革命——孙中山却没有一刻妥协,没有一刻忘掉革命。如今革命战线之中新发现了无产阶级,他当然加入民族革命,而且是强有力的生力军,于是革命运动的主力军便很明显的是中国的工人和农民。民族革命中的联合战线形成,革命的高潮重新兴起,民族革命的政党——国民党,在孙中山指导之下,决然改组,容纳中国工人的政党——共产党加入。这便是孙中山对于"谁能执行民族革命谁是中国民族"的问题之事实上的第二次的答案。

同时,反动派方面的情形也已经大大地改变。假使辛亥以前,满洲贵族及士绅阶级是帝国主义的工具,是反动派,孙中山要以农民阶级及游民无产阶级的联盟反抗他们,那么,辛亥革命以后,农工阶级及一切平民的仇敌却是军阀阶级及买办阶级。这十几年之中,帝国主义在中国的势力比前清时代增加了许多,他们不但利用形式上的中国中央政府,攫取权利,而且直接指使一种买办阶级组织的武装力量——如广州买办陈廉伯的商团,实行反革命。这种买办阶级到处表现他们的反动性。孙中山指导之下的广州革命政府毅然决然地扑灭这种外国雇佣的"商团"。这便是孙中山第二次对于"民族革命中应当反对的反动势力是谁"的答案。

再则,中国革命运动,虽然根本上是反抗列强帝国主义的革命,然而在辛亥以前形式上似乎只是反对满清的革命。一直要等到革命之后,各帝国主义屡次地帮助反动军阀及买办阶级,甚至于要直接以兵力攻打革命政府,经过了几十年的苦经验,中国民族革命运动再明白地宣言:"今后的革命,目的要在推翻帝国主义。"这并不是偶然的发现于孙中山政府对外宣言的一句话,实是因为最近无产阶级参加民族革命运动,他们的利益,完全与帝国主义相反,他们的要求反映到革命运动上去,使隐藏在革命内的最终目的彻底显露出来——于是全国民众的"废除不平等条约"的呼声便充实了孙中山的革命事业的内容。

孙中山的末年,正是中国民族革命运动初初开辟新的道路的时候——已经有真正能代表中国民族的无产阶级,真正能彻底革命的阶级,此后足以领导大多数农民群众及一切贫苦的平民——游民无产阶级,积极地实行革命,反对一切士绅阶级买办阶级的反动势力,避免资产阶级性的妥协政策——直接打倒帝国主义及其工具之军阀阶级。孙中山的伟大,正因为他在四十年来能随着社会内革命势力的增长而日益进于明显的不妥协的革命政纲。

不但如此,中国民族革命运动的对象,既是世界的帝国主义,他能够并且应当在国际范围中找着革命的同盟军。世界各国的资产阶级往往有共和、民主、人道、正义的口头禅;尤其是那资产阶级性的民主主义,尽着欺罔无产阶级和弱小民族。革命前各国往往有遵守所谓国际公法而保护中国的政治犯的。

当辛亥革命之初,孙中山曾有联日的政策,然而不久便证实帝国主义者在辛亥前即使优容中国的革命党,也仅仅在于自利自私的见解,想趁革命爆发而未胜利的时候,更进一步地攫取中国权利。等这种局面造成之后,他们便转而力助军阀等的反动势力了。孙中山对于这一点,曾经在《陈英士致黄克强书》后附注着说:"……不图彼国政府目光如豆,深忌中国之强,尤畏民党得志而碍其蚕食之谋,故屡助官僚以抑民党,必期中国永久愚弱,以遂彼野心……"中国在这最近十年之中方才明切地看见帝国主义之用心,方才明白觉到中国自己所处的国际地位;孙中山在《民族主义》上说中国是各国的殖民地,是"众人的奴隶"。这些主人,"以不平等条约束缚中国的列强",如何能做中国革命的同盟军!中国人既是"奴隶",还得找奴隶的朋友。所以中国民族革命的同盟军,当然是各国无产阶级、世界所有的被压迫民族及殖民地——尤其是已经革命胜利的苏联农工阶级。

因此,孙中山——中国革命运动的代表,最后的遗嘱,尚且郑重地声明中国革命运动有与苏联及一切弱小民族联合之必要。

中国民族革命运动——半世纪以来,从模糊的"富国强兵"的口号,进化到"反对一切帝国主义,废除不平等条约";从会党的军事暴动,进化到劳工农民之联盟;从联日政策,进化到与世界无产阶级携手——这一条困苦的道路,正反映在孙中山的生平和事业里呵!

(季刊第二号,一九二五年六月一日)

国民革命运动中之阶级分化

——国民党右派与国家主义派之分析

瞿秋白

中国民众革命运动的开始，可以说是从五四时代起的。帝国主义的发展，欧洲各国的向外侵略、征服殖民地，是资本主义进程中不可免的现象。资本主义的国家，如英、如法、如德、如俄、如日等，内部生产力的增加和阶级斗争的剧烈，渐渐地动摇资本主义的生产关系——私有财产制度。于是资产阶级便不得不力求扩大自己商品的市场和原料的来源，就是掠夺殖民地，以维持自己阶级的统治地位。他们侵略弱小民族——资本主义文化还没有发展的国家，他们可以独占那地的市场，垄断那地的原料，因为这些地方自己既然没有工业，当然不能和帝国主义竞争。

因此，他们可以得到超越的非常的利润——比本国市场内多至百倍的利润。可是，这种殖民地政策的施行：一、不能不引的帝国主义各国之间互相的冲突；二、不能不使被侵略的国家逐渐的资本化。这两种结果，原是帝国主义自己所造成的，便足以致帝国主义的死命。社会革命的爆发便在这帝国主义内部崩溃的过程里发现：帝国主义的欧战是列强冲突的表现，是争夺殖民地的战争，可是战争的延长和破坏，使全社会中大多数群众不能再忍受资本主义的统治,农民、小资产阶级、知识阶级等都倾向于无产阶级而造成革命的形势。俄国的十月革命便是因此发动,又加以内部农民问题、民族问题等类种种矛盾冲突的汇集而成功的。便是英、美、法、日各国在欧战后(一九一九年至一九二〇年),也都经过一个可怕的革命危机。至于殖民地的资本主义化,对于帝国主义国家尤其是致命伤,他们的种种殖民政策、经济政策,无一不是遏制弱小民族的工业发展;可是弱小民族内部假使商业经济极不发达,大多数人民安于农业的自足经济,那时,资本主义国家便无从畅销他们的商品,无从多量吸收原料。所以弱小民族与帝国主义国家接触,便自然而然,至少在商业方面,逐渐地资本主义化,商业资本的积累(所谓"资本之最初积累")必然发生工业资本,这时候,帝国主义的侵略便和殖民地弱小民族间的资产阶级发生冲突了。何况,帝国主义列强为夺殖民地而互相战争时,正给殖民地以发展自己工业的机会,宗主国的生产完全集中于军事,殖民地的生产和原料,当然只能自己经营、自己应用;那商业里(买办、洋货商)积累的资本,久受宗主国资产阶级政策的束缚和遏抑,到此便不能不急速地投入工业生产。这便是国民革命的经济基础。于是社会革命开始的时代,便是殖民地弱小民族里国民革命开始的时代。帝国主义之前的一时代里,后进的资本国与先进的资本国相竞争(如俄国彼得大帝变法、日本维新)的过程,和现时殖民地弱小民族的向帝国主义革命的过程是断不能相混的。即前一过程,即使有革命,也只是纯粹的资产阶级革命;这后一过程,便含着多量的无产阶级的性质在内——在国际范围内,这不过是世界无产阶级革命的一部分,在一国范围内,虽然性质上还是资产阶级的,而在革命力量上,却大半须以无产阶级为主力军。

中国国民革命运动的发端，正在于五四时代，这里原因看上述的经济分析便可以明了。五四时代的新文化运动，它在政治上的成绩，影响于多数民众最大的，只是"国货"两字，这一运动的资产阶级性质，和五四前后中国资产阶级，确有一期的大发展的事实，便已经完全证明了。可是资产阶级的民主革命，反对宗法封建军阀的革命，内部必定含孕着无产阶级革命的种子，各国革命史都是实例，中国何尝又能除外？——其中的理由非常明显：资本主义发展之中，资产阶级的经济力固然集中而强大，无产阶级的增多与团结也必然相伴而行，天下哪里有没有工人的工厂呢？况且这种资产阶级的民主革命运动，在殖民地上，如中国的五四运动，事实上、思想上都是受世界革命潮流的冲动——一九一七年至一九一九年，中国新思想的勃兴，谁又能否认俄国革命、德国革命、英美大罢工、劳动问题的世界化等等的影响呢？那时的青年和学生，差不多个个人都注意报上世界革命运动的消息，个个人都想谈几句劳动问题、社会主义。这些社会主义的思想，当然是很笼统模糊的，然而就在这一源流里，生长出中国无产阶级的政治思想——共产主义。《新青年》杂志的左倾与其共产主义化的过程，便是明证。当初五四运动时的新文化思想——反对孔孟、反对旧礼教、白话运动、妇女问题等等，都是中国资产阶级发展所需要的。同时，社会主义、共产主义、无政府主义以及劳动社会问题的研究热与上述各种运动混流并进。这是很明显的资产阶级与无产阶级以及小资产阶级的联合战线，反抗宗法封建社会。——这种联合战线，第一，当然不是自觉的；第二，当然增加中国革命运动的新力军，以救辛亥革命后垂危的国民党。实际上这些思想上的新潮，只是资产阶级民族自觉的先驱和后盾，所以主要的政治力量，仅仅只产生"外抗强权,内除国贼"的口号。可是在当时的环境里,这种社会力的伸张,确是一大进步,可以使国民党、孙中山先生等"俯就"新潮,甚至于俯就马克思主义——《建设》杂志、《星期评论》《孙文学说》等等,都是在这时候出世的。

　　五四到五卅,这六七年确是中国历史上的一个时期,有重大的政治上、文化上的意义。五四时代,大家争着谈社会主义,五卅之后,大家争着辟阶级斗争——从北京、上海到广东,从北京大学教授戴季陶(中国"第一批马克思主义者"之一!)到所谓"中兴名将"的曾、左、李国家主义派。这是什么缘故?原来,中国社会在欧战之后,一方面资产阶级发展,别方面无产阶级发展;社会上新力量产生的初期,共同联合战线反抗宗法军阀社会,涌起国民革命的巨潮,随后的发展,便是两阶级互争革命的指导权和国际上联盟军的争择之过程。这六七年中国国民革命的实际进程,却是从模糊笼统的联合战线进而至于明显的自觉的,从资产阶级"爱国主义"进而至于无产阶级的革命主义,从资产阶级联美、制日的希望进而至于联世界无产阶级的国民革命。这种过程,到五卅运动而得到了极高的发展。国际关系上,在这六七年中,资产阶级所希望于巴黎和会、华盛顿会议的,着着落空;而无产阶级的新国家苏联,不但事实上废除领事裁判权等,并且进而切切实实赞助中国国民党的发展。国内斗争里,在这六七年中,中国无产阶级运动长足的进步、四五年来的罢工运动已经使无产阶级的三分之一(至少数)组织在工会里,每次在民族斗争里,表现它的力量;国民党改组一年,在党内刷除买办官僚的分子,在广东给买办和土豪阶级(商团、民团)以极大的、继续的打击;并且军阀之中亦起分化。无产阶级在这国民革命过程中,确已占得多份的优势,到五卅时候,广州国民政府的成立,上海工商学联合会的领袖五卅运动,尤其是无产阶级指导下之联合战线发展的最高点。资产阶级看着无产阶级的势力足以导国民革命于胜利,看见国民革命的进行中资产阶级要牺牲自己的私利——其实不过是容许工人、农民组织和斗争的自由,极普通的民权,于是开始反动而求争回革命的指导权以消灭革命。同时帝国主义者尤其害怕这种运动的澈底发展,正在努力"工作",作反对所谓赤化苏联的宣传,离间挑拨资产阶级。于是资产阶级的社会思想,也发现自己的"阶级觉悟",而努力于反对阶级斗争和国家主义的宣传。国民党右派的形成,实际上是与帝国主义者联合战线。这里阶级分化的现象是非常之明显的,半年来思想界里的反动潮流,从主义上、策略上、革命领袖问题上以及道德文化上所发生的争执,都是这一现象的表演。可是,同时中国革命运动的进展,使无产阶级政党和国民党的主张,如反帝国主义和军阀的斗争、废除不平等条约和国民会议的运动等,都因而渗入普遍的群众里去。中国社会一般的革命化的过程,当然影响到政党界与思想界,革命的小资产阶级及智识阶级也就逐渐显现他们的左倾。最近半年来,北京方面有《猛进》杂志、《莽原》杂志,上海方面有《洪水》杂志等等。至于国民党内如柳亚子、朱季恂、甘乃光、陈公博等,居然形成强有力的群众的左派,汪精卫、蒋介石等革命倾向之确定更不用说。思想界与政党界左右分化的过程,显而易见是随着国民革命运动的进展而日益激厉的,或者以为国民党右派和国家主义派的兴起是中国社会反动的表征。其实不然,这种反动正足以证明中国革命进展急速——使帝国主义者不得不于军阀以外,另找一种比较"灰色"的工具;使资产阶级不得不急起直追地攫取革命思想的指导权。

中国革命是国民革命，然而国民革命的进行可以有两种方式：一是由资产阶级来指导——对于帝国主义作局部的抵御，利用所谓列强之间的冲突而苟延残喘，想镇压劳动民众的阶级斗争，处处与军阀、帝国主义者妥协而希望以反对赤化取媚外人，求得些许的恩惠；一是由无产阶级来领导——对于帝国主义整个儿推翻，利用帝国主义与世界无产阶级的总冲突而进行革命斗争，发展国民革命中之阶级斗争成分，集中最大多数民众的革命力，以求肃清国内一切买办、军阀、土豪等帝国主义的工具和劳动平民的压迫者。现时左右派斗争的具体问题是如此，并非如表面上看来是共产与反共产的争执。然而右派——国民党右派及国家主义派——故意装着不知道自己造作一个共产做对象——其实是帝国主义的谣言，他们却偏偏当真的来攻击。

如果要反对共产主义，便应当明了共产主义的意义。

如今思想界的右派却都是信口胡说。譬如邹鲁、孙镜亚等类的国民党员，曾琦等类的国家主义派便都是如此。

他们或者说广东政府立刻就在实行共产，或者说共产党是要中国社会回到原始共产制度（《醒狮》第六十八期）。广东政府是否共产，现在不值一驳。中国共产党要实行的是原始共产制度吗？这不过是曾琦等自暴其不学与荒谬，不值得去说他。至于比较有研究的戴季陶先生和《独立青年》杂志的灵光先生，也是同样的不了解"共产主义"四字是何所指。季陶说中国共产党的主义不适宜于中国，灵光说中国共产党要抄俄国的老文章。他们说这些话的时候，是否知道中国共产党的主义究竟是什么？我想，他们一定知道的，他们一定知道中国共产党并不曾主张明日便使中国社会里实现共产制度；可是他们因为要反对中国共产党，故意一口咬定地这样说。这里我们可以找着丝毫的客观态度吗？当然不能够！

　　我们应当分清楚共产制度与共产主义的区别。共产制度是说全人类社会之中阶级已经消灭，一切生产分配由社会经营，个人只须依照社会的计划去参加工作，便能得到社会的一切供给——衣、食、住、娱乐、科学等等。共产主义是说从现在社会——帝国主义的列强、商业资本、宗法社会的弱小民族殖民地，以至于菲（非）洲、西伯利亚等处的原人社会——怎样过渡到共产制度的种种式式政治、经济、教育等的方法：政党的策略、革命中的阶级关系、经济文化等的政策、革命后的国家制度等等。他们右派说共产主义不适宜于中国，即不能实现于现时的中国。如果是指共产制度而言，那么，不用说在中国，便是在已革命的俄国，将来革命后的美国，也不能立刻涌现。如果指的是共产主义，那么共产国际对于各国，都有相当适应于当地经济状况并与世界各国革命运动相联络的政策。他们应当对于中国共产党的具体政策加以详细的、虚心的研究，才有开口批评的资格。中国共产党根据马克思列宁主义，对于中国经济状况有周密的研究，以前《新青年》《前锋》杂志曾经登过不少这类的文章。因此，中国共产党确定进行革命以达共产制度的第一步政策：（一）中国资本主义发展的初期。适值世界帝国主义猖獗侵略中国的时代，亦就是世界无产阶级社会革命的时代，中国的无产阶级、小资产阶级和农民以至于资产阶级，都处于帝国主义、军阀双重的压迫之下。因此，中国无产阶级应当努力实行国民革命，引导一切平民参加民族解放斗争——中国的国民革命当然就是世界的社会革命的一部分，因为中国民族的解放，便是国际帝国主义势力的削弱。（二）这种国民革命的斗争里，无产阶级和农民应当以自己地位的改善和政治自由的取得为目标，因为解放大多数中国民众才能算得民族的解放。(三)凡是遏制劳动民众的斗争自由、剥削劳动民众的利益之一切势力,都应当和它奋斗,都应当推翻。那么,中国资产阶级如果压迫、剥削民众,阶级斗争便是国民革命中不可免的,如果他们因为要压迫、剥削民众而与帝国主义者、军阀妥协或联合,那么,劳动平民的阶级斗争不但拥护自己阶级利益,而且就是拥护民族利益——更加必要。(四)这种革命的进行和胜利,必须联合世界无产阶级及其他被压迫民族,因为只有这样,我们中国的力量才能排斥帝国主义的势力。而中国、印度、安南、朝鲜、南美等排斥帝国主义势力,同时,英、日、美、法、意等国内无产阶级反抗帝国主义的资产阶级,这种革命的胜利自然就是打倒帝国主义,资本主义在那时便当然根本推翻。(五)帝国主义国家内资本主义推翻而开始建设社会主义的时候,弱小民族及殖民地上的幼稚的私人资本主义便根本无继续发展之必要与可能,亦可以由劳动平民组织的国家执行有规划的发展经济实业计划,以渐进于社会主义和共产制度。这种政策,是否适合于中国的国情?用不着理论上来回答。中国共产党加入国民党之后,中国共产党开始劳动运动之后,这四五年来中国社会的发展,革命运动的进行,直到五卅的大开展,全国工人、农民、小商人的积极参加政治运动,废除不平等条约的呼声普及穷乡僻壤,便是老老实实的证据。广东国民政府成立,农工阶级因得着多量的自由而赞助革命政府,还在继续不断地和地主、买办阶级奋斗,以巩固革命政府的基础。广东一般人民现在能免除苛税杂捐的重负和反动军阀的压迫,便是这建筑在阶级斗争上的国民革命的结果。苏联、土耳其、蒙古、印度、埃及、叙利亚、英、法工人等革命势力对于广州政府的赞助和同情,便是革命政权确定而不受英国帝国主义摧残的保障之一。这种政策是否抄俄国的老文章,更不用详细地解释了。醒狮派和邹鲁派当然每况愈下,已经和买办阶级的冯自由派不能互相区别。他们除反对苏联、反对赤化而外,本无别种任务,只是信口造谣,说广东是俄人统治,是实行共产,说共产党是否认国家等等。广州的事实,最近国内外国民党代表的第二次大会,甚至于得到华侨及香港华商的赞助——已经为一般人所公认。中国共产党首先提出国民革命的联合战线,提出反对帝国主义、解放中国民族的口号,诚意地和国民党左派、革命派的孙中山主义合作——这第一阶段的中国共产党政策当然和国民党的革命主义相符合。何以能说共产党否认国家?可见醒狮派的态度,还不仅是曾琦等无知、荒谬不学的结果,并且是有意工蒙混事实,出于造谣中伤的用心。至于戴季陶、灵光等也是无的放矢,还有些人,或者接受共产党政策而故意反对共产党。适足以表现他们主义的资产阶级性质。

国民党右派和国家主义派所反对的既不是共产制度——共产主义的终极的目标,当然便是共产主义适用于中国情势的政策。这些政策之中第一个重要问题,便是阶级斗争。资本主义开始发展的中国,自然而然工人阶级的运动也随着开始;尤其因为中国是半殖民地——帝国主义的资本家既在实行对于殖民地劳动者的奴隶制度,中国的资本家又因处于帝国主义强力的压迫与竞争之下,不必能如资本先进国的余裕,可以及早让步、赂买部分的劳工贵族,亦是拼命地向劳动者压榨,以求利润。中国工人阶级对于这种双方两重的剥削,自然不能不开始斗争,而且这种斗争一开始便是革命的阶级斗争,绝无改良主义的阶级妥协之可能。中国工人阶级开始斗争的期间,所争的不过是增加些工资、承认工会和罢工的自由——罢工期间的工资、减少工作时间的要求实际上也还很少,开始斗争的方式何尝不是"和平"的谈判？然而资本家的政策，都是非常狡猾无信、残暴狠毒，次次必须以罢工的斗争才能解决问题。阶级斗争本来是资产阶级自身的行为。如今资产阶级向无产阶级斗争，右派却叫无产阶级不准回斗，岂非纯粹站在资产阶级方面！右派常说，要劝告资本家，诱发他们的仁爱性——仿佛共产党只是鼓动工人斗争，而又反对资本家仁爱。这种劝告，事实上是否收效？中国几千年的孔孟仁爱学说，是右派自诩为中国的国民性的，何以中国资本家都变成孔孟化外的人，而且变得如此之速呢？中国劳工运动的历史事实具在，现时工人阶级所处的实际地位具在，何以能说阶级斗争不适合于中国国情？七八年前说中国没有大资本主义，或者可以说得过去，而五卅之后，上海、香港、汉口、河南、安源、天津等处，百万余工人的罢工事实还想否认吗？工人阶级默无声息地替资本家用汗血去赚钱，资产阶级的学者、思想家、政治家或者还可以装着不看见，信口乱说中国没有工人——没有工业资本。如今工人阶级已经有实际的行动，震动全世界的大罢工，资产阶级的学者等等还能装聋装瞎吗？

共产党不但不反对资本家仁爱，而且只有共产党能够使资本家仁爱，只有工人阶级的阶级斗争能够使资本家仁爱。譬如去年十二月商务印书馆的罢工，工会方面前三天提出条件，要求答复，然而资本家不理，一定要等到宣布罢工，军警压迫、开枪、鞭打而工人不屈，而后资本家"仁爱"起来，假猩猩地哭起来，退职俸金的条例答应了……这是一个证据。五卅以前，国民党右派和国家主义派都是反对阶级斗争，甚至于说农民协会、工会等的保护政策都是赤化（那时骂广东政府的口头禅，谢英伯、冯自由等反对广州中央的"证据"）；如今右派和国家主义派除反对阶级斗争之外，也赶紧谈起劳工立法，谈起劝资本家仁爱来了。假使不是工人阶级最近几年来的斗争，戴季陶先生的仁爱说，《商报》、陈畏垒君的劝告说（一月二十四日），《独立青年》杂志的宣言，醒狮国家主义派的"解决国是办法"——处处不敢不提起劳工利益的口头禅，恐怕还未必见得实现罢？而现在谈得格外起劲，更是因为五卅运动中工人阶级的斗争力量之充分表显。这是第二个证据。再则，中国工人阶级在五卅运动的时候，罢工要求承认工会，以几十万人的斗争力量，逼使段政府不得不拟议工会条例，上海总商会也不得不代行电请；等到帝国主义者和军阀摧残了工人运动，工人的大规模的斗争被停止了，段政府和总商会便不肯"仁爱"，不肯提起工会条例了。这是第三个证据。

国民党右派和国家主义派总说工人阶级的斗争足以把资产阶级吓得反动，分散国民革命的联合战线。这尤其是笑话。难道中国工人阶级应当忍受中国资本家的剥削，同时却又能反抗外国资本家的剥削——参加国民革命？中国资产阶级要利用工人的力量争民族的解放，便应当牺牲自己的目前利益：工人反抗外国资本家的剥削，当然也反抗中国资本家同样的压迫；中国资本家不能自动地减轻压迫，便只有受反抗。假使中国资本家因受反抗而竟反动，以至于勾结军阀、帝国主义，那就工人阶级的阶级斗争，尤其必要。总之，中国资本家、地主，只有两条路：一是向工人、农民让步，不禁止阶级斗争，因而取得民族解放——关税自主权、国家的统一、军阀的肃清、苛税杂捐的免除；一是宁可受帝国主义的压迫和军阀的虐使，而勾结他们来压迫工人——自己忍受军阀的扰乱市场，勒捐饷项，帝国主义者之扼制——如领事裁判权、关税协定权、租界管理权等。前一条路是现在广东的资产阶级小资产阶级等所走的；

后一条路是上海资产阶级所走的：广东工人、农民的阶级斗争（工会的发达、资本家剥削的限制，工人罢工斗争的自由、农民协会的组织、农民自卫军的战斗）是革命政府的基础，而如今广东一般商人、资本家、地主，已经能免除苛税杂捐，自己建筑黄埔商港；上海的资本家却宁可受帝国主义者的统治，电气业由他们垄断独占，五卅时租界当局停止供给华厂电气时，中国资本家赶紧出全力帮助帝国主义者用种种勒迫、欺诈的手段摧残罢工，仅仅因为不肯牺牲停电期间的工资！

再则，如上海孙文主义学会的《革命导报》宣言，如《商报》一月廿四日的社论，总是说："中国工人只受外国资本家的压迫，战斗的目标也只外国资本家"，或是说，"以阶级斗争助成民族独立运动，吾人亦不能无异辞：民族独立要求，意义有在麦饼、米饭以上者"。诚然不错！可是，阶级斗争的意义不但在"麦饼、米饭"以上，并且还在民族解放以上。现时中国工人阶级所以能懂得废除不平等条约等等，正因为他们实行了阶级斗争，正因为这是中国共产党首先提出的阶级斗争之最低限度的目标，正因为中国国民革命是世界范围内中国无产阶级和世界资产阶级的政治的、经济的斗争。国民党右派要反对国内的阶级斗争，要否认民族解放与阶级斗争有一方面的共同意义，并且要工人的战斗目标限于外国资本家——正足以见他们完全只代表中国资产阶级的利益；他们"努力工作""站起来"和赤化及阶级斗争奋斗，反对中国共产党，用种种手段欺蒙无产阶级，说中国"任何阶级"（军阀、买办似乎也在内）都有共同利害，实际上是叫工人去反对外国资本家的压迫而不要反对中国资本家的剥削（去年上海、天津、郑州、安源等的华厂工潮，已是中国资本家剥削、压迫的明证——他们还要说没有！）——正足以见得他们努力从事于"阶级斗争",站在资产阶级地位来反对工人的阶级斗争。他们自身的发现于中国,他们自身的政治态度和政策,正是中国共产党政策和共产主义适合中国情势的最有力的例证。国民党右派和国家主义派呵,你们如果要证明马克思列宁主义的不适于中国,要证明共产主义是不合事实的理论,那么,你们对于中国共产党最有力的打击,便是停止你们自己的存在,消灭你们自己!

国民党右派的内部,正和中国资产阶级、买办阶级的内部一样,是决不能一致的。虽说他们反对赤化,和帝国主义也可以结成联合战线,可是他们各派相互之间仍旧有许多不同的矛盾的观点和政策。去年国民党右派中央委员的西山会议,完全受邹鲁、谢持等买办阶级派之统治——他们勾结冯自由等之所谓国民党同志俱乐部,对于戴季陶等右派中较左的,施行绑票,提到俱乐部中,加以殴打、恐吓,强迫签发宣言。所以继承西山会议的所谓上海中国国民党中央委员会,事实上是邹鲁派的,而还不是戴季陶式的,戴季陶因此而宣言辞职。去年十二月十四日(见《民国日报》十二月二十四日)这一所谓"中央"的告国民书,公开地骂共产党是依赖苏俄,说苏俄是另一属性的帝国主义,对于联合世界无产阶级和被压迫民族共同作战,简直完全不提起,只说"必先取得中国在世界的平和地位,然后才配进行实际的援助弱小民族"。然而戴季陶先生最近的表示(致楚伧的信),却明确说:"现代之帝国主义成为一国际的组织,反帝国主义之工作非一民族之力所能成功,故……凡信仰先生(中山)之遗教、遗嘱者,必须重视此点,对于先生与革命之苏俄友善,及与一切被压迫民族联合,与世界各国之革命的民众提携之旨,尤不可忘。至对于同在革命道途之友党……亦宜尊重同仇之德义,相见以诚,不为无益之猜忌、无理之攻击。"此中的分化,又更显然。嗣后上海孙文主义学会的《革命导报》宣言还是说:"他们(左派)只是消极地反对国际帝国主义这一制度,国民党之反对帝国主义,乃积极地扶植中国农、工、商、兵、士各阶级之利益的发展,联合殖民地、半殖民地各被压迫民族在同一战线上促进帝国主义之崩坏。"这可与戴季陶先生不同了:第一,《革命导报》宣言中有许多"无理之攻击";第二,戴先生认帝国主义为国际的组织,必须"与世界之革命势力切实合作之以图我民族独立之成功,而促世界革命之实现"(见他复广州孙文主义学会电)。《革命导报》说国民党左派和共产党是消极地反对帝国主义,这竟是抹杀许多事实——共产党四五年来的实际斗争,迹近造谣诬蔑。他们自己承受了联合被压迫民族、促帝国主义崩溃之政策,却还反过来攻击最先提议这一政策的人,实在有点可笑。可是善变的周佛海,从马克思主义者变成孙中山主义的修正派的周佛海,更退后了一步,竟说国民革命不是根本打倒帝国主义,而只是打倒帝国主义在华的一切势力(见他《论国民革命与社会革命》的演讲和《革命导报》上的《释打倒帝国主义》)。这不但和戴季陶先生不同,并且与《革命导报》宣言自相矛盾。这种政见已经与《独立青年》和《醒狮》完全相同,不过肯用帝国主义四个字罢了。醒狮派国家主义者动辄高呼外抗强权,认打倒帝国主义为共产党一党的口号,"非国民革命之所宜采"(见曾琦《对于开除共产党后的国民党之三大忠告》——《醒狮》第六五期)。《独立青年》宣言也说:"我们要认清我国的问题,是我们中国的问题,不是国际的问题,是应由我们中国人自起而解决的问题,不是要联合全世界哪一阶级来打倒他一阶级的问题——如共产党所主张的什么打倒帝国主义的问题。"

邹鲁、周佛海派的上海右派国民党中央和独立青年、醒狮等派的国家主义，总是反对打倒帝国主义——而只说要抵抗外国的侵略。无产阶级当然抵抗帝国主义的侵略，可是同时认清必须打倒国际的帝国主义，而后中国才能根本免除侵略；资产阶级却不愿打倒资本主义所产生的帝国主义。这些右派的资产阶级性是非常明显的。其实中国民族如果真能排斥一切帝国主义的在华势力——他和土耳其的经济上的国际地位大不相同——必然予帝国主义以致命的打击。各国无产阶级得此援助，必然群起革命，推翻世界的资本主义，那时帝国主义自然要根本打倒。周佛海等难道还赶去救护这一帝国主义吗？各国无产阶级革命，必然互相联合起来——这是反乎所谓国家主义的，国家主义派势必努力反对的了。这结果，岂不是国民党右派和国家主义派是列强资本主义——帝国主义的很恭顺、可靠的保护人！

不但如此，中国民族同时要反抗各国帝国主义的侵略——各国帝国主义如有巩固的国家主义，足以蒙蔽国内的劳动平民，他们便有可靠的军队、教徒、军事上的技术能力，加上外交阴谋、资本势力，中国民族用什么力量能抵抗这种侵略！国家主义派反对联合各国无产阶级，孙文主义学会也是如此（《革命导报》宣言只说被压迫民族）。这种主张是足以为帝国主义所利用，证实他们的"黄祸"谣言——法国总理白里昂便以"防御"摩洛哥人屠杀白人的理由欺骗法国工人，使他们不反对出兵摩洛哥。中国国民革命必须联合被压迫民族，必须联合世界无产阶级共同作战，才能有充分的革命力量；必须努力宣传世界的阶级斗争，使各国无产阶级自己起来反抗帝国主义政府，同时帮助中国的国民革命，才能得到根本的解放——所以中国国民革命的进行中，反对各国国家主义，是联合世界一切革命势力所必须的工作。

至于联合被压迫民族和苏俄的革命运动问题，邹鲁派的国民党"中央"既是包藏着攻击苏俄的用心，并说先求中国独立，然后再能援助弱小民族。邹鲁等也曾和醒狮派一样，说广州革命政府受俄人的统治，况且他们的"援助"弱小民族也和《醒狮》《独立青年》等派一样，主张改蒙古、西藏为中国的行省，反对民族自决。先论联俄问题，这里有一个很可笑的现象：他们尤其是醒狮派，反对"帝国主义"的名词，可是却说苏联是赤色帝国主义。苏联是否帝国主义？有事实可以证明——试看如上海、汉口、天津、广州等处的苏联领事早已没有领事裁判权，最近那右派的所谓中央，却说苏联要以《陆路通商条约》为废除领事裁判权之交换条件，这岂不是造谣伎俩？他们攻击广州是俄人的统治，现在已经不成问题，香港的华商及一般人都已经看见事实的证明；俄国人在广东的唯一"罪状"，大概只是帮助国民政府练成强有力的革命军，弄得香港的英帝国主义者无从侵略。他们最近宁可和张作霖及日本帝国主义者联合战线，对于中东路风潮反对苏联，仿佛中兴名将于曾、左、李之外，又添了一位咱胡子也姓张的张作霖了！苏联是无产阶级的国家，中国的国民革命运动，即使站在民族的观点，也应当和他联合，利用他和各国帝国主义的冲突。帝国主义者所最恐惧的，便是中国民族与苏联联合战线，而国家主义派所最反对的，也是这一联合战线。大家想想，他们对于帝国主义的功绩多么大！对于与被压迫民族联合战线的问题，孙文主义学会形式上是赞成了；邹鲁派的国民党"中央"却要先"独立"而后"援助"。真不错！日本现在先独立了，所以讲起大亚细亚主义，国家主义派亦很赞成，只是不要日本来行，而要中国来行(《醒狮》第六六期曾琦答孙文主义学会)。

这种中国帝国主义的阴谋显然暴露。《独立青年》更反对蒙古、西藏的民族自决,因而反对联邦,要使他们变成中国的行省(《独立青年(创刊号)·联邦与中国》)。蒙古自决问题呢,国民党右派——连孙文主义学会也在内,以及醒狮派、独立青年派,都因此问题而说中国共产党是"亲俄卖国",要"求中国为俄国的第三国际的附属品,……促成俄国发展到帝国主义。"国民党右派显然违背孙中山主义——第一次国民党代表大会的宣言,明确地承认蒙古等民族的自决权,主张各民族自由结合的中华民国。其实,单由民族革命、国民革命的观点上来论——就是《醒狮》和《独立青年》也不能不承认这种革命,中国内部的民族问题,只有汉族采取绝对自由的民族自决的原则,才能解决;如果蒙、藏民族自己要坚持联邦制度,中国国民革命的政党,都可以让步——只有这样,才能使弱小民族倾心于革命的中国。各种右派的民族问题政策,正足以恐吓蒙、藏,使他们和中国离贰,或者愈益倾向苏俄,或者受帝国主义的利用。他们几百年来受中国大商阶级及满清贵族的侵略,自然有许多过分的怀疑和不信仰。列宁主义说:"民族自决直到分立国家",这种原则,已经结合许多民族而成立伟大的苏联;孙中山主义说"各民族自由联合的中华民国",只有这一原则才能结合巩固的"五族共和"。

　　国家主义派醒狮、独立青年等,往往说共产党的打倒帝国主义是社会革命的口号,"共产适是以召共管"。这一说法,刚巧和辛亥革命前保皇党的康梁派之"革命适足以召瓜分"太相像了,这可不是偶然。所谓共产是什么?难道是中国共产制度的实现?那么,中国这种落后国家里共产制度尚且实现了,帝国主义当然早已不存在,又何从来的共管呢?假使是说共产主义政策的实行、各劳农阶级的阶级斗争、中国无产阶级与世界及苏联劳动平民的联合战线——在他们目光中,甚至于说国民党左派的政策,如辅助劳农、平民的组织、不禁止妨碍他们的阶级斗争、和苏联及各国革命平民相联络等,也认为共产主义。假使所谓共产是说的这些政策,是说的现时中国达到共产制度的革命途程(这里所谓共产主义并不名不副实——如灵光君在《独立青年》第一号所说的),那么事实上已经证明"共产即召共管"的论调之荒谬。这些政策,不是广东国民政府所实行的吗?事实上,这些政策正是救广东出于共管现象的唯一道路;而上海、北京等处的五卅经验中,都证明不能实行这些政策,适足以成就帝国主义的共管事实:五卅案司法重查、关税自主经列强一致否认等等。

至于理论上,他们以为中国只要利用列强的冲突,便可求得独立,常常举土耳其来作例子,用不着联合世界无产阶级和被压迫民族。这一理论的错误是很大的:第一,譬如土耳其,在欧战以前,同样有英、法、德、俄各帝国主义势力的冲突,何以不能独立解放?因为帝国主义之间的冲突,是有一定限度的,它决不能帮助自己所要侵略的国家解放。第二,土耳其的革命成功,因此显而易见是苏联革命胜利、第三国际成立后,英、法共产党的工人反抗帝国的侵略政策和苏联政府的实力赞助之结果。第三,中国经济上的国际地位和土耳其完全不同,当然更比维新前的日本不同。维新前的日本是处于资本主义初初发展成帝国主义的时期,列强的"海外侵略"还有较阔大的战场,他们因互相冲突而放任日本资本主义发展,还有如中国等处的市场可以侵略。土耳其在经济上对于帝国主义的存在,现在也不占举足轻重的地位,它的独立,不足以致整个儿帝国主义制度之死命。中国现时既处于帝国主义末期的时代，帝国主义的命根差不多全在中国，而且中国本身有最大的富源、最多量的廉价劳动力、最优越的商品销售场。因此，中国即使不行"共产主义"政策，仅仅民族革命，也足以促起列强的联合战线。共产主义的政策正足以破列强国内的民族的国家主义的联合战线，使这种帝国主义的联合战线、各国资产阶级的联合战线灭杀大部分的力量，不足以行共管。何况，五卅运动的经验里（见本号《五卅运动与国民会议》），证明帝国主义的联合战线只能到一定的限度，过此限度，便必然互相冲突；中国方面民族解放运动愈澈底——民族革命政策愈共产化——他们的联合战线愈软弱而致于破裂。

国民党右派——邹鲁派国民党"中央"和上海孙文主义学会，如今说共产党是勾结一派军阀以打倒别派军阀（见《右派中央及革命导报宣言》）。这在国家主义派口中，还仿佛是假清高的论调，在右派口中，真不知是何居心，有何颜面！邹鲁等勾结杨希闵、刘震寰的事实谁都知道。当共产党反对这种右派政策、反对依赖军阀的时候，右派说共产党是离间国民党的"友军"（卢永祥等）——前年双十节，黄仁同志还因此而被"人"凶殴致死。共产派反对这种残杀行为时，叶楚伧等还要为"人"辩护，不肯开除。如今却说共产党勾结军阀！何等的……！国家主义派（醒狮）说共产党勾结军阀，竟指出上海国民党市党部督促冯玉祥为国民会议奋斗的电报作证据。国民党左派及共产党的政策是看清现在军阀的崩溃和分化，主张平民召集国民会议，将一切倾向民众或表面上赞助民众的军阀，放在平民的国民会议之统治之下，使他们无可遁形。帝国主义者反对冯玉祥、蒋介石等，说他们是赤化军阀，正是要恐吓他们，使他们离开民众。国家主义派也帮着谩骂冯、蒋联俄卖国。国民党右派最近已不敢反对国民军,对蒋介石更从来不敢"开罪",然而还空口地说共产党勾结军阀。他们这种行为何等的"对内一致"——与帝国主义者一致呵!冯玉祥等的国民军,当然还包含着不少反动成分,其中有吴佩孚余党,有犹豫畏怯、冯玉祥式的政策。可是人民方面,只有督促着国民军往革命道路上走,才能肃清它内部的反动分子和反动政策;决不能将所有中国的武力一概视作军阀而反对之,都送给帝国主义者御用。人民与武力的结合,是孙中山先生的革命策略。这一策略的运用,一方面是造成国民革命军和武装工农平民,别方面是将现有的军队、兵士,下级士官以至忠实于革命的"将军",置于人民的统治及指导之下。这种策略运用得不好,弄得国民政府受军阀的挟制操纵,如以前杨希闵等的所作所为,国民党左派和共产党以至一般人民都要反对,并且要力求肃清这些势力的。我们对于国民军,亦是这样主张。至于蒋介石等,现时的国民革命军,恐怕唯一的"罪状",便是遵照人民的意志,肃清了反动军阀,停止了拉夫,勒派饷项,擅收租税、杂捐等的事罢了。国家主义派要反对这种军队,何不直说反对国民革命的成功呢?

奇巧不巧,《革命导报》居然说:"他们(左派)之反对军阀,目的在利用少数军阀,以促成名义上的劳农专政,实际上的寡头政治。"共产党在国民革命时代并未主张无产阶级独裁制,这是谁都知道的;右派的这种攻击,和其他攻击一样,故意自制其"共产主义政策"来做对象,这是因为他们没有在理论上驳难共产主义政策的能力,所以只好以造谣的伎俩来中伤。共产党所主张的——国民党左派当然也可赞成——正是在国民革命时代必须革命的,各革命党联合战线的,对于保皇党、帝国主义党、军阀党、买办党、土豪党，对于一切反动势力的独裁制——国民革命的革命派独裁制。一切革命没有独裁制便完全是空想：难道革命胜利之后，还能容许反革命派的自由，以便他们推翻革命？至于《醒狮》《独立青年》等，更宣言反对一党的专政，可是《独立青年》第一号《民众势力与军阀势力》一篇论文说："由真诚了解民治主义者，抱我入地狱长期牺牲之决心，分途羼入各机关团体，加以切实之整顿、有力之指导、严固之组织。"这不是政党作用又是什么？如果这些机关组织内，推而至于一国内，有买办、军阀等反革命分子，不服从所谓"有力之指导"，那时怎样呢？难道照德谟克拉西的原则，应当放任？推而至于国家的政治，应当由国内一切阶级，所谓全民：军阀、买办、土豪、人民等等的"联合政府"来治理？真正的民权主义，只有拥护保障真正平民的政权。至于无产阶级一阶级的独裁制，诚然不错，是共产主义，可是这一共产主义政策的实行，事实上当然只在社会内其他阶级，如资产阶级完全变成反革命的时候。中国共产党，现时认为国民革命时代中，应当实行对于军阀、买办等帝国主义的走狗之革命独裁制。这是中国唯一的出路，这种政策，已经为孙中山先生的革命的国民党所接受（国民党第一次大会宣言）。灵光君对于无产阶级独裁制怀疑，他以为："无产者的志愿是在乘机得到一些财产……所谓成功，不是共产革命成功，而是他们个人的致富成功"（《独立青年》，灵光："质郭沫若……"）。又说，共产党有什么"不投降便打倒"的政策，这和误解劳农专政是寡头政治是一样的。灵光君不曾研究一研究：俄国现时——革命胜利后第八年，无产阶级是怎样"团体致富"——大规模的社会主义生产、工人农民的俱乐部、协作社、公共寄宿舍等；他也不曾研究一研究：俄国现时的选举制度，各省、各县及中央的国家职员有多少农民、工人（这些都有统计和事实可以复按的,最好要不以耳代目)。至于说中国工人幼稚,甚至于如《商报》上的姚公鹤,说女工高呼"打倒帝国主义!"和"废除不平等条约!"都是出钱买她们来的。这种对于劳农平民的不信任,实是知识阶级傲慢与无知的结果。俄国工人、农民当初也是很无智识、很幼稚,而革命斗争的经验和共产党的工作,使他们现在做了苏联的主人。就是中国的女工,受着帝国主义者的压迫和五卅斗争中的经验,也有一部分比以前的智识、能力长进得多了。假使说这都要用钱去买,岂非大笑话?五卅时期,上海大街小巷都贴着打倒帝国主义的标语,大半都是一般普通人民所写的,难道都是钱买来的?这种意见,简直认农工民众中,永无增进智识的变化,显然是不切事实的。"不投降便打倒"和"寡头政治"的说法,尤其是"海外奇谈"——欧洲的帝国主义者和投降资产阶级的社会党也往往这样地骂俄国共产党,事实上俄国政治的实际状况和各国共产党的政治行动,都可以证明这完全是谣言。共产党不但不抱着"不投降便打倒"的原则,而且处处都是引导革命派的统一联合。譬如广东政府里的汪精卫、蒋介石,现在更加上胡汉民,甚至于伍朝枢、孙科,他们何尝投降了共产党,而并没有被打倒;上海最近的国民会议促成会(固然仅仅只有左派而无共产党,然而共产党是赞助它的),极力与孙文主义学会去合作,只见右派拒绝,却不见左派打倒他们。总之,社会革命时代无产阶级独裁制之可能与必要,正和国民革命时代革命派的独裁制之可能与必要是一样的,现时都有具体的事实证明。

中国最近几年来的国民革命运动,尤其是五卅运动,已经有很广大的发展,资产阶级的阶级意识——所谓"民族精神"或"国家主义",也就因此而发现出来,国民革命运动里的阶级分化和阶级斗争已经确有明显的表示。虽然戴季陶先生、上海孙文主义学会、邹鲁、周佛海派的国民党"中央"、独立青年派、醒狮派等相互之间互相矛盾,尤其是对于帝国主义及联合世界革命势力的问题上:季陶先生赞成和世界无产阶级联合;上海孙文主义学会只赞成和被压迫民族联合,可是还要促起帝国主义的崩溃;周佛海则反对打倒帝国主义,国民党右派之中已经互相违背"党的纪律";国家主义派更连帝国主义的名词也不肯用,他们内部也有冲突:孤军社(《独立青年》)和醒狮社共同署名答复共产主义青年团的信,居然在《独立青年》杂志和《醒狮周报》上发表的互相不同,听说中间经过曾琦个人擅自地削改(这真是寡头政治)。然而这不过是聪明的和愚笨的、远见的和近视的、不愿受帝国主义利用的和宁愿受买办阶级指导的种种式子的资产阶级政见之冲突。他们比较有一共同的目标:消灭无产阶级的政治觉悟,破坏共产党的政治势力,以民族或国家的笼统名词欺蒙无产阶级,以口头上的保护劳动社会政策诱惑无产阶级,使为己用而专擅国民革命的指导权。这种"指导",像我们上面的分析,其势必定使国民革命失败或妥协:以反对阶级斗争而灭杀劳农、平民参加国民革命的势力,以反对联合各国革命势力而巩固帝国主义的国家。

　　共产党的政策和共产主义,正因此而不得不加劲发展,否则,共产党的失败,不仅是无产阶级斗争的失败,而且同时也是中国民族解放运动的失败。中国民族解放的唯一道路,只有和无产阶级携手共进,在无产阶级之政治领袖之下,结合革命的联合战线。中国现时正是格外需要共产主义之宣传,不但对于工人、农民,而且对于一般人民,甚至于资产阶级和买办阶级:使他们知道人类历史的演进,最终的目的地必然是共产主义,共产主义的政策——从国民革命以至于社会革命的，不过是革命的，亦就是所谓"赤化"的政策罢了，并没有什么洪水猛兽似的可怕；使他们知道，世界以及中国无产阶级的力量必然日益发展，资本主义的末日，中国国民革命和世界社会革命的胜利，不久便要临到；他们那所谓的顽蛮的抵抗，只能帮助帝国主义压迫自己，没有别的好结果。共产主义的发展在中国今日决不太早，只嫌太迟而太缓——以至于增加资产阶级许多愚妄、自欺、野蛮、残狠的、枉然的顽抗和梦想。

中国国民革命中的阶级分化虽然开始，然而因为中国的经济状况——使资产阶级知道别无出路，不能得到帝国主义的让步，使小资产阶级知道自己的犹豫畏怯只是造成帝国主义巩固其统治之机会与可能。这种分化的结果，只能使大多数革命青年和劳农阶级，在经验上更加确定自己的革命意志，巩固无产阶级的政治指导；使小资产阶级等逐步觉悟，因而逐次巩固一般平民阶级的革命联合战线；只有极少数的反动"领袖"将来完全倒到帝国主义、军阀、买办、土豪的怀里去，变成明显的反革命党。

一九二六年一月二十九日

（季刊三号，一九二六年三月二十五日）

世界革命与中国民族解放运动

陈独秀

国民党右派及国家主义者，都以为中国的民族独立解放运动该由中国人自己的力量来做，不应该接受外力即苏俄的援助。他们的理论仿佛是一民族的独立解放运动中若夹杂了外力，便失了独立性，所谓独立便名不称实了。

他们这种形式的逻辑、这种关门革命的方法，表面上好像是他们的民族主义更高调些，他们的独立运动更彻底些。可是实际上，若是用他们这样独立的方法，想达到独立之目的，真算是缘木求鱼！他们不是民族主义而是闭关主义，他们不是独立运动而是孤立运动。照他们的方法，关起门来做中国一民族的独立运动，拒绝全世界的同情、援助，使中国一民族完全站在孤立无助的地位，此诚为我们的敌人——国际帝国主义之所喜，而陷中国的民族独立解放运动于更孤危、更险阻的困境中。

法国《巴黎晨报》曾说："英、法、日、美应联合压迫中国，恢复国内秩序，以免赤俄在亚洲势力膨胀，否则莫斯科从中援助之亚洲民族自由运动将发展到中国。"可见帝国主义者压迫中国的计划有国际的联合，而中国的国民党右派及国家主义者，却反对中国民族运动有国际的援助。又可见帝国主义者早已料到外力援助中国民族自由运动对于他们的危险，而中国的国民党右派及国家主义者，却正是专门拼命反对中国民族运动接受莫斯科的援助。这真巧极了，帝国主义者应该如何感谢他们（国民党右派及国家主义者）！

他们以为接受外力援助有损独立精神，他们忘记了美国独立战争中接受了不少的法国援助。他们更忘记了现代国际帝国主义所造成之整个的世界革命状况，和前代各国各自革命状况更大不相同。

现代资本制度已发达到最高形式——统一世界之财政资本主义，即国际帝国主义。因此，全世界的经济成了整个的，全世界政治也直接、间接在这整个的经济影响支配之下成了整个的。因此，全世界的统治者、压迫者（国际资本帝国主义）成了整个的，全世界被统治者、被压迫者（工农阶级及弱小民族）对于统治者压迫者之反抗，也汇合起来成了整个的世界革命。各处弱小民族及被压迫国家的解放运动和各帝国主义国家内的工农阶级解放运动，都是这整个的世界革命运动之一部分，而有相互的密切关系。因为现在已经是二十世纪之第二十六年，已经是对于资本主义造成的革命对象——统治全世界的国际帝国主义革命时代，而不是十八世纪各国各自对于本国统治阶级革命的时代了。

在此整个的世界革命时代，任何国家的革命运动，任何属性的革命运动——阶级的或民族的，都不是国民党右派及国家主义者所想象之一国家一民族关起门来独立革命可以得到成功的。

这还是理论一方面，现在再说事实。俄国十月革命总算是最成功的了，然而革命的军事终了后，仍然要对小资产阶级让步，仍然要受帝国主义不断的威吓。英国屡欲用兵力压迫苏俄，都因为英国工人反对及各殖民地革命运动之兴起而作罢。最近洛迦诺会议中进攻苏俄之密谋方定,而英国大罢工突起,势不得不暂时停顿。土耳其民族革命之成功,不用说是因为有苏俄很大的援助。土耳其的民族革命总算成功了,基玛尔居然趾高气扬地杀戮共产党了,并且想离开苏俄了。殊不知英、法两帝国主义还未倒,他们仍旧向土耳其夹攻,尤其是最近英国抢夺莫塞尔,于是基玛尔再回向苏俄。中国及波斯在俄皇时代所失各种权利,若不是俄国无产阶级革命成功,如何能够收回?去年中国五卅运动初起,英、法、德、美各国的资产阶级的政党及其政府,一致宣传中国五卅运动是义和团一类的排外运动,嗣因英、法、德、美、俄、日本的工人及其政党纷起援助,才不便这样宣传。中国的五卅运动,因为有各帝国主义国家内的工人同情、援助,使各帝国主义者不得不提出他们久已忘记了的关税会议来敷衍中国人。并且英国帝国主义者因为恐怕中国五卅运动引起印度人的觉悟,也拿出一点小小让步,和缓印度资产阶级的感情。现今弥漫全世界之民族独立运动,如欧洲之墨西托尼亚、皮沙拉比亚、布哥维那、西里西亚、克洛西亚等,如亚洲之波斯、阿拉伯、叙利亚、土耳其、阿富汗、爪哇、中国、印度、高丽等,如非洲之摩洛哥、埃及、阿尔及利亚等,莫不有苏俄之后援。最近摩洛哥中悲壮震动全球的里夫民族之失败,《巴黎晨报》说:"阿白杜尔克林之降,可使俄、德不复抱法国必败于摩洛哥之梦想,法国虽死一百七十万人,然终能一再表示其自卫之能力,阿白杜尔克林固可依恃法国之恩慈,但宽恕非忘却前事之解,阿氏与布尔希维克及日耳曼之接洽,法人不能忘也。"小小的里夫民族,为数不及一百万,军队只六万五千,前曾击破西班牙十万大兵,继又和法国苦战一年有余,今虽不幸失败,其所加于法国之损失如此之大,此固由于摩洛哥人勇敢善战,而俄、德、法各国共产党人援助之力亦不小,《巴黎晨报》只说法国不能忘阿氏与俄、德之接洽,却不肯说出阿氏更与它自己国中"不爱国"的法国共产党接洽也。

依据这些事实,现代整个的世界革命运动中各部分相互关系之密切,已非常明显。

现在,我们再研究中国民族解放运动的前途和世界革命之关系是怎样。

中国是英、美、法、日、意、比等帝国主义国家共同掠夺的市场,而不是哪一个帝国主义国家的殖民地。所以中国民族解放运动第一个对象是国际帝国主义,而不仅仅是哪一个帝国主义的国家。中国民族解放运动第二个对象是国内军阀,因为他们是帝国主义者用作掠夺中国利益、压制中国民众之工具。所以中国的民族解放运动,必须是由集中民众的组织,民众取得武装,解除军阀的武装,一直到和帝国主义者武装冲突之胜利,才能够达到民族解放的目的。

中国现有的直、奉两系军阀,只要有一系存在,都是民众的大敌,都是束缚民族解放运动之万钧锁链。国内军阀比起英、美、法、日任何一个帝国主义的力量来,却只是九牛之一毛,何况国际帝国主义的力量,那更是大莫与京。所以,中国的民族解放运动,不但高等华人之友谊的磋商和资产阶级之和平要求等于痴人说梦。即令有困苦的革命争斗,这种争斗,若不得到苏俄及全世界无产阶级有力的援助,使这争斗能成为长期的一直到和各帝国主义国家内的无产阶级革命汇合起来,完成整个的世界革命,也是不会完全成功的。

那么,或者有人以为反正中国的民族解放,非到世界革命实现不会成功,待到世界革命实现了,国际帝国主义覆灭了,中国问题也自然解决了，现在中国民族便无须努力作这不必要的革命争斗。这种见解非常之错。

不但在主观上，世界革命是世界各民族中革命民众之共同义务，任何革命民众，都不能取这种机会主义的可耻态度。并且在客观上，被压迫国家、弱小民族的民族革命运动和各帝国主义国家内的无产阶级革命运动，二者汇合起来，才能根本推翻国际帝国主义，才能成就整个的世界革命，譬如一车之两轮，缺一不可。我们若坐待世界革命机会之到来，而自己不努力于反帝国主义的民族争斗，使帝国主义者得集其全力以镇压其本国内的无产阶级革命，则我们所坐待之机会，或至永远不会到来。所以中国的民族解放运动，固然不应如国家主义者所主张，关起门来独立革命，也不应如机会主义者主张我们自己不必努力，只坐待世界革命之到来。在实际的历史现象上，全世界反帝国主义的民族革命高潮，也是和各帝国主义国家内的无产阶级革命高潮，在相互影响中平流并进。中国是国际帝国主义所共同征服的国家，自然不能幻想马上就会有和帝国主义者武装冲突的胜利之可能。但我们在这世界革命高潮中之可能的责任，是不断地努力、不断地争斗、不断地摇动帝国主义在中国之势力，不断地和帝国主义者争夺中国现有的武装——尚未为帝国主义者所有的武装，如冯玉祥、唐生智等军队，甚至于已为帝国主义者所有的武装，如直、奉两系军队——不断地扩张民众的武装，如民团、商团、红枪会、农民自卫团、工人自卫团、工人纠察队、学生军等。经过这样的长期努力与争斗，才能够解除军阀的武装，才有联合别的被压迫国家如苏俄等和帝国主义者武装冲突之可能。帝国主义在中国之势力摇动一分，他们国内的无产阶级革命潮即高涨一分。中国民众的武装及接近民众的武装扩张一分，军阀的势力即削弱一分，亦即中国民众和帝国主义武装冲突之期接近一分。如此长期争斗之结果，再和各帝国主义国家内的无产阶级革命汇合起来，才能够根本推翻统治全世界的国际帝国主义，才能够实现世界革命，才能够使中国民族得到完全的解放。

在政治上，中国是国际帝国主义共同征服的国家；在经济上，中国是国际帝国主义共同掠夺的市场，不根本推翻统治全世界的国际帝国主义，中国民族不会有完全解放之可能。因此，中国民族解放运动之背景及其必然的途径，可称为一切民族解放和世界革命关系之模范的说明。

国民党右派及国家主义者关门革命的方法，固然不合实际。有些国民党左派，自以为赞成世界革命表示特别激进，其实这并不算什么特别激进。中国民族革命，只是整个的世界革命之一部分，赞成世界革命的人无有不赞成中国民族革命。尽力中国民族革命的人也应该尽力世界革命，尽力世界革命即是尽力中国民族革命，这两件事是很难分开的，因为这两个革命的对象只是一个：统治全世界的国际帝国主义。

中国的民族革命者，不但要尽力世界革命，并且要努力研究世界革命的现状及其趋势。换句话说，就是不但要懂得本国的真实状况，即其历史发展到了什么阶段，并且要懂得世界的真实状况，即其历史发展到了什么阶段，更要懂得本国和所处的世界之革命的关系是怎样一种形势。懂得了这些，然后所定革命的策略及行动，才适合实际，才不至于落后或空想。

现在已经不是闭关时代了，世界各部分的革命运动，因为相互影响之关系日渐密切，已成为整个的不能分开了，凡是一个民族革命者,头脑中若没有一个世界革命形势之具体的图画,并且时常检查这图画中有无错误而加以改正,则口中虽说赞成世界革命,实际上仍旧是关门革命。

一九二六年五月三十日

(季刊第五号,一九二六年七月二十五日)